w
uch

wiesław myśliwski
ucho igielne

wydawnictwo
znak
kraków 2018

Projekt okładki
Witold Siemaszkiewicz

Na okładce reprodukcja obrazu Stanisława Baja *Ucho Igielne* (2018)

Fotografia autora na skrzydełku
Danuta Węgiel / FOTONOVA

Opieka redakcyjna
Jerzy Illg

Redakcja
Małgorzata Szczurek

Korekta
Małgorzata Biernacka
Ewdokia Cydejko

Łamanie
Grzegorz Kalisiak

ISBN 978-83-240-5446-6

znak

Książki z dobrej strony: www.znak.com.pl
Więcej o naszych autorach i książkach: www.wydawnictwoznak.pl
Społeczny Instytut Wydawniczy Znak, 30-105 Kraków, ul. Kościuszki 37
Dział sprzedaży: tel. (12) 61 99 569, e-mail: czytelnicy@znak.com.pl
Wydanie I, Kraków 2018. Printed in EU

Rozdział 1

Było, jak mówię. Zawadził o laskę. Nie wiem, dlaczego się obejrzał. Nikt za nim nie schodził. Oczywiście, że go poznałem. Mimo że zmienił się nie do poznania, trudno się nie zmienić po tylu latach. Nie dawałem jednak poznać po sobie, że go poznaję. Może dlatego myślał, że go nie poznaję. Udawałem, że jest dla mnie jednym z tych, którzy ciągle schodzą lub wchodzą po tych schodach. Zastanawiałem się nawet, czy go nie ostrzec, żeby nie schodził do tej dawnej dzikiej, zielonej doliny, bo jej już nie ma. Starzy ludzie lubią jednak odwiedzać miejsca, których nie ma i nie wiadomo, czy kiedykolwiek były. Nie rozumiem, jaka tęsknota ich tak ciągnie. Niestety, starcze tęsknoty bywają groźne. Gdybyż jeszcze po płaskim można było do tej doliny dojść, może bym go zrozumiał. Tylko że do żadnej doliny nie dojdzie się po płaskim, taka już natura dolin. Schodzić po tych schodach w jego wieku i o lasce, gdy nogi odmawiają posłuszeństwa, a oczy rozmijają się w widzeniu nie tylko świata, lecz każdego kroku, który stawia się przed sobą, to to samo, co gdyby w młodości wyobrazić sobie, że zamiast rąk ma się skrzydła i sfruwa się w tę dolinę.

Spodziewałem się nie jego, a nieoczekiwanie on. Drżenie mnie ogarnęło, wkuliłem się w siebie, chciałbym w tym momencie nie być ani tu, ani gdzie indziej. Wymacawszy pierwszy schodek laską, postawił niepewnie na nim stopę, po czym odważył się postawić drugą. Z podobnym mozołem zszedł na następny i następny. Niedołężny a uparty, pomyślałem. Dlaczego starzy ludzie są tak uparci, czyżby nie mogli darować tym, którzy po nich będą żyli?

Przystawał na krótszą, dłuższą chwilę na każdym schodku, patrząc sobie pod stopy, jakby niepewny, czy to tymi schodami zawsze schodził, wchodził, czy go może pamięć zawodzi. W jego wieku bywa, że pamięć zwalnia się z pamiętania, gdyż obciąża człowieka obowiązkami, którymi i tak jest dostatecznie zmęczony, tyle lat żyjąc. Macał laską każdy schodek poniżej, upewniając się, czy może bezpiecznie zejść. Najpierw lewą stopę stawiał na tym schodku, potem prawą. I z tą samą ostrożnością, spuszczając prawą stopę do lewej, schodził na następny schodek. Laska, którą trzymał w prawej ręce, wydała mi się niepewna, trzęsła mu się, gdy dotykał nią schodka.

Bałem się, że jeszcze mu się w głowie zakręci, gdy tak na każdym schodku będzie patrzył pod stopy. Zastanawiałem się, czy usunąć mu się z przejścia, czy go raczej nie przepuścić, gdy dojdzie do Ucha Igielnego.

Nie zdziwił się, kiedy mnie zobaczył, może nawet spodziewał się, że go uprzedzę, zanim on dojdzie tu z parku przez miasto. Przystanął na schodku powyżej mnie i nie patrząc mi w oczy, powiedział:

– Zaszedłem jeszcze do parku, ale to ostatni już raz. Nie wiem, czy pamięta pan, że czasami wracała ze szkoły do domu przez park. Siadłem na ławeczce i postanowiłem poczekać. Przeszła Cyganka z dzieckiem przy piersi. Myśli pan, że się zatrzymała jak wtedy? Skądże. Nawet nie spytała, czy mi powróżyć, mimo że dziecko zakwiliło, gdy przechodziła obok mnie. Widocznie uznała, że przyszłość nie przede mną, lecz za mną, a lat mi nie dołoży, bo skąd. Długo już siedziałem, miałem zamiar za chwilę wstać i pójść przez miasto, bo może i ona będzie wracała dziś przez miasto, jeśli chce sobie coś kupić, ale przysiadła się do mnie jakaś staruszka, pytając, czy może.

– Chyba że pan na kogoś czeka?

– Nie, proszę – mówię. – Kiedyś czekałem, ale to dawno temu.

– Dawno, niedawno, ale jak się kochało, to dalej się czeka.

– A pani kochała?

– Też pytanie. Jest ktoś taki, kto nigdy nie kochał? Żyje pan, widzę, sporo lat, jak i ja, i nie wie pan o tym? Do teraz kocham, choć już pewnie nadaremnie. Boleję, że mu nigdy tego nie powiedziałam.

– I czemuż pani nie powiedziała?

– Chorowałam, a lekarze nie dawali mi wiele życia, to nie chciałam go obciążać swoją miłością. Zwłaszcza że po zdaniu matury wyjechał. Nie wiedziałam nawet gdzie, a teraz może i nie żyje. Pan by powiedział, jakby nie był pewny, czy pan będzie żył?

– Nie wiem, zwłaszcza po tylu latach. Może też nie chciałbym jej obciążać wyrzutami sumienia, że porzuca moją miłość, gdyby przyszło jej umrzeć.

– Czy to znaczy, że kochał pan kogoś?

– Do teraz kocham, choć również nie mam pewności, czy żyje. Ale gdyby żyła, chybabym jej i teraz nie powiedział, gdybyśmy się spotkali, bo ani ona by mnie nie poznała, ani ja jej. Nie jesteśmy już ci sami, co w młodości.

– Jeśli się kocha, zawsze jest się tym samym. Gdyby człowiek to wiedział w młodości, inaczej by żył. A tak niejedno zmarnuje. A najczęściej miłość. No, pójdę już. Muszę koty nakarmić.

– Dużo ich pani ma?

– Różnie. Ile się zleci.

– Odprowadzę panią.

– Nie, dziękuję. Niedaleko mam. A pan gdzie? Bo może ja bym pana odprowadziła? Pan o lasce, a ja, dzięki Bogu, jeszcze na własnych nogach.

– Dam sobie radę, mam dużo bliżej niż pani.

Sprawdził laską kolejny schodek, ale jakby nie wierzył lasce, bo jeździł jej końcem po tym schodku w lewo, w prawo, zanim postawił stopę. Chciałem go spytać, po co w takim razie schodzi do tej dawnej dzikiej, zielonej doliny, lecz uprzedził mnie:

– Współczuję panu, że pan musi dalej żyć. Ale może będzie pan miał więcej szczęścia. Życzę panu. Chociaż, moim zdaniem, z życzeń jeszcze nic dla nikogo nie wynikło. – Zszedł na kolejny schodek, tak samo sprawdzając go laską. – Prawdę mówiąc, każde życie jest powtarzaniem życia po kimś. Przeszłość nas wyprzedza, musi pan to wiedzieć, ciągniemy się za nią. Bo któż by nadążył za swoim życiem. – Zatrzymał się na kolejnym schodku. – O, ileż tędy nóg musiało przejść. Zwrócił pan uwagę, jak wytarte są te schody? Wieków na to trzeba. Kto wie, czy wciąż tędy nie idą. Może zabiorę się z nimi. Co, dziwi się pan? W tłumie zawsze raźniej. – I macając laską schodek poniżej, zachwiał się, lecz jakby ktoś go podtrzymał. – Gdy chodziłem do liceum… Co ja będę zresztą panu opowiadał, sam pan to przeżyje, bo musi pan przeżyć. Bez tego nie mógłby pan zadać sobie pytania, czy warto było. Wszystkie pytania, jakie w życiu sobie zadajemy, sprowadzają się do tego jednego, czy warto było. No, nie w pańskim wieku. Po latach, po latach dopiero. Teraz nie wiedziałby pan, co sobie odpowiedzieć. Tylko proszę pamiętać, że młodość potrafi długo zwodzić. Niech się pan nie daje jej oszukać. Nagle może się okazać, że młody to pan był przed wielu laty. Niestety. Przepraszam za te gorzkie słowa, lecz tylko takie mi zostały. W zamian oddaję panu moje życie. Przyda się panu, gdy ogarnie pana pustka. Pustka to coś najgorszego, co nas może spotkać. A zaradzić jej tylko można, żyjąc w czyimś życiu. Nikt zresztą nie zaczyna swojego życia od siebie. Teraz pan jeszcze tego nie rozumie. Ale z czasem, gdy zacznie je pan odwiedzać… Chciałbym wiedzieć, jakie będzie pan miał wrażenia. Ja miałem lepsze i gorsze, jak to z życiem. Razu jednego uciekłem ze swojego dzieciństwa, ale pan może nie będzie chciał go nigdy opuścić. Zdarza się. Powiem panu jednak, że nic to panu nie da. Życie to błądzenie za sobą bez nadziei, że się kiedykolwiek siebie odnajdzie. No, ale dosyć, bo mnie miną. A tu jeszcze tyle schodków.

Więc usunąłem mu się. I wtedy laska wypadła mu z ręki i potoczyła się w dół, a on zachwiał się i runął za nią. Spadł aż na drogę u podnóża schodów, głową uderzając w bruk. Akurat nikt nie schodził, nie wchodził, to i nikt nie widział. Rzuciłem się za nim. Próbowałem go unieść w jakiejś bezrozumnej nadziei, że może żyje. Ciężki jednak był. Za życia wysoki, a po śmierci jeszcze bezwładny, więc tym bardziej ciężki. Wtem usłyszałem czyjś głos nad sobą:

– Zostawić. Karetka już jedzie.

Ułożyłem więc z powrotem jego zakrwawioną głowę na bruku i dopiero wtedy zobaczyłem, że obok stoi kilka osób. Skąd się nagle wzięły, nie wiem. Może tak jest przy każdym wypadku, że ludzie jakby wyrastają spod ziemi lub sfruwają z nieba, lecz gdy spadał z tych schodów, mógłbym przysiąc, że żywej duszy nie było. Nie ma więc co słuchać ludzi, bo nikt nie widział, że zawadził o laskę. Mogą różne rzeczy mówić, a i tak każdy powie co innego, jak zawsze, kiedy nie chce się być świadkiem. A jak się potem okazało, nikt nie chciał. Ten, który kazał mi go zostawić, opowiadał właśnie o podobnym zdarzeniu, wskazując jakiś nieodległy dom:

– O, w tamtym domu. Dwóch kolegów, nieobytych z bronią, znaleźli rewolwer z czasów wojny. A że był zardzewiały, nawet cyngiel nie dawał się pociągnąć, to jeden zaczął walić lufą w stół. No, i wystrzeliło temu drugiemu w brzuch. Zwalił się, a tamten zaczął go podnosić, chyba go i wyprostował. Doktor potem powiedział, że gdyby go nie podnosił, żyłby.

W tym momencie jego słowa przerwała dojeżdżająca na sygnale karetka. Wyskoczyło dwóch sanitariuszy z noszami i lekarz, który rozciągnął mu powieki, na wszelki wypadek przyłożył jeszcze słuchawkę do piersi i stwierdził zgon. Tuż po karetce, również na sygnale zjawiła się i milicja. Wyszło z samochodu dwóch mundurowych, jeden oficer, z gwiazdkami, drugi młodszy, z belkami. Po nich, z tylnego siedzenia, wygramolił się trzeci, gruby, że aż śmieszny wydawał się w mundurze.

Oficer zaczął wypytywać ludzi stojących wokół ciała, co kto widział i jak to się stało, a młodszy, z belkami, zapisywał, choć nie miał co, bo jakkolwiek jeden przez drugiego mówili, to nikt nic nie widział. Któryś widział tylko, jak zbiegałem ze schodów, gdy już ciało leżało na bruku. A ten, co mi zakazał go podnosić, nadszedł właśnie, gdy chciałem go podnieść, i powiedział:

– Zostawić. – I zaczął już nawet mówić, że o, w tym domu tam…, lecz oficer mu przerwał:

– A czy ktoś go znał?

Ktoś się zaczął zastanawiać, że może gdyby go za życia zobaczył, na co oficer machnął ręką.

– Przeszukać mu kieszenie – rzucił.

Ten gruby próbował się pochylić nad ciałem, lecz nie dał rady, wobec tego przyklęknął i wyciągnął z wewnętrznej kieszeni marynarki portfel, podał go temu młodszemu, a ten, nie zaglądając, oficerowi. Portfel miał wiele przegródek, lecz prócz pieniędzy i zdjęcia jakiejś młodej dziewczyny nic w nim nie było, choćby kwitu, na przykład z pralni.

– Nie ma dowodu osobistego? – zdumiał się oficer. – Przeszukać jeszcze raz, dokładnie, może gdzieś jest. – Nie ma? – jeszcze bardziej się zdumiał.

– Obywatel bez dowodu, to jakby go nie było – powiedział ten gruby.

– Ciało jest, to powinien być i dowód – powiedział ten młodszy z belkami. – Bez dowodu to i tego ciała jakby nie było. I jak prowadzić dochodzenie?

– Może mu wypadł i pod ciałem jest. Unieście ciało – nakazał oficer.

Sanitariusze unieśli ciało, lecz pod ciałem była tylko rozległa plama krwi.

– Połóżcie z powrotem. Tak jak leżał.

– A ta dziewczyna na zdjęciu? – Młodszy rangą zajrzał w otwarty w rękach oficera portfel. – Śliczna dziewczyna.

Oficer kiwnął głową.

– Może córka, to prędzej by ktoś poznał. Pokazać? – Wziął to zdjęcie z rąk oficera i podstawił każdemu pod oczy.

Wzruszali ramionami, że nie poznają. Ktoś tylko powiedział:

– Musi dawne być. Karbowane brzegi. Dzisiaj się takich nie robi. Mam podobne po swoich dziadkach.

– No, a wy – zwrócił się do mnie – poznajecie?

Tak, to była ona, poznałem. Nie przyznałem się jednak. I żeby cień podejrzenia na mnie nie padł, zwróciłem uwagę oficera na laskę:

– Może po lasce by go ktoś poznał. Laski przywiązują się do ludzi. A każdy prawie nosi inną. Jeden z profesorów w liceum…

Oficer nie dał mi dokończyć, spojrzał na mnie nieufnie, wręcz wbił we mnie wzrok.

– Już my wiemy, po czym mamy kogoś poznać. Proszę nam to zostawić. – I rozkazał: – Na wszelki wypadek poszukajcie tej laski, a pieniądze w depozyt. I obrysujcie ciało. Kto wie, czy to nie jakiś turysta, mógł zostawić dowód przewodnikowi, na okoliczność, gdyby się zgubił.

Obrysowali ciało kredą, karetka z ciałem odjechała, a ten młodszy z grubym zaczęli szukać laski. Ten obrysowany białą kredą zarys jego ciała na bruku z plamą krwi, gdzie uderzył głową, wydał mi się, jakby dalej oddychał jego oddechem, jakby nawet coś szeptał jego słowami, i było to bardziej przejmujące, niż kiedy leżało w tym miejscu ciało, nim je zabrali sanitariusze.

– Trzeba będzie objechać miasto i gdzie jaki autokar stoi, przepytać – wydał polecenie oficer, gdy mimo poszukiwań i na schodach, i wokół, nie znaleźli tej laski. – Sobota, to najeżdżało się tu dzisiaj. Na podzamczu parkują, przy spichrzu parkują, na nowym mieście parkują i gdzie tylko parkują, przepytać. Na szczęście jest jeden hotel, też przepytać. I w kwaterach prywatnych przepytać, wziąć spis z magistratu, muszą przecież rejestrować. – Zdjął czapkę, podrapał się w głowę, jakby go myśli zaswędziały. – Przydałoby się i obwieszczenie rozwiesić, że mężczyzna lat, tylko że nie wiemy, ile miał lat, nie znaleźliśmy dowodu. Cholera, nie wzięliśmy nawet aparatu, zdjęcie by mu się zrobiło.

– A skąd mogliśmy wiedzieć, że się zabił? – wszedł mu w słowo ten gruby. – Zgłosili wypadek, a wypadek to mógł rękę, nogę złamać. Mało tu rąk, nóg nałamali na tych pierońskich schodach?

– Zdjęcie można by powiesić – rzucił ten z belkami. – Tylko nie tutaj, raczej na mieście, bo będą się potem bali tędy chodzić, że straszy. Choć zdjęcie trupa, to kto się przyzna, że go znał. Lepiej byłoby tej córki. Córkę chętniej ktoś by rozpoznał.

– A skąd wiesz, że to córka, nie wnuczka? – skarcił go oficer. I tamten aż zamrugał oczami, że sam na to nie wpadł.

– Z tego widać, że w panu mamy jedynego świadka – zwrócił się do mnie oficer. I jakby zawahał się, dodając: – A może i jedyny punkt, od którego powinno się poprowadzić dochodzenie, skoro nie ma ani dowodu denata, ani zdjęcia, ani innych świadków. Pojedzie pan z nami, spiszemy protokół.

Na posterunku posadził mnie przy biurku naprzeciwko siebie, spytał, czy napiję się herbaty, podniósł słuchawkę telefonu:

– Dwie herbaty – polecił. – Pan słodzi? A to i ja dzisiaj wypiję słodzoną. I cukier. Aha, i Bronka niech przyjdzie do pisania.

Chuda jak szczapa kobiecina, jak się okazało sprzątaczka, przyniosła dwie szklanki herbaty, cukier w jakimś blaszanym pudełku po landrynkach i jedną łyżeczkę. Osłodził sobie, zamieszał, potem dał łyżeczkę mnie.

– Muszę chyba przynieść z domu łyżeczkę. Te aluminiowe łamią się i już niewiele ich zostało na cały posterunek – powiedział jakby na usprawiedliwienie tej jednej łyżeczki.

Przyszła i Bronka, obrzuciła mnie wzgardliwym spojrzeniem, siadła przy maszynie i rozłożyła przed sobą jakieś kolorowe pismo.

– Nim herbatę wypijecie, to przejrzę, jaka jest moda na jesień.

– Pisz. Co ma herbata do przesłuchania?

– A ja tam nie wiem.

Poczekał, aż upiję chociaż ten pierwszy łyk, sam upił już chyba trzeci, po czym odepchnął się z krzesełkiem od biurka, układając plecy na oparciu, zaplótł dłonie, najwyraźniej rozluźniając się, a chyba i nogi wyciągnął pod biurkiem, gdyż dotknął mnie.

– No, to niech pan mówi.

– Co mam mówić?

– Co pan wie.

– Nic więcej nie wiem, prócz tego, co powiedziałem.

– Wie pan, wie pan, już my wiemy, że pan wie. Każdy przesłuchiwany tak mówi, poda imię, nazwisko, datę urodzenia i że nic więcej nie wie. Doświadczenie nas jednak uczy, że człowiek sam nie wie, co wie, jeśli mu się nie pomoże. Są różne formy takiej pomocy. Ale ja stosuję zwyczajną rozmowę, żeby tak powiedzieć, uświadamiającą. Wychodzę z założenia, że każdy musi sam się przekonać, co wie. Więc jak?

Widocznie nic jeszcze nie zrozumiałem, bo postanowiłem przypomnieć mu, co mi powiedział, zabierając mnie na posterunek:

– Przepraszam pana, ale to jakieś nieporozumienie. Miałem być tylko świadkiem.

– To prawda, nie zaprzeczam, jest pan dalej świadkiem. Tylko że jedynym. Innych świadków nie mamy, z którymi moglibyśmy pana skonfrontować, aby potwierdzić pańską wiarygodność. A gdy nie ma nic pewnego, nasuwa się pytanie, czy świadek to jedyna pana rola w tym zdarzeniu, czy można by przypisać panu jeszcze inną. Nie wiem na razie jaką, ale musimy się postarać to wyjaśnić. My obaj. Tak że chciałbym, aby pan zrozumiał, że muszę pana przesłuchiwać w różnych rolach. Granice między rolami są zresztą płynne. Ustalają je okoliczności. Żeby znaleźć jakieś porównanie, stan ciekły może przechodzić i w stan gazowy, i stały, zależnie od temperatury. Woda, para, lód. To samo, a nie to samo. Nie możemy sobie pozwolić na bezradność. To by nas dyskwalifikowało. Bylibyśmy niepotrzebni. Tak że musimy dociekać nieraz aż do bólu. Prawda, jak pan wie, ma najwyższą cenę i nawet po latach nie podlega obniżce. Toteż nie radziłbym na to liczyć. Prawda nie ulega przedawnieniu. Niezależnie, jak długo sprawa się może ciągnąć. Gdybyśmy mieli przynajmniej drugiego świadka. Ale w pańskim przypadku mógłby to być tylko denat. Niestety, nie możemy go przesłuchać. Chociaż ciekawe, co by miał do powiedzenia. Możemy się tego jedynie domyślać. A nie jest to takie bezzasadne. Od domyślności zaczyna się zwykle poszukiwanie tropu, gdyż mało kogo da się złapać na gorącym uczynku. Niech pan weźmie pod uwagę na przykład te wszystkie zdrady mężów, żon. Rzadko kiedy jedno drugie nakryje, jak to się mówi, *in flagranti*. Większość zdrad zaczyna się od domyślności. I dopiero domyślność każe szukać dowodów. Niewykluczone więc, że denat świadczyłby przeciw panu, jak pan świadczy, że sam sobie winien, bo zawadził o laskę. Tylko gdzie ta laska? Szukaliśmy, widział pan. Byłaby, tobyśmy ją znaleźli. Laska nie ma skrzydeł, żeby odfrunęła. – Zaśmiał się, ale jakimś takim śmiechem, że zmroziło mnie. – Dobra, poszukamy jeszcze raz. A tymczasem niech pan powie, w której ręce ją trzymał, w lewej, prawej, gdy, jak pan mówi, zawadził o nią? Nie pamięta pan. Trudno. Dziwi się pan, że taki szczegół może mieć znaczenie? To powiem panu, że szczegół może więcej nam powiedzieć, niżbyśmy podejrzewali. Byle szczegół, a potrafi obalić wszystkie zeznania, zaprzeczyć wszystkim świadkom. Szczegół to kosmos. Świat niby wielki, a decydują szczegóły, że ktoś kogoś spotkał tu, nie tam, że jabłko spadło z jabłoni, dzięki czemu Newton odkrył prawo grawitacji, że bakterie hodowane przez Fleminga uśmiercił niespodziewanie jakiś grzybek i w ten sposób wynaleziona została penicylina. I tak dalej, i tak dalej. Napisałaś, Bronka? To wyrzuć tę kartkę.

Ciągnął to przesłuchanie i muszę powiedzieć, że niekiedy zaskakiwał mnie swoją przenikliwością:

– Powiedział pan, że nikt za nim nie schodził, tak? A mimo to obejrzał się. Może słońce go tak poraziło, bo dzisiaj ostre, a nic nie widząc, odwrócił głowę i pan wtedy, powiedzmy, chciał mu pomóc zejść na niższy schodek?

Nieraz w pół zdania urywał przesłuchanie i wychodził, jakby dając mi czas do zastanowienia. Albo zapadał w zamyślenie, po czym kazał Bronce coś skreślić, chociaż mnie się wydawało to ważne. Widocznie innym tropem podążały jego myśli. A czasami jakby chciał złagodzić to przesłuchanie i nadać mu ton bliższy zwierzeniom, gdyż wtrącił coś o sobie, że ma dwójkę dzieci, syna i córkę, po pierwszej żonie, która mu umarła, i musiał sam je wychowywać.

– A wie pan, jak to jest. Służba nie drużba.

Ożenił się drugi raz i teraz znów czekają na dziecko. Czasem zadawał mi pytania, które z pozoru nic nie miały wspólnego ze sprawą:

– Ojciec, matka żyją? Mimo że pan młody, ale różnie może być. Ja swojej matki mało co pamiętam, zmarła na gruźlicę. A ojciec dwa lata temu odszedł.

I nagle znów mnie zaskoczył:

– Pan kiedy zrobił maturę? A dlaczego nie poszedł pan na studia?

– Nie przyjęli mnie.

– Co, nie zdał pan egzaminu?

– Zdałem.

– Jak to? Zdał pan i nie przyjęli? Też by trzeba to zbadać. Ciekawe. I co pan teraz robi?

– Pracuję.

– Gdzie?

– W zakładach przetwórstwa owocowo-warzywnego. Dżemy, marmolady, soki.

– Znamy te zakłady. Prowadziliśmy tam śledztwo, pięć wagonów wiśni stało nierozładowanych w beczkach na bocznicy, aż zgniły. A mieszka?

– U rodziców.

– A po co pan tutaj przyjechał? Umówił się z nim?

– Z kim?

– No, z denatem.

– Nie znałem go.

– Nie znał go pan, a poznał. Tak pan powiedział, że poznał go. Czy to może on tylko myślał, że go pan nie poznaje.

Cóż, nie możemy go spytać. Zastanawia mnie jednak, że skoro to było przypadkowe spotkanie, dlaczego akurat spotkaliście się w Uchu Igielnym, a nie na ulicy, w parku, w kawiarni, restauracji, gdzie bądź, jak to się zdarza w przypadkowych spotkaniach? Niech się pan zastanowi. Zaraz wrócę. – I wyszedł.

O, nie będzie z nim łatwo, pomyślałem. A nie mogłem mu przecież powiedzieć, że na nią czekałem, a on się zjawił niespodziewany. Sądziłem nawet, że już nie żyje, gdyż minął rok, odkąd według przepowiedni Cyganki powinien nie żyć. Zaraz by mnie spytał, a kto ona, imię, nazwisko, gdzie mieszka? I co, przyszła? Jak to, wiedział pan, że nie przyjdzie, i czekał pan na nią? Czeka się na kogoś, kto może się spóźnić czy nawet nie przyjść tego dnia, bo go coś nieprzewidzianego zatrzymało, ale przyjdzie innym razem.

Po niedługim czasie wrócił i już od drzwi rzucił mi niecierpliwe pytanie:

– I ma pan mi coś do powiedzenia? Przyjmijmy jednak, że go pan nie znał. Pójdziemy innym tropem. Widział pan, że schodził, tak? Gdzie schodził?

– W dół.

– To wiadomo, że schodzi się w dół, nie w górę. – Siedział za biurkiem, wpatrując się z jakimś dziwnym natężeniem w moje oczy. – W dół, powiada pan? A jak by wyszedł z powrotem, skoro ledwo schodził, nie zastanowił się pan nad tym? W jego wieku i o lasce.

– Nie wiem. Może nie miał zamiaru już wychodzić.

– Nie miał zamiaru, powiada pan. A skąd pan wie, że nie miał zamiaru?

– Przypuszczam.

– To muszę panu oświadczyć, że pańskie przypuszczenia też mogą być dowodem. I możemy ich użyć przeciw panu, niezależnie, że pan przypuszcza na rzecz swojej niewinności. Każda rzecz ma dwie strony, każda myśl i każde słowo. Nic nie jest jednoznaczne, jak się panu zapewne wydaje. Jednoznaczność to złudzenie. To, że pan jedynie przypuszcza, zdradza pana, że coś się za tym kryje. A to jest najważniejsze, co się za czymś kryje. Wprawdzie zabezpieczył się pan tym „może". Ale czasami tak się rzuca „może", choć nie rzuca się też bez przyczyny. Słowa nami rządzą, powinien pan to wiedzieć. Na to nie trzeba matury. Nieraz nie chciałoby się jakiegoś słowa powiedzieć, a ono się samo powie. No, więc jak, bo coś się tu kupy nie trzyma. – Zamilkł jakby w oczekiwaniu na moją odpowiedź.

Zaniepokoiło mnie, że długo milczy, wpatruje się we mnie i milczy. W tych jego wpatrzonych we mnie oczach, wydawało mi się, widzę pytanie, które chciałby mi zadać, lecz nie wie, czy sam się w coś nie wplącze. Bałem się tego pytania i w napięciu czekałem, kiedy mi je zada. Nie zadał. Chrząknął tylko:

– Hmm… – I to był jedyny dźwięk, który przez dłuższy czas wyszedł z jego ust. Po chwili znów chrząknął: – Hmm…

Od tego „hmm" aż się skuliłem w sobie. W takim „hmm" może kryć się nie wiadomo co, nawet oskarżenie, na które nie ma co prawda dowodów, lecz pobrzmiewa przekonanie, że znajdą się, nie wcześniej, to później znajdą się. Później może będzie nawet łatwiej znaleźć. Ulepszą się techniki śledcze, udoskonalą metody badań, pojawi się nowa aparatura, która będzie czytać sama, bez zadawania pytań. I bez Bronki, bo nie trzeba będzie nic pisać, wyświetli się podejrzanego na ekranie. Jeśli ma duszę, będzie i duszę jak na dłoni widać. Cierpliwości, co się oddali, to się i zbliży. A tymczasem nie szkodzi pomarzyć. Przez ten czas i podejrzanemu minie lat, niejednego doświadczy, niejedno zrozumie, może kiedyś nawet z własnej woli przyjdzie i przyzna się, nie trzeba go będzie zatrzymywać, nigdzie wyjeżdżać, niczego śledzić. Będzie się siedziało za biurkiem i przyjmowało winnych jak przy składaniu podań o zapomogi czy mieszkania. Dobrać się tylko do sumień, bo jak do tej pory sumienia rzadko się same otwierają, a jeśli, to dopiero na starość. Może zamiast milicji będą tylko urzędy, biura, wydziały, to i pensje wzrosną. Milicji słabo idzie, zwłaszcza z młodymi. Młodzi to najtrudniejszy materiał do przesłuchań – kręcą, motają, wypierają się, nic dla nich kodeksy, paragrafy, im się wydaje, że młodość na wszystko pozwala. Za nic mają milicję. No, to przekonają się, kiedy będziemy drogowskazem świata.

W tym momencie wszedł jakiś starszy o gwiazdkę oficer i położył mu na biurku notatkę.

– Masz go już w garści? – spytał, spoglądając na mnie.

– Prawie.

– Co, taki twardy? Może podrzuć go Edkowi.

– Nie, poradzę sobie.

– Jak chcesz.

Po jego wyjściu rzucił wzrokiem na tę notatkę, którą mu tamten przyniósł, odłożył ją z tłumioną wściekłością na bok i z tą wściekłością rzucił się na Bronkę:

– Zostaw już to pismo, Bronka! Pisz!

– Cały czas piszę – obruszyła się Bronka. – Tylko nie mam co.

Wwiercił się równie wściekle oczami we mnie, jakby spodziewał się, że mi przynajmniej ręce zadygoczą.

– Wróćmy do tej laski.

– Wróćmy do tej laski, napisałam – powtórzyła Bronka.

– Jak ta laska wyglądała?

– Jak ta laska wyglądała? – znów Bronka.

– Przestań do cholery mi czytać, co piszesz! – O, wyraźnie był wściekły. – No, więc jak ta laska wyglądała?

– Zwyczajnie, jak laska.

– Dokładnie. Jakiego była koloru?

– Chyba czarna.

– Chyba czy czarna?

– Może być i czarna.

– Może być to nie jest odpowiedź. Zdaje się, nie rozumiecie, że jesteście przesłuchiwani na okoliczność, kto wie nawet, czy nie zabójstwa. W równym stopniu mogliście podstawić mu nogę, co on zawadził o laskę. Bo jak dotąd laski nie znaleźliśmy.

– Czarna – powiedziałem z lekka struchlały. Czułem, jakby zaczynał się z wolna dobierać do moich myśli.

– No, to kolor już mamy. A dalej?

– Dalej też czarna.

– Wy sobie kpicie ze mnie, tak? A ja chcę dać wam szansę.

Nie, nie kpiłem, nie śmiałbym. Może i głupio powiedziałem, ale to z nagłego zamieszania w głowie, że zaczął mi mówić „wy" i co się za tym kryje.

– A rękojeść?

– Co rękojeść?

– No, jaki kształt miała? Różne bywają. Tu jeden gość, a młody, jak i wy, chodził z laską, to miał rękojeść w kształcie głowy węża.

– Nie, półokrągła, gładka.

– A co jeszcze miała?

– Jeszcze to miała antypoślizgową nakładkę na końcu.

– To znaczy nie mógł się poślizgnąć, bo trzymała go. I spadł?

– Może dlatego, że trzymała go, a chciał zejść niżej. I zawadził.

Spojrzał na mnie, jakby pomyślał, sprytny jesteś, bracie, ale nie wywiedziesz mnie w pole.

– No dobra. Zostawmy tę laskę, póki nie znajdziemy.

Zaczął bębnić palcami prawej ręki po biurku, jakby zastanawiając się, czy mnie jednak nie przerzucić do owego Edka, co mu proponował wyższy rangą o gwiazdkę oficer, który przyniósł mu notatkę. Nie wiedziałem, kto to Edek, imię jak każde inne, lecz żeby przerzucić mnie do jakiegoś Edka, już samo to groźne mi się wydało. Dotąd łagodny, niekiedy przyjazny, miałem nawet wrażenie, że sprawia mu przykrość, że mnie musi przesłuchiwać. I strach mnie obleciał. Niby nie zgodził się na tego Edka, ale i w nim może jakiś Edek siedzi, skoro powiedział, że da sobie radę.

– Wiecie chyba, że przyznanie się do winy jest okolicznością łagodzącą – powiedział jakby ze znużeniem w głosie. I chyba nawet ziewnął.

– Ale do czego mam się przyznać?

– To nie moja sprawa, to nie ja mam się przyznać. A prawdę mówiąc, każdy miałby się do czegoś przyznać. Gdybyśmy nawet pierwszych lepszych ściągali z ulicy na przesłuchania. I może kiedyś tak będzie. Na razie mamy ograniczony zakres działań.

Przestał bębnić palcami prawej ręki po blacie biurka, przerzucił się na lewą rękę i jakby z przypływem energii bębnił głośniej i szybciej, a mnie strach podszedł aż do gardła.

– Aha, zapomniałem powiedzieć, że na tej lasce, poniżej rękojeści była złota plakietka. A na niej wygrawerowany napis...

– Złota, mówicie – przerwał mi. Podniósł słuchawkę telefonu. – Gruby do mnie. No, widzicie. Trzeba grzebać, aż zaboli. – Przestał bębnić palcami, nawet jakby się uśmiechnął do mnie. – To by rozwiązało nam sprawę.

Gruby stanął w progu.

– Co jest, szefie?

– Jedźcie szukać tej laski. Jest na niej złota plakietka.

– Jak złota, to nie ma co szukać, już jej nie znajdzie. – I zaczął snuć swoje wątpliwości: – Złoto teraz w cenie. Handel zakazany, to i kwitnie. Ileśmy już zarekwirowali złotych rubli, dolarów, a oni wciąż sprzedają. Iluśmy nawsadzali i co? W kościołach nawet kradną i przetapiają na ruble i dolary.

– Nie pieprz mi. Jedźcie. Rozkaz.

– Tak jest. – Gruby trzasnął obcasami, aż się zachwiał. Widocznie jego ciało było za ciężkie jak na szczupłe nogi.

– Nie palę, bobym chętnie zapalił – powiedział jakby z lekka oklapły. Wyjął grzebyk, przeczesał włosy. Miał gęste, czarne, chociaż na skroniach już posiwiałe. – Kiedyś paliłem. Ale pierwsza żona, rzuć, bo dzieci małe, druga, rzuć, w ciąży jestem, chcesz, żeby dziecko kaleką się urodziło? No, cóż, poczekamy, aż przywiozą tę laskę. Dla dojścia do prawdy nie wolno żałować czasu.

A czas się dłużył w nieskończoność, nie tylko mnie, jemu również, bo raz i drugi wyszedł, zostawiając mnie sam na sam z Bronką, która korzystając z okazji, za każdym jego wyjściem przeglądała to pismo dla kobiet, a nie odezwała się choćby półsłowem. Zapytałem ją, czy nie wie, jak długo to może potrwać.

– A może, może – powiedziała, nie odrywając oczu od pisma. – Nie skończą do nocy, to od rana znów zaczną. Dopiero kartkę zapisałam. Z Edkiem miałabym już z pięć. O, Edek nie certoli się. I przywali, i przydusi, jak kto nie mówi prawdy. A nikt nie mówi. Wy też kręcicie, jak tak słucham was. I jakieś to wszystko nie takie, co mówicie. Edek by z was wycisnął. Edek nawet podkowy zgina. Mnie to jak piórko pod sam sufit podnosi. Z Edkiem nie nudzi się człowiek, kiedy przesłuchuje. Przy Edku to wszyscy tu prawie kurduple. Edkowi wszyscy sypią jak z rękawa. Poznaje się życie. W książce tego nie przeczyta, co przy Edku się dowie. Na spowiedzi tyle nikt nie powie, co Edkowi. Edek wziąłby was w obroty, to i wy niejedno byście się o sobie dowiedzieli. Edek nie dałby wam cały czas siedzieć, jak ten. Chociaż dobry człowiek i niegłupi, ale sam nieraz nie wie, czego chce. Pyta was i pyta, a pisać nie ma co. I herbatą was poczęstował.

Edek by wam kropli wody nie dał. I pan wam mówił, pókiście go nie zdenerwowali. Z Edkiem byłoby już po przesłuchaniu, mogłabym iść do domu. A z tym nie wiadomo. Kazał im jechać, laski szukać, a co mu laska powie. Zmierzchać się zaczyna. Byście się przyznali, toby może awansował, bo już długo czeka, żeby mu gwiazdkę dołożyli. Pensję miałby większą. Dwoje dzieci po tamtej żonie na wychowaniu, a trzecie w drodze z tą. A i wam by lżej było, jakbyście to z siebie zrzucili.

Tylko do czego miałby się przyznać, żeby było mu lżej? Lżej mu nigdy już nie było, odkąd dał sobie powróżyć Cygance, a przepowiedziała mu długie życie, lecz nic go to nie obeszło, natomiast gdy usłyszał, że nie będzie tędy dzisiaj przez park wracała ze szkoły do domu, pójdzie przez miasto, bo musi sobie coś kupić, haftki albo zatrzaski, sfrunął omal z ławki.

Park był zwykle o tej porze pusty, poza tym niewielki, jakie bywają tego rodzaju śródmiejskie parki, do tego mocno przerzedzony przez apokaliptyczną niemal burzę, która przed kilku laty zwaliła się na miasto, o czym ze zgrozą dotąd wspominano. Nie miał więc takiego powodzenia jak niegdyś. Nie dało się w nim zaszyć przed ludzkimi oczyma, toteż mało kto się w nim teraz umawiał. Młodzi woleli chodzić do kępy, nad rzekę, a starych żal za dawnym parkiem odstręczał od spacerów i przesiadywania na ławkach. Kiedyś drzewa o tej porze roku rozbrzmiewały ptasimi głosami, teraz ciszę z rzadka coś zakłócało, był więc pewny, że usłyszy jej kroki, gdy będzie się zbliżała.

Przymknął oczy przed rażącym słońcem, gdyż w tej ciszy nikt by mu nie umknął. Słyszał wszystkie kroki już z daleka i nie musiał za każdym razem otwierać oczu, aby się przekonać, czy to ona, czy nie ona. Kroki jej zresztą znał na pamięć, jakby z lekka tylko dotykały ziemi, można by pomyśleć, że idzie w sandałkach, jakkolwiek chodziła zawsze na podwyższonym obcasie, nie znosiła obuwia na płaskim. Stopy stawiała jakby od palców, nie od pięt, poznałby te kroki nawet w bezgwiezdnych ciemnościach.

Oddał się więc wyobraźni pod tymi przymkniętymi powiekami, zwłaszcza że spodziewał jej się dopiero, gdy skończy się ostatnia lekcja. Miał przewagę tej jednej lekcji nad nią, urwał się bowiem z łaciny, aby czekać już na nią w parku, gdy będzie wracała, a przeważnie przez park wracała. Niejeden raz się urywał, nie tylko z łaciny, której nie lubił, również z fizyki, matematyki, z których to przedmiotów należał do najlepszych uczniów. Gdy wychodził jak i ona po ostatnim dzwonku, bywało, że mu się gubiła w wychodzących kilku klasach naraz. Klas równoległych było kilka, a każda liczna, tak że gdy kończyły się lekcje, wylewał się na zewnątrz tłum. A gdy ją odszukał, prawie zawsze już z kimś szła. O, wielu było, także ze starszych klas, którzy czyhali, aby z nią chociaż ten kawałek pójść czy odprowadzić ją pod sam dom.

O czym mógł marzyć, nie warto chyba przypominać, jako że marzenia w tym wieku są dość pospolite i powszechnie znane, więc każdy może sięgnąć do własnych. Wtem usłyszał zbliżające się kroki, a właściwie szelest jakby bosych stóp. Nie, to nie były jej kroki, poznałby od razu. Te były niespieszne, skradające się raczej, toteż nie opuściłby swoich marzeń, gdyby w bliskości niemal na wyciągnięcie ręki nie zakwiliło nagle dziecko. Rozwarł więc gwałtownie powieki, aż słońca jaskrawość go oślepiła i w tej jaskrawości ujrzał przed sobą Cygankę z niemowlęciem przy piersi.

Była na wprost ławki, na której siedział, i najwidoczniej przeszłaby dalej, gdyż po jej krokach nie dało się odczytać zamiaru, że się przy nim zatrzyma. Widocznie doświadczenie jej podpowiedziało, że takiemu nie ma co wróżyć, nie wyciśnie z niego choćby złotówki. Jeśli ma jakieś pieniądze, to trzyma na kino, na cyrk. Tylko jaka by mu się dała zaprosić do kina czy do cyrku? Co ładniejsze rozglądają się za tymi, którzy mają przyszłość. A jaką on może mieć przyszłość? Niechby nawet długo żył, ale czy długie życie zapewnia przyszłość? Blady, wymizerowany, jakby zapadnięty w sobie, może nawet chory, tylko jeszcze nie wie o tym. Mogłaby mu powróżyć jedynie, że będzie długo żył, bo tego nie da się sprawdzić inaczej, jak tylko długo żyjąc.

Może więc to nie był przypadek, że gdy zrównała się z nim i miała już postawić ten krok dalej, jej niemowlę zakwiliło, bo sutek wymknął mu się z buzi, wcisnęła mu ponownie ten sutek i zdławiła płacz. Musiała się jednak na chwilę zatrzymać i wtedy jej i jego oczy spotkały się. Na krótko, gdyż jego spojrzenie zmroziło ją i spuściła wzrok na główkę ssącego niemowlęcia, a nawet pogłaskała je czule. Miała wprawę w ujarzmianiu ludzkiej nieufności czy nawet pogardy wobec siebie, lecz jego oczy wydały jej się nie na jego młode lata. Bił z nich jakiś smutny blask. Nie spotkała jeszcze w młodych oczach tyle cierpienia, w starych nieraz tyle się nie widzi. Najlepszy dowód, że otworzył je dopiero, gdy usłyszał płacz jej niemowlęcia. Czyżby po kimś dziedziczył to cierpienie? Każdy jest przecież niekończącym się dziedziczeniem. Skoro jednak zatrzymała się przy nim, nie mogła tak bez słowa odejść. Płacz jej niemowlęcia był już tym pierwszym słowem do niego. Więc jakby ciągnąc ten płacz, powiedziała:

– Da sobie powróżyć, a powiem, czy będzie tędy wracała.

I nie czekając na jego zgodę, przysiadła na ławce. Wprawnym ruchem wydobyła spod bluzki prawą pierś i przełożyła do niej niemowlę, które oderwane od ssania znów zakwiliło, nie zdążyło się jednak rozpłakać, gdyż miało już drugiego sutka w buzi.

– Gdy coś boli, najlepiej dać sobie powróżyć. Nie znalazł się jeszcze taki mądry, co by nie wierzył, że będzie lepiej. Wróżby potrafią pocieszyć, a nie odbierają nikomu nadziei. Potrafią i niejedno odmienić. A on ma życie dopiero przed sobą. Jakby tak dał na grzechotkę, bym mu całe życie przepowiedziała.

I nie czekając na jego zgodę czy niezgodę, wyswobodziła lewe ramię spod chusty, która uwiązana na karku i w pasie, podtrzymywała niesione przy piersi maleństwo.

– Da rękę – powiedziała. – Nie tę, tamtą.

I pociągnęła tę rękę na swoje kolana, po czym ujęła ją w obie swoje dłonie, odwróciła spodem do wierzchu i zaczęła po niej wodzić wskazującym palcem.

– Długą ma linię życia. O, długą. Stąd dotąd. – Ale nie spojrzał nawet, jak długą. – Będzie żył i żył. – Wymieniła, ile lat, co wypadło akurat zeszłego roku. – No, niech spojrzy, stąd dotąd. Miałby większą dłoń, toby jeszcze dłużej żył. Ale i tak jest długo. Nażyje się. – Widocznie zauważyła nieufność w jego oczach, bo przykuliła mu tę dłoń i wyszeptała niemal z lękiem: – Jest tu i druga linia, serca. Cyganka nie myli się, Cyganka zawsze prawdę powie. Ale i ta druga linia wcale go nie obeszła. Dłuższe, krótsze życie nie miało dla niego znaczenia. Pogrążony był w tej jednej chwili, na którą właśnie czekał, siedząc w parku przy głównej alei. Za tę chwilę oddałby najdłuższe życie. Są takie chwile, które niczym słońce w soczewce skupiają w jeden punkt całe życie, wypalając w nas już na zawsze ślad. Kto wie, czy nie dla takich chwil jedynie się żyje, nie dla iluś tam lat.

Prawie nie słuchał, co mu przepowiadała, gdyż myślami wychodził właśnie razem z nią ze szkoły po ostatniej lekcji, z drzwi gmachu, potem przez furtkę ze szkolnego dziedzińca, przechodził na drugą stronę ulicy, kawałek szedł chodnikiem, potem skręcił w stronę kościoła, był już pod kościołem, za chwilę wejdzie w park, już jest w parku, tak że powinny go zaraz dojść jej kroki zmierzające ku niemu. Już mu się wydawało, że słyszy je jeszcze cichuteńkie, chyba jest gdzieś na początku bocznej alejki, ale to jej kroki, jak by mógł ich nie poznać, gdy nagle niczym obuchem w głowę uderzyły go słowa Cyganki:

– Nie będzie dzisiaj tędy wracała. Miała iść, ale przypomniała sobie, że musi coś kupić, haftki, zatrzaski, i pójdzie przez miasto.

Nie skończyła, gdy wyszarpnął rękę z jej dłoni, zerwał się i popędził ku miastu.

– A na grzechotkę nie da?! – zawołała za nim, aż dziecku sutek wymsknął się z buzi, bo rozpłakało się w głos.

Zawrócił, wysupłał jakąś monetę z kieszeni i rzucił jej na podołek.

– Za to nie kupi grzechotki! – krzyknęła zawiedziona. – Przeklęty niech będzie!

Jeśli prawdę powiedziała Cyganka, że będzie wracała przez miasto, to droga do jej domu prowadziła schodami w dół przez Ucho Igielne do tej dawnej dzikiej, zielonej doliny, oddzielającej wzgórze, na którym leżało miasto, od przeciwległego, znacznie niższego, gdzie znajdował się jej dom.

Nie zajęło mu to więcej czasu, aby znaleźć się w Uchu Igielnym, niż mnie, jakkolwiek od rynku, gdzie w przytulnej kawiarence wypiłem przedtem herbatę i zjadłem szarlotkę, miałem do tych schodów nieledwie kilkadziesiąt metrów. On, wybiegłszy z parku, miał do pokonania całą długość ulicy, potem ścieżką z przeciwległego wzgórza w dół do tej doliny, potem kawałek tą doliną, potem musiał się wspiąć na drogę przebiegającą u podnóża schodów i tymi stromymi schodami do Ucha Igielnego.

Co prawda, jemu ziemia sama biegła pod nogami, a ja wlokłem się krok za krokiem, podpierając się laską. Nie mówiąc, że jemu spieszyło się, aby ona nie doszła do domu wcześniej, niż on dopadnie tych stromych schodów. A ja porzuciłem już dawno nadzieję i szedłem jedynie odwiedzić tę dawną dziką, zieloną dolinę. Tyle lat, tyle lat, że nawet nie jestem pewny, czy wracała przez park, czy przez miasto, gdy ją ostatni raz odprowadzałem. Jak zawsze, i tym razem spytałem:

– Mogę cię odprowadzić?

– Będzie mi miło – powiedziała z uśmiechem, chociaż to nie był uśmiech, jakiego bym oczekiwał. – To dlatego urwałeś się z łaciny? No, wiesz. Będę cię miała na sumieniu.

A gdy się już pożegnaliśmy, jeszcze stałem przy furtce, póki jej kroki całkiem nie ucichły na wydeptanej ścieżce prowadzącej przez sad pod sam jej dom. Czasem już niewidoczna wśród drzew, nim doszła do domu, odkrzyknęła mi:

– Hej!

Wszedł, i nie wiem, czy usłyszał, czy się raczej domyślił, bo od drzwi powsiadł na Bronkę:

– Ile razy ci mówiłem, Bronka, że z przesłuchiwanymi nie wolno rozmawiać.

– A gdzie bym rozmawiała. Pytał mi się tylko, co w tym piśmie jest, to mu powiedziałam: sukienki, płaszcze, bluzki, spódnice.

Za drzwiami wszczął się rumor i w progu stanął gruby.

– Nie znaleźliśmy, szefie. – I od razu się wycofał, zamykając za sobą drzwi, jakby spodziewał się, że ten się wścieknie od takiej wiadomości i przypisze winę jemu, że nie znaleźli.

Nie wściekł się, wydawał się raczej przybity. Ujął głowę w dłonie, spuścił oczy na biurko i tak siedział, pogrążony w milczeniu. Może czekał, że ja coś pierwszy powiem i naprowadzę go na jakieś pytanie, które zmieni tok tego przesłuchania. Może nawet wolałby w tej chwili być przesłuchiwanym niż przesłuchującym, a nie byłby taki bezradny. Wszystkie role są przecież wymienne, a nietrudno sobie wyobrazić, że w każdej moglibyśmy się odnaleźć. Gdyby tak jeszcze zdjął ten mundur. Żal mi go się zrobiło. Ale jak go tu pocieszyć, wydobyć z tej bezradności? Niechby mnie nawet zaczął od nowa przepytywać, zadawać mi te same pytania. Wolałbym niż to jego bezradne milczenie. I nieopatrznie powiedziałem:

– Ta laska nic by nie powiedziała. Spełniła tylko rolę przeznaczenia. Cyganka...

Nie dał mi dokończyć. Wybuchł, aż go z krzesła poderwało:

– Jakie przeznaczenie?! Jaka Cyganka?! Co wy mi tu jakieś bzdury?! Przymknę was na czterdzieści osiem godzin, to oprzytomniejecie! Cyganka! Przeznaczenie! – Walnął pięścią w biurko i znów wyszedł, trzaskając drzwiami.

Wrócił jednak po niedługiej chwili. Panował już nad sobą. Zapalił światło, włączył lampkę na biurku, siadł i zwrócił się z prośbą do Bronki:

– Daj no, Bronka, papierosa. Przecież wiem, że palisz.

Zaciągnął się aż do dna płuc, po każdym zaciągnięciu wypuszczając łańcuch kółek. Te kółka przypomniały mi, że matka na każde Boże Narodzenie robiła taki łańcuch na choinkę z kolorowych bibułek, a ojciec podsadzał mnie aż do czubka choinki i rozwieszałem ten łańcuch na gałązkach. Być może i oficerowi te kółka dymu kojarzyły się z choinką, bo niemal z rozkoszą wypuszczał je z gardła i patrzył, jak nikną nad moją głową. A skończywszy papierosa, powiedział:

– Trzeba by znać denata od dzieciństwa, bo może tam jest klucz. I dopiero tym kluczem otworzyć drzwi do tego, co się dzisiaj stało na tych schodach.

Muszę mu przyznać, że w tym momencie trafił na właściwy trop i serce mi załomotało. Na szczęście dla mnie jakby go odwiodła od tego tropu inna myśl:

– Tylko że za co się człowiek nie weźmie, wszystko jest może, może, może. Jakbyśmy i my byli może. I ten posterunek może. A kto wie, czy i ten cały pieprzony świat nie jest może. Nic nie ma pewnego. Szlag by to jasny trafił! – Złapał szklankę po herbacie w garść, wydawało się, że ją zgniecie, aż Bronka jęknęła, ale na szczęście tylko wybiegł z tą szklanką z pokoju.

– O, nieprędko teraz wróci – powiedziała Bronka. – Teraz naprawdę się wściekł, bo przedtem więcej udawał, żeby was postraszyć. Widać, będzie się ciągnąć to przesłuchanie nie wiadomo dokąd. A ja się umówiłam ze swoim. Też milicjant, tylko z innego posterunku. Nie przyjdę, to i on się wścieknie. – I rozłożyła znów pismo przed nosem.

Myślałem, czyby jej nie poprosić, żeby mi zrobiła jeszcze szklankę herbaty. W gardle mi zaschło, wargi mi spierzchły. Ale zdałem sobie sprawę, że nie jest w mocy Bronki robienie herbaty przesłuchiwanemu. I uniosłem pustą szklankę do ust z nadzieją, że może jest tam jeszcze jakaś kropelka.

– Zrobiłabym wam herbaty – powiedziała Bronka, nie odrywając oczu znad pisma – ale nie ma tu takiego zwyczaju. Przesłuchiwany jak mu pić się chce, to i prędzej się przyzna. On tylko tak odstaje od innych, że częstuje herbatą. Przez to i nie awansuje. Wy spod jakiego znaku jesteście? Mój jest Koziorożec. W zeszłym tygodniu mi się sprawdził, to może i w tym się sprawdzi. Trzeba wierzyć, żeby się sprawdziło. Kiedyś byłam u wróżki i sprawdziło mi się. Powiedziała, że jesienią wyjdę za mąż. I wychodzę. Muszę pomyśleć o sukni, welonie. Chciałabym taki, jak widziałam raz na filmie. Tren dwoje dzieci za nią niosło. Muszę tylko wziąć pożyczkę. Jest u nas zapomogowa kasa. Ale co by im napisać, że na co? Na ślub kościelny nie dadzą, jeszcze mnie z pracy wyleją. W urzędzie to co to za ślub. Niezgodność charakterów i raz-dwa dadzą rozwód. Potem sama z dzieckiem zostanę. Bo chyba w ciąży jestem. Musimy gdzieś wyjechać. Tak tu robią, wyjeżdżają. Tylko gdzieś daleko, na wieś. I chrzczą na wsiach. Przeczytać wam może wasz? Nie bójcie się, nieprędko wróci, mówiłam wam. W waszym horoskopie piszą, że będziecie mieli kłopoty. Trzeba było mu powiedzieć, gdzie ta laska. Co wam po lasce? Nie będziecie przecież chodzić o lasce. Za młodzi jesteście. Śmialiby się z was. Nic mi zresztą do tego. W głowie mam ślub. Myślę, jak się po ślubie ułoży, bo różnie bywa. Niektórzy biją swoje. Może nie będzie bił. Chciałby syna, a ja córkę. Nie wiem, jak się pogodzimy. A to będę rodzić, aż dobijemy się syna. Tu jeden na posterunku ma cztery córki. Oficer, ale jakie to koszta, gdy dorosną, każdą strój, wydawaj za mąż. A oficerska pensja na jedną, dwie najwyżej starczy. Przychodzi czasem do mnie, poradź, Bronka. Poradziłabym mu, jakby nie był w milicji. Niechby wszystkie cztery posłał na zakonnice. Martwię się, bo mój jest o głowę niższy ode mnie, i to kiedy jestem na płaskim obcasie. Boli go to, widzę, ale nie skrócę przecież nóg. Przyrzekłam mu, że tylko na ślub założę wyższe, a potem nigdy. A tobie kupię kapelusz i zrównamy się. Coś zwariowała, w mundurze i kapeluszu? To przenieś się do tajniaków, chodzą po cywilnemu. W szkole grałam w koszykówkę, dlatego tak wyrosłam, mówią. A wy macie kogoś? No, jakąś dziewczynę?

– Miałem.

– Co, rzuciła was?

– Nie wiem.

– Jak nie wiecie? Mieliście i nie macie, to nie macie. Niebrzydki jesteście. Moglibyście jaką mieć. Może jeszcze sobie znajdziecie. Nie brakuje dziewczyn.

Przypomniał mi się dzień naszego pożegnania przed jej wyjazdem do sanatorium. Otworzyła już furtkę i nagle się zatrzymała.

– Może, kiedy wrócę… – zawiesiła głos, jakby bała się dokończyć. Po czym szybko zamknęła furtkę za sobą i zniknęła w sadzie. Odtamtąd nie dała znaku życia, nie przysłała choćby kartki z ośnieżonymi górami czy z łąką kwitnących krokusów. Niechby była nawet pusta, bez żadnych pozdrowień, bez najmniejszego śladu, że to od niej, ale byłoby to jakieś potwierdzenie tych jej ostatnich słów: – Może, kiedy wrócę…

Jak zapowiedziała Bronka, nieprędko wrócił. Zamykając za sobą drzwi, powiedział:

– Wyciągnij, Bronka, tę kartkę z maszyny. I na razie nic nie pisz.

Przeszedł się od drzwi do okna krokiem niemal ospałym, że nie poznałby w nim oficera, gdyby nie był w mundurze. Stanął przy oknie i patrzył na przechodzący już w ciemność zmierzch. Stał tak, nie mówiąc ani słowa. W końcu nie odwracając się, nie odchylając nawet głowy, jakby sam do siebie powiedział:

— Gdyby to ode mnie zależało, zatrzymałbym was na dłużej, a może by to coś dało. Chociaż prawdę mówiąc, człowieka należałoby przez całe życie przesłuchiwać i o różnych porach dnia i nocy. I kiedy młody jest, i kiedy już stary, i porównywać jego zeznania. Zrywać w nim ciągle pamięć, aż przestałby być pewny samego siebie, czy to on, czy nie on, czy pamięta siebie, czy tylko wydaje mu się, że pamięta. Bo ważniejsze jest nie to, co mówi, lecz co skrywa. A wy, czuję, że coś skrywacie, tylko nie znajduję do was drogi. I tak myślę, czy przesłuchiwany z przesłuchującym nie powinni się bliżej poznać. Czasem nawet zamienić rolami. Raz wy bylibyście przesłuchiwani, raz ja, żebyśmy zżyli się trochę z sobą, bo bez wzajemności nigdy nie dojdzie prawdy. Trzeba by sobie okazać więcej zrozumienia, że przy innych okolicznościach moglibyście być mną, a ja wami, chociaż to wbrew regulaminowi. Ale czy życie da się zmieścić w jakimkolwiek regulaminie? W każdym z nas jest cząstka drugiego, nawet w przesłuchującym przesłuchiwanego. No, nic, może kiedyś. Nie rozstajemy się przecież na zawsze. Mamy wasze namiary. A na razie jesteście wolni.

Pewnie bym się ucieszył, gdyby nie to „na razie", jako że na razie nigdy się nie kończy. Wszystko jest na razie. Jesteśmy młodzi na razie, jesteśmy wolni na razie i w ogóle jesteśmy na razie. Co prawda, nie wzywali mnie już więcej, lecz przez całe niemal życie czekałem na to wezwanie, skoro byłem wolny tylko na razie. Przeglądając korespondencję, doznawałem czegoś w rodzaju tymczasowej ulgi, że nie przyszło. Nie mogłem się jednak tego oczekiwania już nigdy pozbyć, aż zacząłem podejrzewać, że to ja sam prowadzę przeciwko sobie śledztwo. I dręczyłem się często w najbardziej, wydawałoby się, niewinnych sytuacjach. Czy są jednak w naszym życiu takie niewinne sytuacje, skoro nawet sny nie są niewinne?

Nagle odwrócił się zamaszyście od okna.

– Dostaniecie zaświadczenie do pracy, że byliście świadkiem wypadku i musieliśmy was przesłuchać. Wciągnij, Bronka, kartkę i pisz.

– Niepotrzebne mi zaświadczenie – powiedziałem. – Dzisiaj idę na nocną zmianę. Zdążę.

Rozdział 2

Pracowało się na trzy zmiany: od szóstej do czternastej pierwsza zmiana, od czternastej do dwudziestej drugiej – druga i od dwudziestej drugiej do szóstej rano – trzecia. Przemiennie co tydzień na innej. Najbardziej nie lubiłem nocnej zmiany. Sen mnie nieraz zwalał z nóg. Toteż gdy brygadzista gdzieś poszedł na zakład pogadać z kimś czy poszukać, gdzie kto ma wódkę, musiałem choćby te piętnaście minut się przespać. W brygadzie było nas razem z brygadzistą pięciu, w tym dwóch sezonowych. I zawsze któryś zdążył mnie zbudzić, gdy wracał brygadzista. Ale nie lubiłem i rannej zmiany. Zwlec się o świcie z łóżka wymagało niemal nadludzkiego przemagania się ze snem, bo gdy się już uniosłem, sen mnie kładł z powrotem w pościel. I nie pomagał budzik, mógł dzwonić i dzwonić, sen oddzielał mnie od niego jak mur. Na szczęście prócz budzika czuwała matka. Ojciec chodził na ósmą, więc mógł jeszcze pospać. Matka, jak mówiła, miała budzik w sobie, nastawiony latem czy zimą na tę samą godzinę, i nie musiał jej budzić ani świt, brzask, ani ciemność.

Do liceum gdy chodziłem, pracowałem w każde wakacje jako sezonowy, a gdy nie dostałem się na studia, ojciec załatwił mi stałą pracę na suszarni. Pracował w tych samych zakładach, tylko w biurze. Bywało, że z suszarni przerzucano mnie na jakiś czas na inne działy, gdy na suszarni powstała awaria albo płukało się sita czy nie było co suszyć. W sezonie suszyło się morele, wiśnie, śliwki, gruszki, a najwięcej jabłek. Jabłka krajało się w plasterki, potem płukało się w roztworze z siarki, żeby nie zbrązowiały. Suszyło się te z najlepszych gatunków i odpowiednio przechowane. Gorsze szły od razu na prasę, na sok. Poza sezonem suszyło się jeszcze cebulę, kartofle, tak samo w plasterki pokrajane. Była specjalna brygada obieraczek, która przygotowywała owoce czy warzywa do suszenia. W zimie pracowało się na dwie zmiany, dopołudniową i popołudniową, w związku z czym zwalniano wszystkich sezonowych, a niektórych z etatów przenoszono do innych robót, nawet do sprzątania, zamiatania, co i mnie się zdarzało.

Najcięższą pracą było rozbijanie wytłoków po wyciśniętych przez prasę jabłkach. Te wytłoki też się suszyło, wytwarzano z nich pektynę. Pakowało się susz w papierowe worki i gdzieś się wysyłało. Spod prasy wychodziły niemal skaliste prostokątne bloki, rozbijało się je najpierw młotami, a potem roztrząsało widłami. Dzisiaj może są maszyny do takiego rozbijania, wtedy były tylko młoty i widły.

Ręce po tym rozbijaniu i roztrząsaniu tak mnie nieraz bolały, że gdy się w nocy na bok przewróciłem, od razu sen mnie odchodził. Wiadra z wodą nie dawałem nieraz rady przynieść, żarówki u sufitu wkręcić, gdyż nie byłem w stanie tak wysoko ich unieść, koszuli sobie zapiąć na guziki, przy goleniu zawsze się pozacinałem. Nacierała mi je matka wyciągiem z agawy albo jakimś mazidłem pieprzowcowym poleconym przez aptekarza, ale co się przy tym naużalała nade mną, to od jej żalów jeszcze gorzej mnie bolały.

– Mój syn. Do czego to doszło. A w diabły to rzuć. Serce mi się kraje, gdy pomyślę, że mój syn robotnik.

– Ale jako robotnik prędzej się dostanie na studia, o tym nie pomyślisz? Państwo robotnicze, to jako robotnik będzie miał fory. A i mięśnie mu od wideł stwardnieją. Człowiek musi wiedzieć, w jakich czasach żyje, kiedy go pytają. A on widać nie odpowiadał tak, jak go pytali. Bo jakie czasy, tak i pytają, i tak trzeba odpowiadać. Nic nie ma za darmo. Musi się życia nauczyć. Rozejrzyj się dookoła, gołym okiem widać, że mało kto jest niepojętny. Do tej pory nie powiedział nam, o co go pytali. Widocznie nie umiał być pokorny, że nie dostał się. To widły nauczą go i pokory.

Nie wiem, czy to mądrość doświadczenia przez ojca przemawiała, ale gdy stanąłem przed komisją egzaminacyjną, na wstępie przewodniczący zadał mi pytanie:

– Wybieracie się na etnografię, to powiedzcie nam, co to jest lud.

– My wszyscy – odpowiedziałem bez wahania.

Członkowie komisji jakby z lekka drwiącymi półuśmiechami spojrzeli po sobie, a przewodniczący powiedział:

– Dziękujemy wam.

I na tym skończył się egzamin.

Szedłem któregoś dnia na drugą zmianę na czternastą i nagle doszedł mnie jakby skowyt nieskowyt, płacz niepłacz dziecka. Przystanąłem, z lewej strony drogi pusty plac, na nim pryzmy cegieł, kamieni, desek, belek, a za tym wszystkim, na końcu chałupa. Zszedłem w głąb tego placu i dopiero zobaczyłem dół z lasowanym wapnem, a w nim tonące dziecko, tylko główkę mu widać. Chwila, a i główka skryłaby się w wapnie. Skoczyłem, położyłem się na brzegu tego dołu, wsadziłem ręce po łokcie w wapno, chwyciłem dziecko pod pachy, chciałem je unieść, lecz ręce odmówiły mi posłuszeństwa. Wysiłkiem woli, bo nie mięśni, utrzymywałem główkę dziecka nad powierzchnią wapna. Myśli, serce wszystko we mnie łomotało, bo trzeba było się spieszyć, takie lasowane wapno żre i wciąga niczym bagno. Nie mówiąc, że i mnie mogło wciągnąć, bo przecież nie wypuściłbym dziecka z rąk. A tylko połową ciała, mniej więcej do pasa, leżałem na brzegu tego dołu, drugą z wyciągniętymi rękoma, podsadzonymi pod pachy dziecka, wisiałem nad tym wapnem. Nie wiem, może mi się wydawało, że coraz bliżej widzę tę zapłakaną buzię, te niebieskie oczka, ściśnięte z przerażenia. Najwyraźniej zbliżałem się głową do tej małej główki, jakbym ją przytulał.

Wtem usłyszałem gdzieś w dali, niczym wyrwane z trzewi: Jezus! Maria! I tupot nóg, krzyki, przekleństwa. To matka, ojciec, dziadek biegli od tej chałupy na końcu placu. Czyjeś silne ręce chwyciły mnie za nogi przy kostkach. I mocny, męski głos, jak się okazało ojca, zawył nad moją głową:

– Trzymaj pan! Będę pana ciągnął!

Wyrwał dziecko z moich rąk i pobiegł z nim pod studnię. Wyciągnął wiadro z wodą i wylał je na dziecko, które jeszcze głośniej rozpłakało się, niż kiedy tonęło w wapnie. Matka pobiegła z powrotem do chałupy, a za chwilę wróciła z naręczem jakichś szmat, nie tyle płakała, co zawodziła, mój Jezu! mój Jezu!!! A dziadek dreptał wokół tego dołu z wapnem i biadolił, powtarzając raz po raz:

– A mówiłem, zakryć. Mówiłem, zakryć. Mówiłem, zakryć.

Nie dość mu jednak, widać, było tego biadolenia, bo stanął nad tym dołem, w miejscu, gdzie chłopiec wpadł, i zaczął walić laską w jego brzeg, aż kurz się wznosił.

– Ty zarazo! Ty pieroński! Żeby cię tak!...

– Co teściu zwaryjował?! – Ojciec chłopca wyrwał mu tę laskę, aż się dziadek zachwiał, że o mało sam nie wpadł do dołu. – Ziemię teściu zrzuca do wapna!

Lasowali to wapno na nowy dom. Dom miał być murowany, podpiwniczony, ze spadzistym dachem, strych wysoki, okna duże, oszklony ganek. I miał stać przy drodze, przed tym dołem z wapnem, od drogi dzieliłby go tylko niewielki ogródek na kwiatki. Żadnych bzów czy jaśminów, żeby nie zasłaniać drogi przed widokiem. Raźniej jest, gdy się widzi, kto idzie, kto jedzie, okna nie powinny być martwe.

Jedli akurat obiad w kuchni, a kuchnia mieściła się po przeciwnej stronie, tak że nic nie słyszeli. Zresztą chłopak jadł z nimi, a że był niejadek, to jak zawsze kręcił się, wiercił i nie wiadomo kiedy się wymknął. Myśleli, że może do pokoju poszedł po tamtej stronie, bo nieraz chował się przed jedzeniem pod pierzyną czy pod łóżko właził. Trzeba go było za uszy ciągnąć albo i z pasem stanąć nad nim. Tak się go nie bije, jedynak, to się chucha. A nie wiadomo, czy drugie będzie. Może gdy ten dom się wybuduje. Dzieci kosztują. A niechby tak dwoje, troje i wszystkie niejadki, to ile to cierpliwości trzeba, nim dorośnie. A dorośnie, tak samo nie wiadomo, czy się człowiek będzie cieszył, czy martwił.

Miał ojciec rację. Jako robotnik dostałem się łatwo tym razem na studia, nie poszedłem jednak na etnografię, jak poprzednio, wybrałem historię, a może to historia wybrała mnie, chociaż nie był to sprzyjający czas dla historii. Ze wszystkich bowiem nauk historia jest najbardziej narażona na zakusy tych, którzy chcieliby sobie ją podporządkować. Ale ma również tę przewagę, że jest najbardziej wymagającym sprawdzianem charakterów.

Byłem już po doktoracie i postanowiłem odwiedzić kiedyś ojca. Matka od dwóch lat nie żyła, więc przy okazji wybrałem się na jej grób. Niedaleko miałem do cmentarza, gdy wtem widzę, z naprzeciwka wali jakieś potężne, wysokie chłopisko, kroki stawia zamaszyste, długie, a przy nim drepcze chuchro kobiecina i nadgania dwoma krokami jego jeden. Nie poznałem ich, bo skąd, sporo lat minęło. Ona była wtedy dużo młodsza, wyższa, tęższa, piersi ją rozpychały, trzymała się prościutko, wydawało się, że kilkoro dzieci może jeszcze urodzić, teraz przygarbiona, sucha, okazało się, że dom ją tak zniszczył. Zatrzymali się przede mną i ona do niego:

– To ten pan ci uratował życie. Podziękuj.

Spojrzał na mnie bez cienia wdzięczności, raczej niezadowolony, że on, olbrzym, ma komukolwiek dziękować, że żyje, a tym bardziej jakiemuś obcemu. I za co? Że go z wapna wyciągnął? Odkąd siebie pamiętał, zawsze rozpierało go poczucie siły, tak że mógłby się i sam wyciągnąć. Na zabawach bierze dwóch, trzech za czerepy i przez okno wyrzuca. A tu jakiś w kapeluszu, w okularach, z laską miałby go z wapna wyciągnąć? Wprawdzie z laską przyjechałem tylko wtedy do ojca, bo nie chodziłem jeszcze z laską.

– No, podziękuj – zachęcała go matka.

Bez słowa wyciągnął ku mnie wielką rękę, podałem mu swoją, ścisnął mi, że aż gwiazdy zobaczyłem.

– Gdyby pan nie szedł akurat do pracy, nie byłoby cię już na świecie. – Kobiecina rozczuliła się, z jej twarzy biła wdzięczność i za siebie, i za syna, i za zmarłych męża, dziadka, bo od ich grobu wracali.

Przejechałem raz i drugi wzrokiem od stóp do głów po tej wielkiej postaci uratowanego niegdyś dziecka i powiedziałem:

– Dzisiaj bym pana nie wyciągnął.

– Dzisiaj bym nie wpadł do wapna, bo dom już stoi – odpowiedział, a na jego, wydawałoby się, obojętnej twarzy pojawił się jakby cień współczucia dla mnie. – A zresztą może i ja kiedyś pana wyciągnę.

– Kiedy nie mam zamiaru budować domu, więc i wapna nie będę lasował.

– Niekoniecznie z wapna. – I dobrotliwie się uśmiechnął.

Po czym wyjął mi laskę z ręki, przeczytał, co na tej złotej tabliczce napisane, i oddając mi ją, powiedział: – Nie wierzyłbym. Własne nogi lepiej pamiętają.

Ojciec, ledwo próg przekroczyłem, zdziwił się, że już o lasce chodzę:

– Co, z biodrem masz kłopoty czy z kolanem?

Potem gdy zrobił mi herbaty, nalał po kieliszku swojej śliwkowej nalewki, zaznaczając, że to już ostatnie pół butelki, którą dla mnie tylko trzyma, ale powinno do jego śmierci starczyć, gdy będę tak rzadko przyjeżdżał, wziął tę laskę i spróbował przeczytać, co tam na tej złotej plakietce napisane. Mimo że od mojego ostatniego pobytu znów zmienił okulary na grubsze, nie dał rady. I dopiero gdy dopomógł okularom szkłem powiększającym, przesylabizował:

„Drogiemu Panu Profesorowi w dowód wiecznej pamięci – wychowankowie". O, to już profesorem jesteś. Nie mówiłeś.

– Bo jeszcze nie.

– Ale będziesz, to będzie jak znalazł. Profesor powinien mieć laskę. Jak inaczej poznasz, że profesor? Idzie jakiś, to idzie. Ładnie ci napisali, o, ładnie. Żeby tylko pamiętali, bo różnie i z pamięcią bywa. Mnie już nie zapraszają do zakładów, jak jakaś uroczystość, odkąd nowy dyrektor przyszedł. Poprzedni mnie jeszcze zapraszał. Cóż, krótka jest ludzka pamięć. Gdyby się tak samemu mogło o sobie pamiętać. Tylko jak, gdy już ciało umrze? Musiałaby pamięć sama po nim żyć. Tylko czy nie więcej by cierpiała, niż żyła?

Po śmierci ojca nie miałem już powodu przyjeżdżać. Jedynie od czasu do czasu na ich groby. Toteż rzadko odwiedzałem i tę dawną dziką, zieloną dolinę. Zwłaszcza że z upływem lat coraz trudniej schodziło mi się po tych schodach. Nieraz miałem wrażenie, jakby ich przybyło od ostatniego mojego tu pobytu, a jeszcze trudniej z powrotem wychodziło, nie mówiąc o gasnącej nadziei, że się kiedyś spotkamy. I ciągnęła mnie tylko pamięć, gdy ją odprowadzałem do furtki w ogrodzeniu i czekałem, aż dojdzie ścieżką przez sad do domu na wzgórzu i krzyknie mi spośród drzew:

– Hej!

Nie powinno się jednak odwiedzać dawnych miejsc, bo to nie są już te same miejsca. Miejsca jak wszystko przemijają. Zaszedłem więc najpierw do znanej mi z poprzednich pobytów kawiarni w rogu rynku, zamówiłem herbatę i szarlotkę na gorąco z bitą śmietaną i dla dodania sobie otuchy zapuściłem się w swoją młodość, gdy zeskakiwałem do tej doliny po kilka schodków, a z niej ku miastu również po kilka schodków wbiegałem. Złościło mnie nawet, gdy ktoś schodził lub wchodził przede mną, zastawiając mi drogę, a nie dało się go ominąć, gdyż nieraz szedł dla pewności skosami od lewa do prawa i musiałem wlec się za jego krokami. Poza tym niektórzy, doszedłszy do Ucha Igielnego, przystawali, jak gdyby po połowie życia, bo przeważnie wtedy nachodzą nas pierwsze lęki przed przyszłością i zaczyna się człowiek oglądać za przeszłością. A Ucho Igielne znajdowało się mniej więcej w połowie schodów. Przy czym nie było szersze niż na dwie szczupłe osoby lub jedną tęgą, więc przystawałem i ja, chociaż nie miałem jeszcze za czym się oglądać, a przyszłość nie napawała mnie lękiem.

Weszła do kawiarni jakaś para młodych, on i ona, z kilkuletnim chłopcem i siedli przy sąsiednim stoliku. Zaczęli głośno rozmawiać, jak to młodzi, i mimochcąc podsłuchałem, że wracają właśnie ze spaceru. Nie mogłem się z początku zorientować, czy to w tej dawnej dzikiej, zielonej dolinie byli. Chwalili bowiem chodniki, ławeczki, ścieżkę rowerową, plac zabaw dla dzieci. Nawet przekomarzali się, kto z nich lepiej opalony, on czy ona, gdyż wystawili się na słońce, on zdjął koszulę, ona bluzkę, a chłopiec poszedł bawić się z innymi dziećmi. Po czym zjedli jeszcze smaczny i niedrogi obiad, gdyż w dawnej przechowalni na owoce, wbudowanej w skarpę, ktoś urządził bistro.

Czyżby mówili o tej dawnej dzikiej, zielonej dolinie? Pozbyłem się jednak wątpliwości, gdy zaczęli narzekać, że jedyną uciążliwość stanowią te schody, zwłaszcza gdy się trzeba ciągnąć pod górę. Młodzi ludzie, a narzekają na schody, nie mogłem uwierzyć. A już zatargało mną, aż filiżanka, którą niosłem do ust, zatrzęsła mi się w ręku, gdy któreś z nich, chyba ona westchnęła, że gdyby nie to Ucho Igielne, można by zainstalować ruchome schody, jak w supermarketach lub na dworcach kolejowych. Na co chyba on, a może ich mylę, wyraził nadzieję, że może kiedyś zmienią się przepisy i nie trzeba będzie się ceregielić z jakimiś zabytkami. On by nawet tę całą górę, na której leży miasto, obtoczył ruchomymi schodami, bo i tam by się przydały, i tam, i tam, wskazał chyba trzy takie miejsca, gdyż najważniejsze, żeby ludziom żyło się wygodniej. Jeśli jeszcze wziąć pod uwagę, że ludzkość jest pełna chorych, niesprawnych, których nie ubywa, lecz przybywa. A dzięki postępom medycyny będzie się coraz dłużej żyło, choćby wszyscy byli chorzy i niesprawni. On mimo młodego wieku też ma już na nogach żylaki.

Nie mogłem im darować tego Ucha Igielnego, które było jednym z najcenniejszych zabytków w mieście. Mówiło się powszechnie Ucho Igielne, a była to zachowana niemal w pierworodnym stanie dawna furta dominikańska, stanowiąca fragment średniowiecznych murów obronnych. Rzeczywiście miała kształt igielnego ucha, u dołu węższa, rozszerzająca się ku górze, zwieńczona półokrągłym sklepieniem. Z obu stron przylegały znacznie późniejsze, zapewne o kilka wieków, piętrowe kamieniczki. Nasuwało to nawet myśl, że od ich naporu, gdyż były zmurszałe, to Ucho tak się ścieśniło, że przepuszczało tylko dwie szczupłe osoby lub jedną tęgą. Miało to jednak tę zaletę, że w tak wąskim przejściu nawet całkiem obcy ludzie, idąc sobie naprzeciw, czuli się w obowiązku powiedzieć przynajmniej dzień dobry lub pochwalony. Nierzadko zagadywali do siebie lub popadali w dłuższe rozmowy, bo kto wie, czy takie wąskie przejścia nie sprzyjają słowom. Niechby ktoś jedynie westchnął, że trzeba mieć serce jak koń na takie schody, to jako że słowa ciągną jedno drugie, tym sercem otwierali się wzajemnie na choroby, rodziny, świat, samotność. Słowa swoją mocą odtajniają nas, nawet gdyby wola nasza tego nie chciała. Zawiązywały się więc znajomości, przyjaźnie, zwłaszcza jeśli ktoś z kimś częściej się na tych schodach spotykał. Podobno ktoś z kimś skłóceni na śmierć i życie w tym Uchu Igielnym pogodzili się. Jeden schodził, drugi wchodził, a obaj byli zażywni, tędzy i zakleszczyli się, ponieważ jeden drugiego nie chciał przepuścić i próbowali się przepchnąć przez siebie, tak że ścisnęło ich jak najlepszych przyjaciół po długim niewidzeniu i musieli się pogodzić.

W witrynie tutejszego fotografa wisiały dwa zdjęcia ślubne jakichś dwojga, którzy poznali się w Uchu Igielnym. Jedno, jak on ją, z ciągnącym się za nimi po schodach welonem, przenosił na rękach przez to Ucho Igielne, niczym przez próg domu, wchodząc, i drugie, gdy również niosąc ją na rękach, schodził. Można się zastanawiać, czy fotograf nieświadomie wynalazł metaforę ich życia, czy raczej wynikło to z jego kalkulacji, że na dwóch zdjęciach zarobi więcej niż na jednym. Trywialność i wzniosłość to niemal siostry syjamskie. Dzięki tym zdjęciom stali się znani w mieście. Spotykałem ich czasem, jak szli, trzymając się za koniuszki palców, a wszyscy się za nimi oglądali, nawet kłaniali im się pierwsi, i to często dużo starsi. Nie wiem, co się z nimi dalej działo, czy nie to samo, co z większością takich zakochanych par, gdyż po maturze wyjechałem z tego miasta. A gdy po iluś latach znów się tu zjawiłem, tych zdjęć już nie było w witrynie u fotografa.

Nie umiałbym wytłumaczyć, dlaczego naszła mnie przedziwna myśl, aby zajść do niego i spytać o te zdjęcia. Nie mógł sobie jednak przypomnieć, o jakie zdjęcia mi chodzi.

– Panie, co ja zrobiłem ślubnych zdjęć przez te wszystkie lata, odkąd uprawiam ten zawód. Trudno, żebym jakieś jedno czy dwa pamiętał. Mówi pan, w Uchu Igielnym? I w Uchu Igielnym robiłem. Nic nadzwyczajnego. Nowożeńcy wymyślają sobie różne miejsca. Bym tak panu opowiedział. Ale cóż, jestem tylko do usług. Chcą tam, proszę bardzo, chcą gdzie indziej, proszę bardzo. Każde zdjęcie jest kwestią ceny, nie metafory. Metafora, powiada pan, a co to jest? Dzisiaj już za stary byłbym na niektóre zdjęcia, jakie kiedyś może bym i zrobił, gdyby odpowiednio zapłacili. Miasto pogórzone, wszędzie pod górę. Nawet jak chcą niżej, to wrócić trzeba pod górę. Kiedyś tu przyszli jedni, że chcieliby na ratuszu. Wyszliby po drabinie. A skąd ja wam wezmę taką drabinę? Musiałoby się straż pożarną wezwać jak do pożaru. A ślub nie pożar. Załatwimy, mówią. Na szczęście burmistrz nie dał zgody. A ci pańscy dwoje, w tym Uchu Igielnym, rodzina? Nawet nie znajomi? Pewnie mam gdzieś klisze, bo wszystkie klisze trzymam. Ale to byłoby szukania a szukania. Przyjdź pan, kiedy zakład zlikwiduję. Wtedy może mógłbym zająć się szukaniem. Przy okazji i życie swoje bym przeszukał. Chociaż nie wiem, czy warto.

Nieoczekiwanie naszła mnie ciekawość, gdy stanąłem nad tym pierwszym schodkiem i spojrzałem w dół, jak ci dwoje się tutaj poznali. Czy ona wchodziła, a on schodził, czy odwrotnie? Pomyśli ktoś, a jakie by to miało znaczenie? Czy z tak nieważnej, wręcz błahej sprawy, że ona schodziła, a on wchodził, lub odwrotnie, dałoby się coś więcej odczytać, niż to, że się dzięki temu poznali? Cóż, człowiek chciałby odkryć początek swojego losu nawet w niekiełkującym jeszcze ziarenku. Niestety, początek jest z natury swojej nie do uchwycenia, można rzec, niezauważalny, więc kto wie, czy to nie koniec ustanawia dopiero początek.

Przepowiednia Cyganki, gdy pociągnęła moją dłoń na swoje kolana i zaczęła snuć moje życie, wydawała mi się niewarta nawet słuchania. A tymczasem gdy doszedłem do tego przepowiedzianego przez nią roku, który powinien zakończyć moje życie, z przerażeniem przypomniałem sobie, że to jest właśnie ten rok. I jakby z perspektywy tego przerażenia próbowałem ogarnąć swoje życie, jakkolwiek nie wykluczam, że zacząłem je dopiero układać, prawdopodobnie mijając się nieraz z prawdą. Bo na przykład, kiedy powiedziała mi, że nie będzie dzisiaj wracała ze szkoły do domu przez park, lecz pójdzie przez miasto, i dopadłem zziajany Ucha Igielnego, miałem jeszcze nadzieję, że ją spotkam, czy już nie? Czy jednak nie przedtem rozstaliśmy się? A nasze rozstanie, czy przebiegało tak, jak pamiętam, czy jak chciałbym zataić?

Nigdy nie wyznałem jej miłości ani ona mnie, jakby jakiś lęk nas powstrzymywał. Gdy miałem już na wargach, kocham cię, słowo nie chciało mi wybrzmieć w ustach. Czy się domyślała? Jestem pewny, że tak. Nie tak trudno było się domyśleć, urywałem się przecież z ostatnich lekcji, żeby już czekać na nią, gdy będzie wracała ze szkoły, odprowadzałem ją do tej dawnej dzikiej, zielonej doliny, zapraszałem do kina, kiedy tylko jakiś nowy film wchodził na ekrany, choć często mi odmawiała. Podejrzewałem, co prawda, choć przyznaję, było to z mojej strony niecne, że z jakichś powodów broni się przed moją miłością. A jednocześnie podawałem w wątpliwość te podejrzenia. Powiedziała kiedyś, gdy wracaliśmy z kina:

– Mówią, że gdy kocha się kogoś, kocha się cały świat. Ale ja bym nie mogła pokochać świata.

Może nie byłem w stanie zrozumieć jej słów, rzuconych z nagła i po byle jakim filmie. Niemniej jednak tym bardziej po takich słowach nie umiałbym się zdobyć na wyznanie jej miłości. Mimo to nie traciłem nadziei, że kiedyś przyjdzie taki moment, a sama powie:

– Chciałbyś mnie pokochać? – Zaniemówię, a wtedy ona mnie wyręczy. – Och, nie wiesz, jak bardzo potrzebuję miłości. Wiem, że po latach wkładam w jej usta słowa, których nie byłem w stanie sam wypowiedzieć, nie tyle ze względu na brak odwagi, co na ten świat, jeśli dalej ma istnieć. Powie ktoś, a czy świat zasłużył na to, żeby istnieć. Nie wiem. Wiem natomiast, że nie musimy świata kochać, wystarczy, że tak trudno nam się z nim rozstawać. Przyszła do naszej szkoły dopiero w liceum. Liceum trwało wtedy dwa lata. Przedtem podobno chodziła do szkoły gdzieś w górach. Dlaczego w górach, różnie mówiono, jak to zwykle gdy się nie wie. Nieskłonna była do zwierzeń, a ja nie śmiałem jej pytać. Tym bardziej że najczęściej unikała odpowiedzi, jakby każda odpowiedź zabierała jej cząstkę życia. Była najlepszą w klasie uczennicą, zwłaszcza z polskiego. A dodając do tego jej urodę, jej wielkie a smutne oczy, nawet gdy się uśmiechała, trudno się dziwić, że budziła powszechne zainteresowanie, do czego przyczyniła się i ta tajemnica, dlaczego chodziła do szkół gdzieś w górach, skoro urodziła się i jeszcze do szkoły powszechnej chodziła w tym mieście. Tu miała rodziców, których wszyscy znali, tu, na wzgórzu, w sadzie, stał jej rodzinny dom, wystawiony podobno jeszcze przez dziadków.

Wołali na nią niektórzy w szkole Żydówka, chociaż nie była Żydówką. Pamiętano dobrze jej dziadka, który był lekarzem wojskowym. Niektórzy wspominali go niemal jako cudotwórcę. Odgadywał podobno każdą chorobę z samego wyglądu pacjenta, z jego zachowań, mowy. Krążyły legendy o jego metodach leczenia, o skutkach tych metod, dzięki którym wyrywał chorych niemal z objęć śmierci. Do tego od biednych nie brał pieniędzy, odbijał to sobie na bogatych. Biednym dawał nawet na lekarstwa, które im przepisał. Zginął zaraz na początku wojny, gdy wyruszył wraz ze stacjonującym w mieście pułkiem na front. Wojskowymi byli również jej dwaj wujkowie ze strony matki, kapitan i major. Rozstrzelani zostali w zbiorowym morderstwie jeńców wojennych na Wschodzie, o czym po wojnie nie wolno było mówić, a tylko szeptano. Powiedziała mi kiedyś o tym, prosząc, abym zachował w tajemnicy, gdyż mogę narazić się na nieprzyjemności. Ojca, gdy powiedział o tym kiedyś w zaufaniu znajomemu, wzywano potem na przesłuchania. Pracował w magistracie, w dziale obrachunkowym, tak się chyba ten dział wtedy nazywał, i uratowało go to, że otrzymał liczne dyplomy, został nawet odznaczony medalem za wzorową pracę, a tym medalem udekorował go sam wojewoda. Matka była bibliotekarką w miejskiej bibliotece. I dzięki jej staraniom, różnym konkursom, jakie organizowała, zachętom i innym formom pomocy, jakich nie szczędziła, wzrosło znacznie czytelnictwo w mieście.

Ta Żydówka wzięła się stąd, że zadała nam kiedyś polonistka wypracowanie domowe, którego tytuł brzmiał mniej więcej „Jakie zdarzenie z czasów wojny utkwiło ci najbardziej w pamięci". Jej najbardziej utkwiła likwidacja żydowskiego getta, które znajdowało się na brzegu wzgórza, na zapleczu rynku, a to wzgórze od wzgórza, gdzie stał jej dom, dzieliła tylko ta dawna dzika, zielona dolina, do której nieraz ją odprowadzałem pod samą furtkę w ogrodzeniu, a do której teraz właśnie schodek po schodku schodziłem, wymacując najpierw każdy schodek laską.

Gdy zacząłem chodzić do gimnazjum, mieszkałem przez pierwszy rok w jednej z tych pożydowskich ruder, które ziały pustką po getcie i do których powprowadzała się miejska biedota. Stąd było najlepiej widać, niemal jak z lotu ptaka, jej dom w sadzie na przeciwległym, znacznie niższym wzgórzu.

Toteż z latami, gdy coraz trudniej było mi schodzić do tej dawnej dzikiej, zielonej doliny, tym bardziej potem wychodzić, stawałem czasami na brzegu tego miejskiego wzgórza, gdzie znajdowało się niegdyś getto, i oczyma wyobraźni prowadziłem ją od furtki w ogrodzeniu, gdzie rozstaliśmy się, ścieżką przez sad, między drzewami, drzewa to ją przesłaniały, to odsłaniały, dopóki nie znikła w drzwiach domu. Raz wydało mi się nawet, że spośród kwitnących akurat jabłoni wyciągnęła rękę i pokiwała mi. Innym razem usłyszałem, jak zawołała spośród drzew:

– Hej!

Stałem i czekałem, kiedy dojdzie do domu, w nadziei, że kiwnie mi jeszcze od drzwi, lecz nigdy już do drzwi nie doszła.

Kolumna właśnie wychodziła z getta, prowadzona z dwóch stron przez wycelowane pistolety maszynowe i psy, a ona wraz z matką na wieść, że wyprowadzają Żydów na pociąg do odległej jakieś trzy kilometry stacji, pobiegły i stojąc zziajane na szczycie tych schodów, popłakiwały. Gdy czoło kolumny odeszło już spory kawałek, lecz jej końca nie było jeszcze widać, wyrwała się z niej jakaś dziewczynka i rzuciła się w ich stronę. Nie zdążyła jednak do nich dobiec, gdyż skoczył za nią pies i byłby ją zagryzł, gdyby jeden z tych pistoletów maszynowych nie oderwał go od niej. Podniósł zakrwawioną dziewczynkę i wepchnął z powrotem do kolumny. Była to Sara, jej dobra koleżanka, z którą razem chodziły do szkoły powszechnej, a nawet siedziały w jednej ławce, póki nie musiała przenieść się do getta. Polonistka uznała jej zadanie za najlepsze. Kazała jej nawet wyjść przed klasę i na głos przeczytać. Gdy się tego zadania słuchało, trudno było uwierzyć, że to się zdarzyło na tym świecie, w tym mieście, które niejedno przeżyło przez wieki swojego istnienia, do tego przed Uchem Igielnym. Wrażliwość dziecka kazała jej tak dotkliwie to zapamiętać, że wszystkich nas w klasie na długo ścięło milczenie, tak że do końca lekcji nikt się słowem nie odezwał. W dzieciństwie gdy się coś wryje w pamięć, nigdy już tej pamięci nie opuści. Człowiek odkrywając swoją obecność na świecie, jeszcze się wszystkiemu dziwi, a zdziwienie to korzeń pamięci. Niestety, wraz z latami korzeń usycha, tak że w końcu nic nas już nie dziwi.

Gdy skończyła czytać, polonistce oczy zaszły łzami, po czym przeprosiła nas i wyszła. Po chwili wróciła i oświadczyła, że na tym skończymy dzisiaj lekcję. W czasie wojny aresztowana, wywieziona została do obozu koncentracyjnego, gdzie podobno poddawana była eksperymentom medycznym. Mówiono, że coś jej z nóg wycinano, tak że miała nogi poorane bliznami i w związku z tym i zimą, i latem nosiła długie do kostek spódnice.

Ktoś schodził, ktoś wychodził, pozdrawiając mnie, jakkolwiek nikogo nie znałem. Wszyscy wydawali mi się młodzi, niezależnie, czy schodzili, czy wychodzili. Pomyślałem nawet, czyżby świat tak odmłodniał? To co ja na nim robię? Ktoś, biorąc mnie pod rękę, spytał:

– Pan chce zejść czy wyjść? Bo ja schodzę, to pomógłbym panu.

– Dziękuję, jeszcze nie wiem. Jak na razie stoję.

Zaśmiał się, puścił moją rękę i szybkimi krokami ruszył w dół.

Po chwili ktoś, tym razem wychodząc do góry, o to samo mnie spytał.

– Pan schodzi czy wychodzi? Bo ja wychodzę, mógłby pan wziąć mnie pod rękę.

– Dziękuję, jeszcze nie wiem. Na razie zastanawiam się.

I rzeczywiście zastanawiałem się, po co właściwie ja tu przyszedłem, gdy już nie miałem żadnej nadziei. Pomyślałem jednak, zejdę, bo nieoczekiwanie przypomniałem sobie, że właśnie w tej dawnej dzikiej, zielonej dolinie, której już nie było, gdy odprowadziłem ją pod samą furtkę i żegnaliśmy się, nagle jakby przyduszonym głosem powiedziała:

– Wyjeżdżam do sanatorium. Ale może kiedy wrócę…

Postawiłem stopę na kolejnym schodku, upewniwszy się przedtem laską. Nagle przed kolejnym odczułem lęk, czy tak samo dobrze mi pójdzie i z tym. Spojrzałem w dół. Wydało mi się, że te schody nie mają końca, tylko spadają i spadają, jakby nigdzie się nie kończyły. A poza tym są o wiele bardziej strome, niż były kiedyś. Nie mogłem wprost uwierzyć, abym kiedykolwiek po tych schodach śmigał w górę, w dół po dwa, trzy schodki na raz.

Wtem z tego niewidocznego gdzieś tam, w dole, końca ktoś długimi susami, właśnie po dwa, trzy schodki, jak ja kiedyś, biegnie w górę ku mnie. Już jest blisko, niewiele schodków nas dzieli, poznaję go, jakże mógłbym go nie poznać, szukam słów, którymi chciałbym go powitać. Ktoś nas rozdziela, schodząc, ktoś inny, wychodząc. Mimo to zbliżamy się do siebie, on już jest w Uchu Igielnym, a ja mam nieledwie trzy, cztery schodki do niego. Przepuszcza kogoś, kto właśnie wychodził, natomiast mnie jakby nie miał zamiaru przepuścić. Stoi pośrodku tego Igielnego Ucha i wpatruje się nieufnie we mnie, jakby się tym wzrokiem pytał, a pan kto? Domyślam się, że mnie nie poznaje, i nie dziwię się, bo jakże może mnie poznać z takiej odległości lat, gdy on co dopiero przybiegł z parku, gdzie daremnie czekał na nią, dopóki mu Cyganka nie powiedziała, że nie będzie dzisiaj wracała przez park, pójdzie przez miasto, bo musi sobie coś kupić, a ja schodziłem do tej dawnej dzikiej, zielonej doliny, której już nie było. Może nawet próbował mnie sobie przypomnieć, tylko jak odnaleźć w takiej starej twarzy jak moja młodość swoją? Wydaje się to niemożliwe. A jednak…

Byłem już na tyle blisko niego, dzieliły mnie może ostatnie dwa schodki, gdy ujrzałem w jego oczach coś nienawistnego. Nie miałem mu tej nienawiści za złe, mógł nie wiedzieć jeszcze, że starość i na niego gdzieś tam czeka. W jego wieku może nawet się wydawać, że starzy niepotrzebni są na tym świecie, należałoby się od nich uwolnić, a świat byłby zawsze młody. Czy może bronił się tą nienawiścią, aby nie dojrzeć we mnie swojej przyszłości, dlatego też nie chciał mnie poznać. Nie wiedział, że jego przyszłość, a także dzieciństwo, młodość, mieściły się w mojej starości, że je już przeżyłem, zamartwiając się nieraz o niego, dręcząc się przez całe życie tą jego przyszłością, podobnie jak swoją przeszłością.

Tak samo byłem pełen nadziei jak on, czekając na nią w tym Uchu Igielnym, że kiedyś się zjawi. Czy miałem mu teraz tę nadzieję odbierać, że już nigdy, że czeka go tylko pustka po niej? Doznaję nieraz tej pustki. Nawet sny mnie opuściły. Budzę się rano z niedowierzaniem, że się budzę, i tych kilka czy kilkanaście minut muszę się przyzwyczajać do siebie, że to nie ktoś inny za mnie się zbudził. Jakiż więc jest sens żyć w takiej pustce, nawet bez snów? Dla samego życia? Sny są przecież takim samym życiem jak jawa, tyle że utajnionym. Kiedyś co noc mi się śniła. Taka sama młodziutka, z tymi wielkimi smutnymi oczyma, z rzędem bieluteńkich zębów, gdy jakieś słowo otwierało jej usta, taką ją bowiem zachowała moja pamięć. Mnie lata mijały, a ona nic się nie zmieniała. Z samych snów mógłbym ułożyć swoje życie i pewnie ciekawsze niż to na jawie, bo czym jest życie, gdy wszystko wydaje się już tylko snem? Czy siedząc wtedy w parku, na ławce, nie śniłem, że czekam na nią, gdy będzie wracała ze szkoły do domu, a tymczasem Cyganka mi mówi, że nie będzie dzisiaj tędy wracała, pójdzie przez miasto, bo musi sobie coś kupić, haftki czy zatrzaski, więc zrywam się, biegnę, dopadam Ucha Igielnego, a ona już czeka tam na mnie.

– Jestem – mówi. – Nic sobie nie kupiłam. Spieszyłam się tak samo jak ty. Innym razem sobie kupię. A ty na przyszłość nie wierz Cygance.

Raczył mi się trochę usunąć, nie całkiem, ale szczupły byłem, dałbym radę przejść obok niego. Jednak po tylu latach wypadałoby przynajmniej powiedzieć:

– O, dawnośmy się nie widzieli. Przywitajmy się. Czy może powinniśmy się pożegnać. Co by pan wolał? Nie poznaje mnie pan. Rozumiem. Rozumiem i wybaczam.

Marne to słowa, lecz nic mi nie przychodziło do głowy, tak że zamiast cokolwiek powiedzieć, żal mi się go zrobiło, gdy widziałem, z jakim napięciem wpatruje się w wylot schodów, a mnie nie dostrzega. Już go prawie mijałem, stawiając dla upewnienia się laskę na niższym schodku, gdy nagle rozległo się bicie dzwonu, a tak donośne, że poruszyło całą okolicę, wszystkie wzgórza i sady zaczęły bić echem tego dzwonu, poczułem nawet drżenie schodów pod stopami i laski w dłoni. Zatrzymałem się. Ktoś, wspinając się z naprzeciwka, zasapany, jakby wlókł te schody u nóg, też zatrzymał się, gdy doszedł do mnie i powiedział tym zasapanym oddechem:

– Musowo się zatrzymać, gdy dzwon bije, bo to śmierć nim kołysze. – I jeszcze tchnął: – Szklarz.

– Co szklarz?

– Umarł. Chowają go. – A kiedy trochę odsapnął: – Pan może na jego pogrzeb? To pożegnałby go pan i ode mnie. Wziąłby pan gerberów. O, tam mam szklarnię. Syn teraz prowadzi. Powiedziałby pan, że to od Leona, hodowcy gerberów. Szkoda tylko, że pan nie ma parasola, bo pewnie burza będzie. Tak razu jednego była burza. O, wielka burza. Nałamało drzew, nawyrywało z korzeniami, nazrywało dachów. Mnie wytłukło do cna szklarnię. Grad jak kurze jaja, panie.

A dęło, nie ustał pan na nogach. Wszystkie szybki poszły. I on mi powstawiał. A szybek było, samego kitu metr mu poszło. No, i chowają go. Nie pożałowałoby się gerberów, akurat rozkwitają. Warto byłoby pójść. Ale nogi już nie te, nie chcą nieść. Za tyle szybek warto byłoby pójść. Kiedyś chodziłem jak struna, mówili, że mam oficerski krok, choć dosłużyłem się tylko kaprala. Gdyby wcześniej umarł, może dałbym radę pójść. Za późno umierają. Za późno. Na cmentarz kawałek i kocie łby. Naszamocze człowiekiem, a wyrw, że można się i przewrócić. Pozasypywaliby choć szutrem. To nie mają pieniędzy. A pójść do urzędu, to jak psów urzędników. Na siebie mają. Jak oni tę trumnę tam niosą? Nieboszczyk niewielki, ale i z pustą nielekko by się szło. No, odsapnąłem. Usuń się pan.

Po tym przypadkowym spotkaniu z hodowcą gerberów przyśnił mi się kiedyś pogrzeb tego szklarza. Burzy, co prawda, nie było, jak się hodowca gerberów spodziewał, lecz padał deszcz, i to dość rzęsisty. Wszyscy, poza mną, mieli rozpostarte parasole nad sobą. Szedłem gdzieś w środku konduktu z ogromnym naręczem gerberów, gdy wtem z tyłu usłyszałem skierowany do mnie szept:

– Jak to miło, że ktoś młody do nas dołączył.

A ktoś obok zaczął mnie zachęcać, abym przesunął się bardziej do przodu, bliżej trumny. Ponieważ nie zdradzałem takiej ochoty, zaczęli mnie przepychać przez cały kondukt, tak że powypadało mi sporo gerberów. To znów ktoś mi gorącym oddechem nakazywał wprost do ucha, aż mnie w uchu parzyło:

– Bliżej, bliżej. Bo nie dostanie się pan potem. A chciałby pan pewnie przemówić. Wypadałoby i w imieniu młodzieży pożegnać nieboszczyka. Ile się to nawstawiał szyb i w szkołach. Wtem ktoś stuknął mnie palcem w łopatkę.

– Pan może z zagranicy? Bo podobno ktoś przyleciał z zagranicy. Dobrze byłoby, aby i z zagranicy ktoś przemówił, podniosłoby to rangę pogrzebu. Niech pan się zgodzi, że pan jest z zagranicy. Nikogo nie legitymujemy.

A ktoś inny, wciskając się omal na siłę między mnie a jakąś kobietę w czerni, żonę nieżonę nieboszczyka, która wzięła mnie pod rękę, osłaniając swoim parasolem przed deszczem:

– Przepraszam najmocniej, pan jest z bliższej czy dalszej rodziny? Nie szkodzi. Wszyscy jesteśmy rodziną wobec śmierci. A nie ma rodziny bez młodych.

Coraz ciaśniej i coraz starsze osaczały mnie twarze, wręcz dopominając się, abym był młody. I nie było rady, musiałem być młody, skoro młodość była taka modna w tym kondukcie pogrzebowym, jakby nikt nie dopuszczał myśli, że młodość starzeje się równie szybko jak moda. Co prawda, niektórzy trzymają się młodości rękami i nogami, zadają sobie tortury, niepomni, że starzeją się od wewnątrz. Cokolwiek by zrobili, nie zatrzymają przemijania. Ale widocznie wiara w modę bywa silniejsza niż w przemijanie. Kto wie nawet, czy nie jest w stanie odnieść zwycięstwa nad przemijaniem.

Znałem kogoś, w równym wieku byliśmy. Gdy uznał, że skończyła się jego młodość, popełnił samobójstwo.

– Nic mnie już nie czeka, prócz czekania – powiedział mi na pożegnanie.

Cóż, nie jest winą starości, że niemodna, podobnie jak i młodości, że modna. Może kryje się za tym jakiś pomysł na obecny świat. Czy to się kiedyś odwróci, nie wiem. W średniowieczu, którym się zajmuję, starość była nie tylko skarbnicą pamięci, lecz i wyrocznią w sprawach najwyższej wagi. A dzisiaj mówi się, że starzy opóźniają marsz świata do przodu. Tylko że gdy się zastanowić, na starość się dopiero wie, że marsz świata do przodu jest złudzeniem młodości. To tylko kula ziemska obraca się pod naszymi stopami, a my drepczemy w miejscu, udając marsz. Bo cóż by znaczyło do przodu, jeśli nie do śmierci.

Chciałem nawet kogoś spytać, jak to jest być starym. Lecz gdy się zacząłem za kimś takim rozglądać, wszystkie twarze nagle zniknęły pod parasolami. Kondukt przeszedł już przez bramę cmentarną i zatrzymał się przed świeżo wykopaną mogiłą. Zdjęto z ramion trumnę i ułożono ją obok dołu. Złożono wieńce, kwiaty i zaczęły się przemówienia pożegnalne. Byłem pewny, że mnie pierwszego dopuszczą do głosu jako przedstawiciela młodzieży, którym mnie mianowano. Miałem zamiar wtedy złożyć i gerbery od Leona hodowcy.

Już nawet ułożyłem sobie, co powiem. Zwiedzałem w dzieciństwie z ojcem i matką hutę szkła i ktoś nam zrobił zdjęcie. Miałem do niedawna to zdjęcie, ja w środku, w bereciku, z jednej strony ojciec, z drugiej matka, gdzieś mi się to zdjęcie zapodziało, lecz pamięć moja je przechowała. Za nami, w tle, stoi jakiś szklarz, powiedziałbym, że to ten zmarły, i trzyma oburącz wielką taflę szkła, która co dopiero wyszła spod prasy, a którą chciałby nam przekazać w darze, abyśmy mogli patrzeć przez szybę na świat, a mniej nas będzie bolało. Niestety, zrobił się przed trumną taki tłok, jakby wszyscy chcieli przemawiać, a mnie zepchnięto gdzieś w głąb, że nie widziałem już siebie. Rozglądałem się pełen lęku, gdzie jestem, chyba nawet wołałem, gdzie jestem?! gdzie jestem?! Lecz nigdzie mnie nie było. Pamiętam jednak, że jedni drugim przerywali, odpychali się od grobu, stawali nawet na trumnie. Niektórzy, rozpaleni swoimi słowami, podrywali aż pięty, wyciągali szyje, wymachiwali rękami, rozczulali się do łez, jakby pięty, szyje, ręce, łzy wznosiły ich słowa do nieba.

Przemoczony do nitki w tym śnie, postanowiłem kupić sobie parasol. Wybrałem się na miasto i ciągnąc się wzdłuż sklepów, zobaczyłem w jednej z witryn rozpostarty parasol. Był identyczny, jaki miała na pogrzebie kobieta w czerni, która wzięła mnie pod rękę i osłoniła swoim parasolem przed deszczem. Szeroki, że dwie osoby z powodzeniem się pod nim mieściły. Nad witryną wisiał wielki szyld, zachęcający do kupna, z namalowanymi w różnych kolorach parasolami, nad którymi widniał napis: „Parasole na każdą porę roku, przeciw słońcu i na deszcz, męskie, damskie, dziecięce, klasyczne i nowoczesne".

Pchnąłem drzwi, warknął dzwonek.

– Poproszę ten z wystawy. – I nagle mnie zamurowało, bo nigdzie nie widzę parasoli. Biuro nie biuro, w głębi przy komputerze siedzi jakiś łysy gość, tę łysinę mu tylko widać, i nie odrywając oczu od komputera, rzecze:

– Pan szanowny życzy sobie zapewne mowę pogrzebową. A na jaki wiek?

– Nie, parasol – odpowiadam niepewnie.

– Parasole obok. Pomylił pan drzwi. – I nie wychylając się zza komputera: – Ale skoro się pan pomylił, radziłbym skorzystać z pomyłki. Pomyłki prowadzą nas nieraz we właściwym kierunku, gdy zabłądzimy czy raczymy zapomnieć, gdzieśmy zmierzali. Gdy patrzę tak na pana... – A nie odrywa wciąż oczu od komputera.

– Cyganka, gdy byłem młody... – przerywam mu, sądząc, że tą Cyganką wytrącę go z pewności siebie.

Nie dał mi jednak dokończyć.

– Nie wchodzimy sobie w drogę z Cyganką. Jej hasło reklamowe: długie życie. Moje: nie znacie dnia ani godziny. Proszę sobie wziąć ulotkę i przeczytać. Leżą na stoliku przed lustrem. Przy okazji warto się przejrzeć.

Podszedłem do tego stolika, wziąłem ulotkę i zauważyłem, że obok na ścianie wisi sporych rozmiarów pilśniowa tablica, a na niej poprzypinane pineskami podziękowania, niektóre ręczne, niektóre drukowane, dłuższe, krótsze.

– Czy te podziękowania to od umarłych? – spytałem.

Odciął mi się równie ironicznie:

– Jeśli pan kiedyś uzna, że warto mi podziękować, przypnę i pańskie podziękowania na tej tablicy.

– Przepraszam pana.

– Nie szkodzi. Zniosłem już wiele kpin i znoszę nadal. Grunt, że interes kwitnie. Ludzie potrzebują mów. Skoro jest więc taka potrzeba, ktoś musi je pisać. Nie wszyscy potrafią z głowy. Nieraz wzruszenie nie da, a nieraz język się poplącze. Zresztą większość ludzkich głów jest zachwaszczona przez gazety, radio, telewizję, internet. A mowy nie mogą urągać śmierci. I słów coraz mniej w ludziach. Nie zauważył pan, jak znikają? To i słowom ktoś musi przyjść z pomocą. Widzi pan, ile tu u mnie słowników, poradników i różnych innych. – I wskazał na półki w głębi pokoju, za sobą. – Mógłbym powiedzieć, kopalnia słów. Nie taki łatwy to interes. Ale nie tylko interes. Fabrykę sprzedali i zaczęli zwalniać ludzi, że za dużo pracuje. W planowaniu pracowałem, ale powiedzieli, że nie będzie się teraz planować, tylko produkować. I znalazłem się na bezrobociu. Zasiłek marniutki, a tu żona, dzieci, nie było nieraz co do garnka włożyć. Powiem panu, że byłem już bliski samobójstwa. Lecz ocknąłem się, gdy pomyślałem, że nikt na samobójcy pogrzeb nie przyjdzie, a pochowają mnie pod murem. Do tego wciąż się słyszało, czytało, żeby wziąć sprawy w swoje ręce. No, to wziąłem. Miałem jeszcze z czasów narzeczeństwa książkę *Jak pisać listy*. Zna pan może? Z tej książki pisałem listy do mojej przyszłej żony. Aż mi kiedyś odpisała, że jeśli te listy odpowiadają moim uczuciom do niej, to gotowa wyjść za mnie. Pomyślałem jednak, listy to niepewny interes. Można rzec, przebrzmiały. Dzisiaj zamiast listów idzie się do łóżka. Muszę znaleźć coś trwałego, żeby nie bać się już o pracę. A co jest trwalsze od śmierci? I tak wpadłem na te mowy pogrzebowe. Ludzi przybywa, nie ubywa, to i pogrzebów nie będzie mniej. Wynająłem ten lokal, zawiesiłem szyld. Zanim otworzyłem, napisałem się, o, napisałem. Jeszcze nie miałem komputera, wszystko ręcznie albo na maszynie. Na maszynę pożyczył mi kolega, bo mnie nie stać było. Musiałem mieć przecież jakiś zapas mów, gdyby ktoś chciał od ręki.

W każdym interesie trzeba mieć na początek trochę towaru. Zaczną przychodzić klienci, a nic nie mam do zaproponowania, to jaki to interes? A tu proszę bardzo, może tę albo tę, czy jeszcze inną. W takiej gotowej mowie wystarczy czasem tylko to czy tamto zmienić, coś wstawić, coś usunąć. Śmierć od śmierci nie różni się wiele, a pogrzeby jeszcze mniej. Takich gotowych mów mam dzisiaj, o, pełne te półki. – Wskazał rząd skoroszytów za sobą. – Chciałby pan coś przejrzeć, to jeden czy dwa skoroszyty wyciągnę. – Wstał od komputera, sięgnął do półek, lecz powstrzymałem go:

– Proszę nie wyciągać. Muszę się najpierw zastanowić, jak mi pan radził.

– W takim razie zapraszam, kiedy będzie pan gotów. Może będę miał wówczas i parasole. Doszły mnie słuchy, że sąsiad bankrutuje, to bym odkupił od niego wraz z lokalem. W czasie pogrzebów lubią deszcze padać. Więc może ktoś z mową zażyczyłby sobie i parasol. A wie pan, myślałem nawet, czy nie wydać poradnika *Mowy pogrzebowe*. Nazbierało mi się bowiem ich. Tylko kto by wtedy do mnie przyszedł? Sprzedam całe swoje doświadczenie w książce i co potem? Tyle męki, nieprzespanych nocy, potu, wysiłku umysłu, żeby to wszystko ująć w jakieś wzory. Bo musi pan wiedzieć, że każdy zmarły da się zmieścić w jakimś wzorze. Niewiele ludzi różni, gdy spojrzeć od strony śmierci. A za takie gotowe liczę jedna trzecia, co na zamówienie. Czasem dla zachęty daję upust. Z tym że aspiracje rosną. Pójdzie pan we Wszystkich Świętych na cmentarz, to widzi pan, jak się groby nad groby wynoszą. Nie inaczej jest i z mowami. Toteż coraz więcej ludzi chce na zamówienie.

I coraz dłuższych. Niektórzy żądają z wierszami. Jakby za mało było innych uroczystości. Tak że musiałem zatrudnić i poetę. Drukował wiersze w naszej gazetce fabrycznej, dopóki była fabryka. Pracował na etacie jako kulturalno-oświatowy. Kiedyś wygrał nawet konkurs z okazji państwowego święta. Ale dzisiaj z czego miałby żyć? Z wierszy? Daj pan spokój. Po prośbie by więcej zebrał. Nie powiem, zdolny chłopak, nie wtrącam się, daję mu tylko wytyczne. Ojciec mój opowiadał, że dawniej jeździli tacy po odpustach. Czasem śpiewali swoje wiersze. O wojnach, zarazach, innych klęskach. Zapamiętał ojciec jeden wiersz, że mąż zabił żonę, a żona otruła męża i potem jedno drugiemu zjawiali się w snach. Cały odpust słuchał. I sypały się grosze, że nieraz pełen kaszkiet uzbierali. Mojemu płacę jedną czwartą od takiej zamówionej mowy. Pytam się klienta, ma być wiersz? I powiem panu, mało kto chce bez wiersza. Trzeba tylko umieć uświadomić klientowi, że z wierszem bogatsza mowa. Pan Bóg też chętniej wysłucha wiersza. Przyjeżdżają i księża do mnie, a tak. Ksiądz też człowiek. A ile takich mów jest zdolny wygłosić z pamięci? Jak ma dwa, trzy pogrzeby, często jeden po drugim. I co z tego, że to jego zawód? Każdy zawód ma granice wydolności. Przyjeżdżają i z urzędów województw, powiatów, gmin, miast, wiosek. Raz tu zajechała do mnie limuzyna. Nie będę mówił skąd, bo tajemnica zawodowa. Dzisiaj, panie, prezes czy dyrektor, a niechby i minister, nie będzie myślał o mowie, jak mu ktoś z podwładnych zemrze. Ma na głowie inne sprawy, ważniejsze, a tu wypada mu na pogrzebie przemówić. To wysyła kogoś do mnie i ten wybiera z gotowych albo zamawia, zależy, jakiej rangi był nieboszczyk. Mam mowy dla wierzących i niewierzących, i takich pół na pół. Z początku miałem tylko dla wierzących. Lecz któregoś razu przyjeżdża do mnie gość, że chciałby mowę na pogrzeb świecki. To znaczy jaki, pytam. Świecki, co pan nie rozumie? Na jakim świecie pan żyje? Zezłościł się. Panie, mówię, tu wszyscy wierzący, nawet kiedyś partyjni, a teraz wierzący. Nikt mi się dotąd nie zgłosił, że chciałby, jak pan mówi, świecki. Niech pan przejrzy, może coś pan znajdzie. I daję mu jeden skoroszyt, drugi. Przerzucił jeden, walnął nim o biurko, przerzucił drugi, walnął. Tak to jest, jak nie ma konkurencji, zaklął, trzasnął drzwiami i wyszedł. Strach mnie, panie, obleciał o tę konkurencję. Mówię żonie, musimy napisać trochę mów na świeckie pogrzeby. Co to znaczy świeckie? No, bez Boga. Ja ci dam bez Boga, mówi. Wyprowadzę się do matki, a ty pisz, jakie chcesz. Gotuj sobie, sprzątaj, pierz. Co się, panie, namęczyłem, biłem się pięściami w głowę, aż dudniło, a tu nic, pusto. Nie jadłem, nie spałem, pisałem i darłem, darłem i pisałem. Aż tu moja kiedyś, głodnyś pewnie, oczy ci się kleją z niedospania. I bierze tę moją pustą głowę i przytula do piersi. Ano, cóż poradzisz, że świat idzie w bezbożną stronę. Nie zatrzymasz go mowami. Powiem panu, że kobiety więcej rozumieją świata. I nie wyprowadziła się do matki. A kiedyś znów mówi, w sklepie nie może być tylko chleb pytlowy, musi być i razowy. Przydałby ci się większy lokal, ze dwa pokoje, łazienka z toaletą. Bo niech się komuś zachce, gdzie będzie latał? Wszyscy teraz remontują, odnawiają, zmieniają z mniejszego na większe, z większego na mniejsze. Gdyby ten z parasolami zbankrutował, przebiłoby się ścianę. Gdzie ci zbankrutuje, mówię, deszcz, śnieg nie przestaną padać. To trzeba coś na mieście poszukać. W jednym pokoju urządziłoby się poczekalnię, w drugim twój gabinet. Kredyt by się wzięło. Wiadomo, że nie zbankrutujesz, to będzie z czego spłacać. Ano, trzeba wziąć. Ze trzy fotele by się kupiło, dywan na podłogę. Wieszak. Proszę się rozebrać, mówisz do klienta, tam jest wieszak. Jakieś widoczki na ścianę. Stolik na pisma. Na jakie pisma, pytam. No, u dentysty czy fryzjera czeka się, to przeglądasz sobie pismo i czas płynie, nawet nie czujesz. Tylko takie, co jest dużo zdjęć aktorek, aktorów. Raz na pół roku wystarczyłoby. Mogą być i zeszłoroczne. Z pismami poważniej by wyglądało. Jakiś wiatrak na upały, jeden w poczekalni, drugi tu, nad tobą. Miałbyś świeże powietrze, nie męczyłbyś się tak. Ano męczę się, męczę, to nie to, co w planowaniu: był czas na kawę, herbatę, gazety, wiadomości, plotki. A tu nieraz, panie, jedno nie wyjdzie, drugie już czeka. A ile musi się człowiek nasłuchać życia nieboszczyka, choć do mowy ledwo garstka z tego się przydaje. Gdybym chciał to wszystko w mowie zmieścić, czego nieraz się nasłucham, nikt by na pogrzebie nie wytrzymał. Nawet zaproszeni na stypę woleliby zjeść w domu. Ale jak się chce, żeby interes się kręcił, musi człowiek być cierpliwy. No, i kręci się, nie powiem. Niektórzy mi nawet zazdroszczą. Ale czy to moja wina, że ludzie umierają? Nie zabijam ich, tylko piszę im mowy na pogrzeby. Chociaż powiem panu, zastanawiam się czasem, ku czemu świat idzie. Niby zawsze ludzie umierali, ale dzisiaj z pogrzebów zrobił się przemysł. Prawdę mówiąc, powinienem się cieszyć, że mam taki przerób, lecz coraz częściej dręczy mnie sumienie. No, bo niech pan pomyśli, każde życie niby inne, a każdego muszę zmieścić w jakimś wzorze. Ponazywałem sobie nawet: A1, B3, C5 i tak dalej, żebym nie musiał mitrężyć czasu na szukanie. Na różny wiek mam wzory, od niemowlęcia poczynając, na najstarszej starości kończąc, kiedy ktoś się już nażył. Tylko Bogiem a prawdą kto się, panie, nażył. Każdy złakniony jest życia jak kania dżdżu. Mam wzory na mężów, żony, matki, ojców, dziadków, babki, synów, córki, wnuczków i dalszą rodzinę. Na sąsiadów, znajomych, przyjaciół. Myślę nawet, czyby nie napisać dla partnerów, partnerek, jak to się dzisiaj mówi. Każdemu daję odpowiedni skoroszyt i niech sobie wybierze. Nie narzucam się, najwyżej doradzę. Przyznam się panu, że czasem myśl mnie nachodzi, czyby i sobie nie przygotować coś odpowiedniego, po co mi ma potem ktoś pleść trzy po trzy. Szykują sobie niektórzy za życia buty, ubranie, koszulę, zdarza się, że i trumnę. Tylko zastanawiam się, czy napisać sobie na zamówienie, czy wybrać coś z tych gotowych. Jak pan sądzi? Tylko szczerze, jak by pan sam sobie doradził?

– Sobie co bym doradził? Ciszę.

Rozdział 3

Głowy nie dam, czy to było potem czy przedtem. Nie ma to zresztą większego znaczenia. Mogły mi się czasy zamienić. Czas lubi się tak nieraz zamienić z innym czasem. Czas jest chytry jak lis, a bywa i złośliwy. Potrafi płynąć w tę i zarazem w przeciwną stronę. A tylko nam się wydaje, że zawsze płynie razem z nami i nasze życie wyznacza mu granice. Nic bardziej błędnego. Ciągnie nas, gdzie chce. I w tył, kiedy nas nie było, i w przód, kiedy nas nie będzie. Bawi się nami, wiedząc, że i tak nic nie możemy. Człowiekiem nietrudno się bawić.

Ucieszył się na mój widok, przystanął.

– Na wszelki wypadek wziąłem parasol – powiedział. – Jest szeroki, zmieścimy się pod nim obaj, bo chyba burza będzie. Czuje pan, jak parno? Nie ma czym oddychać. Pan też powinien kupić sobie parasol. Tu burze nadciągają nagle. Słońce w pełni, a już burza nad panem. Z tej strony teren pogórzony, tam jak okiem sięgnąć równina, widocznie burzom sprzyjają takie miejsca. O, ciężko. Nawet mówić się nie chce.

Rzeczywiście odniosłem wrażenie, jakby brakowało mu oddechu. Słowa wypowiadał z przerwami i każde z lekka chrapliwie. Pot zarosił mu się na czole. Wyciągnął chusteczkę, obtarł i nos.

– Kiedy byłem w pańskim wieku – zaczął po chwili, lecz jakby zapomniał, co chciał powiedzieć. Wpatrzył się w rozciągające się przed nami wzgórza, sady, wśród nich domy, na lewo kościół, potem dalszy kościół, cmentarz i byłem pewny, że już nie powie, co chciał powiedzieć. – Kiedy byłem w pańskim wieku – powtórzył – nie robiło mi różnicy, w górę, w dół. Skakało się po tych schodach w górę, w dół.

Pomyślałem, że mógłby coś lepszego powiedzieć zamiast tego rytualnego „w pańskim wieku". Czy starzy muszą zawsze zaczynać od tego „w pańskim wieku", brzmi to jak zarzut czy nawet wyzwanie do próby sił, zmierzmy się. I chciałem mu już złośliwie odpowiedzieć, w pańskim wieku też nie będzie mi robiło różnicy, w górę, w dół, lecz ugryzłem się w język.

– Domyślam się, co pan chciał powiedzieć, a nie powiedział – nieoczekiwanie przeniknął moje myśli. – I nie mam panu za złe. Nawet pana rozumiem, też tak kiedyś sądziłem, gdyż młodość to wiara, że się zawsze młodym będzie. Ale to przemijająca wiara, muszę pana ostrzec. Jednakże gdy się tak przypatrzyć dzisiejszemu światu, nie ma się co dziwić, że wierzy w młodość, gdyż jest coraz bliżej końca. A tam – wskazał ręką jakiś daleki jednopiętrowy budynek – tam, nie tam, była bursa. Tak się kiedyś mówiło, bursa. Nie internat, jak dzisiaj. Co komu przeszkadzała ta bursa? Dla mnie będzie zawsze bursa. Ale cóż, świat się zmienia i od słów, nie tylko słowa od świata. Ale żeby aż tak w ciągu jednego życia, nieprawdopodobne. – Nagle spojrzał w niebo. – No, co z tą burzą? Musi pan jednak kupić sobie parasol.

Jak gdyby przewidział, że przydałby mi się. Kiedyś odprowadziłem ją już do furtki i nie mogliśmy się rozstać. Raz, drugi gdzieś zabłysło, zagrzmiało, mimo że niebo było krystaliczne, lecz kto by na niebo zwracał uwagę. Wtem jak nie lunie, niemal strumieniami. Uciekaj do domu, powiedziałem, masz tylko pod górkę, przez sad. Ale nie, bo ja zanim dojdę do bursy, przemoknę do suchej nitki. A nie mogłaby znieść, że ona już w domu. O, schowajmy się pod tym kasztanem, i zaciągnęła mnie pod kasztan. Ma szerokie liście, przeczekamy. Było wtedy w tej dolinie drzew: kasztany, jesiony, wiązy, chyba i lipa.

Nie kupiłem jednak parasola, jak mi radził, pożyczyłem sobie od ojca. Co prawda, wziąłem większą pensję na pierwszego, gdyż miałem sporo godzin nadliczbowych, był sezon truskawek i przesunęli mnie z suszarni na truskawki, gdzie produkcja szła pełną parą, tak że w niektóre dni pracowałem na dwie zmiany, jedna po drugiej. Ale składałem pieniądze na studia i szkoda byłoby mi na parasol. Pogoda była nie najlepsza, można się było burzy spodziewać, nadawała się więc, żeby mieć z sobą parasol. I stojąc z tym parasolem w Uchu Igielnym, wypatrywałem, czy od strony tej doliny wyjdzie, czy od strony miasta będzie schodziła. Byłbym ją w pierwszych słowach powitał:

– Teraz nie zmokniemy.

Niestety, i tym razem nie przyszła. Do dziś najgorsze myśli nieraz mną targają, że może tak się umiera. Po prostu nie przyjdzie się, nie odpisze na list, nie podniesie się słuchawki telefonu. Miałem znajomego, co prawda był schorowany, lecz kpił, że wszystkich zdrowych przeżyje, gdyż choroba dodaje mu siły. Humor go nigdy nie opuszczał. Jego śmierć też mi umknęła. Najzwyczajniej nie otworzył drzwi, gdy kiedyś zaszedłem do niego. Dzwoniłem i dzwoniłem, aż wyszła sąsiadka i powsiadła na mnie:

– Co pan tak dzwoni i dzwoni? Umarł.

Inny mieszkał za granicą, korespondowaliśmy z sobą regularnie. Profesor historii jak i ja. Tą samą epoką zajmowaliśmy się. Przesyłaliśmy sobie wiadomości o nowych publikacjach, o wydanych źródłach, niekiedy spotykaliśmy się na kongresach. Wysłałem mu właśnie polecony list, ale po jakimś czasie list wrócił z adnotacją poczty, że adresat nieznany. Mimo że jako uczony był dość szeroko znany.

To samo dałoby się powiedzieć o dalszych znajomych czy tych przelotnie poznanych lub znanych jedynie z tego, że przeczytało się jego książkę, obejrzało jego obrazy, wysłuchało jego muzyki, a ze wszystkiego, z czym zetknęliśmy się choćby bezwiednie, zabieramy coś dla siebie. Dzięki temu, można by powiedzieć, w każdym z nas jest jakaś odrobina całej ludzkości. I nie ma znaczenia, czy żyją, czy żyli kiedyś, dawniej. Zawdzięczamy im, że i my żyjemy teraz i kiedyś, i dawniej. I jesteśmy o tyle bogatsi, że mamy poczucie jakby mniejszej dolegliwości mijającego czasu.

Kiedyś urządzaliśmy zimą, w karnawale, zabawę w bursie. Skromną, przy patefonie. Patefon miał wielką tubę, lecz był już na prąd, nie na korbkę. W bursie, o ile pamiętam, było osiem pokojów sześcio- i ośmioosobowych, prócz tego jeden duży, w którym mieściło się kilkanaście łóżek. Przed wojną podobno znajdowała się tu świetlica. Po wojnie jednak przybyło tylu uczniów, zwłaszcza z okolicznych wiosek, miasteczek, że tę świetlicę zamieniono na sypialnię. Część klas odbywała lekcje nawet w godzinach popołudniowych, a klasy liczyły po jakieś czterdzieści osób. Wszyscy wtedy garnęli się do szkół. Prócz tego było jeszcze kilka klas eksternistycznych, w których w tempie przyspieszonym starsza młodzież odrabiała stracone wojenne lata. Niektórzy jeszcze przed wojną zaczynali i dopiero teraz, po wojnie, kończyli. Jedni wyszli z lasów, inni z więzień. Słowem, bursa była przepełniona.

Tych kilkanaście łóżek wynieśliśmy do innych pokojów, kładąc łóżka na łóżka, a krzeseł donieśliśmy ze stołówki, która mieściła się w podziemiach. Poustawialiśmy je wzdłuż ścian, żeby przynajmniej dziewczyny miały gdzie usiąść. Salę naturalnie wysprzątaliśmy, zmyliśmy podłogę, nastrugaliśmy świec, wydeptaliśmy, że aż się szkliła. Porozwieszaliśmy u sufitu kolorowe girlandy z bibuły. Taką samą kolorową bibułą obłożyliśmy lampy. Roboty było huk, lecz nikt się nie lenił. Podniecenie dodawało nam chęci, sił.

Par miało być tyle, ilu nas w bursie mieszkało. Toteż spoza bursy zaprosiliśmy tylko same koleżanki. Zjawiły się wszystkie zaproszone, poza nią. Myślałem, że się może spóźni. Zabawa się zaczęła, patefon zagrał jakieś tango, wszyscy posklejali się w pary. A ja siadłem na krzesełku pod ścianą i czekałem z nadzieją, że może jeszcze w czasie tego tanga się zjawi. Bo gdybym nawet chciał zatańczyć, nie miałbym z kim. Zastanawiałem się, cóż jej takiego mogło wypaść, że nie przychodzi?

W końcu wyszedłem na dwór i zacząłem iść w stronę, skąd powinna nadejść, innej drogi do bursy nie było. Śnieg mi pod stopami skrzypiał, toteż przystawałem, nasłuchując, czy to nie jej kroki się zbliżają. Zwłaszcza że zimowe kroki dużo wcześniej słychać niż letnie, cisza je niesie już z oddali. Nie ma porównania zimowych z letnimi. Przy tym zima była ostra, mróz szczypał w uszy, w policzki, niebo wyjaskrawione od gwiazd jak przy takim mrozie. I księżyc jak lampa. Gdybym nie bał się odmrozić nóg, zdjąłbym buty i szedł w samych skarpetkach, aby nie uronić najcichszego jej kroku, kiedy dojdzie mnie w tej ciszy. Bo cisza była jakby makiem posiał, muzyka z bursy przestała już iść za mną, tak że omal słyszałem, jak się gwiazdy na niebie ocierają o siebie. Gdyż trudno sobie wyobrazić, jeśli się spojrzy w tę gęstwinę, żeby się nie ocierały.

Nie czułem nawet, że przemarzłem do szpiku kości, gdy wróciłem. Nie wszystkie pary już tańczyły. Kilkanaście dziewczyn siedziało na krzesełkach pod ścianami, a koledzy gdzieś się ulotnili. Pomyślałem, że pewnie zeszli do stołówki w podziemiach, bo przyszykowali sobie tam jakieś wina. Nie wypadało mi więc nie zatańczyć, gdy tyle opuszczonych dziewczyn siedziało. I poprosiłem jej najbliższą przyjaciółkę.

– A coś ty taki zimny? – powiedziała, gdy wziąłem ją w ramiona. I wtedy dopiero zacząłem drżeć. – Niech coś szybkiego nastawią. – I rzuciła w stronę siedzących: – Nastawcie boogie-woogie!

Rozgrzałem się trochę i wtedy ją zapytałem, czy może wie, dlaczego nie przyszła. Powinna wiedzieć, przyjaciółkami przecież są. Skutek był taki, że następnego tańca mi odmówiła.

Poprosiłem drugą i to samo. Wręcz się obraziła, że z nią tańczę, a pytam o inną.

– No, i jak tam zabawa? – spytał mnie, gdyśmy się po jakimś czasie znów spotkali. Po jakimś czasie to mogło być dwa, trzy lata i więcej. – No, w bursie. Udała się? Ano, widzi pan. Za późno się spotkaliśmy. Byłbym pana uprzedził, że nie przyjdzie. Cóż, nic na to nie poradzę, musi pan to sam przeżyć, co ja mam już za sobą. Powiem panu tylko, że koleżanki koleżankami, przyjaciółki przyjaciółkami, ale jak się z jedną tańczy, nie pyta się o inną. Przepraszam pana, ale spieszy mi się. Syn czeka na mnie w kawiarni. Przywiózł mnie samochodem. Sam już nie siadam za kierownicą. Nie mam tej pewności co kiedyś. A musimy zwiedzić wystawę malarstwa w zamku. Obrazy tego miasta od zeszłego wieku. Podobno bogata kolekcja. Przy okazji może spotkam panią Zofię, dyrektora zamku. Niezwykle zasłużona osoba. Nie szczędziła czasu, starań, aby przywrócić zamek należnej mu świetności. Być może zastanę i pana Jerzego, prowadzi w zamku Muzeum Literatury, dusza człowiek, zawsze gotów przyjść z pomocą. No i koniecznie muszę zajść do pani Alicji. Zna pan jej pensjonat? Goszczą u niej często ludzie sztuki, nauki. Cóż, najwyżej będziemy wracali nocą. Jak pan widzi, jest jeszcze parę osób, które mnie wiążą z tym miastem. A pana zapewne tylko ona. Tak i ze mną kiedyś było. A dzisiaj zaszedłem tu jedynie z przyzwyczajenia. Trudno się z młodości tak całkiem wyzwolić. Młodość trzyma się pazurami w człowieku. Syn, wnuczek, a młodość jakby się we mnie odradzała. Wnuczek, domyśla się pan, cudo, jak każdy zresztą wnuczek. I pański będzie cudo. Niech pan się nie zarzeka. W młodości człowiek często się zarzeka, że tego nie, tamtego nie, znamienne dla młodości. Ale życie pana wciągnie i nie będzie pana pytać o zdanie. Co z tego, że świat jest niepewny? Zawsze był niepewny, a ludzie się rodzili. Jakby na przekór wojnom, rewolucjom czy wzajemnym wyrzynaniom się. Będziemy mieli jeszcze niejedną wojnę, rewolucję i nie przestaną się wyrzynać, a będą się rodzili. Żegnam, bo syn się zapewne tam niecierpliwi, obiecałem mu, że to chwilkę tylko potrwa. Aha, wie pan, że ten dom został sprzedany. Mój Boże, ile to lat temu, gdy idąc ścieżką przez sad, czasami kiwnęła mi ręką pośród gałęzi albo już sprzed domu krzyknęła jeszcze:

– Hej! Kupili go jacyś młodzi, podobno mają związany z tym domem projekt kulturalny. Oby tacy stali się przyszłością tego miasta. Ale niech pan czeka, niech pan czeka, jeśli mimo wszystko nie stracił pan nadziei.

Nie wiedziałem, wierzyć mu, nie wierzyć. Syn, wnuczek? Jakoś nieprawdziwie to brzmiało. Tym bardziej że gdy chciałem go wziąć pod rękę i powiedziałem, odprowadzę pana, wyszarpnął mi tę rękę i powiedział:

– Nie, nie, dziękuję. Dam sobie radę. Nie jest ze mną tak źle. Widzi pan, że chodzę bez laski. Dam sobie radę.

– Może chociaż do końca schodów.

– Nie, nie. Potem powie pan, jeszcze kawałek. Potem znów kawałek. Potem, o, do tej uliczki. Do tej kamienicy, do tego drzewa, do tej ławeczki i nigdy się nie rozstaniemy. A byłby już czas.

Mimo jego sprzeciwu poszedłem za nim. Po kilkunastu krokach obejrzał się. I przyspieszył, ile mógł, jakby uciekając ode mnie.

– Niech pan nie idzie za mną. Niech pan nie idzie. Niech pan nie będzie okrutny. Syn by mi nie darował, gdyby mnie z panem zobaczył. I jakbym ja mu pana przedstawił? Że pan kto? A może wyjść z kawiarni zaniepokojony, co się z ojcem dzieje, że tak długo nie wraca. Niech pan idzie i czeka. Może ona tęskni, aby ktoś na nią czekał. A kto prócz pana mógłby jeszcze na nią czekać? Mnie już niewiele zostało. Mój czas już nie na lata się liczy, może na miesiące, tygodnie lub dni.

Dopiero po jego śmierci dotarło wreszcie do mnie, że mimo iż tyle razy czekałem na nią i nie przyszła, to nigdy już pewnie nie przyjdzie. Nie żył, więc po co by miała przychodzić? Do kogo?

Potrzebne mi było zaświadczenie z liceum przy ponownym staraniu się o przyjęcie na studia. I przy okazji zaszedłem do Ucha Igielnego. Pierwszy raz, odkąd spadł z tych schodów. Nie, nie miałem żadnej nadziei, że ją spotkam. Nie wiem nawet, co mógłbym jej powiedzieć. Chciałem jedynie sprawdzić, jak się zachowa moja pamięć wobec tego, co tu się stało, na tych schodach. Człowiek powinien się sprawdzać wobec dawnych zdarzeń, nawet wobec bardzo dawnych, tych sprzed jego życia. A kto wie, czy również nie wobec własnych wyobrażeń. Zwłaszcza że to on mnie namówił, abym poszedł na historię. Wypadało więc tu przyjść i przynajmniej najcichszym szeptem powiedzieć, czy choćby pomyśleć:

– Dziękuję panu. Przyszłość pokaże, czy dobrze, że pana posłuchałem.

Nieraz mnie przekonywał, że historia to nie przeszłość. Jakkolwiek byłaby odległa, zawsze dzieje się teraz, za naszego życia. Gdyż jedynie historia pomaga nam odnaleźć się na mapie czasu. Historia to nauka wszech nauk. Dzięki niej niejedno zrozumiałem i ze swojego życia, i w niejednym przypadku łatwiej mi będzie znieść dolegliwość jej ciśnienia. A właśnie odkąd pierwszy raz mnie nie przyjęto, a starałem się na etnografię, odczuwałem coraz bardziej to ciśnienie.

Poza tym jak długo mogłem mieszkać u ojca i matki. Człowiek musi kiedyś odnaleźć swoje życie. A im wcześniej, tym lepiej. Nie ma znów tak dużo czasu, żeby go marnować. Każdy dzień zmarnowany, to jakby o ten dzień człowiek skracał sobie życie. Na suszarni czy nie marnowałem tych dni? Szedłem na pierwszą, drugą lub trzecią zmianę, a zawsze z poczuciem, że przecież nie dla suszarni się urodziłem. Owszem, zarabiałem, lecz przecież i nie dla zarobku człowiek się rodzi. Gdy jednak z odległości lat zastanawiam się, nie wiem, czy żyłem własnym życiem. Czy może z własnego ciągle uciekałem.

Były wakacje. I matka wynajęła pokój przyjacielowi kuzyna jeszcze sprzed wojny, który po tylu latach postanowił przyjechać na urlop, gdzie przed wojną, w ramach robót publicznych, naprawiali wały po wielkiej powodzi. Nie chciała matka, ale kuzyn przyszedł z listem od niego. I przeczytał matce ten list, w którym ten prosił, aby kuzyn wynajął mu jakiś pokój, gdyż chciałby przyjechać z żoną. A pewnie to już ostatnia okazja, aby po tylu latach mogli się wreszcie spotkać. Nie, nie chciałby u kuzyna, bo o ile pamięta, kuzyn ma tylko pokój z kuchnią i do pokoju przechodzi się przez kuchnię, a on chciałby z osobnym wejściem, ze względu na żonę. Zapytywał, jak po tamtej powodzi wały się trzymają, bo przecież były jeszcze nieraz powodzie. Czytał w gazetach, słuchał przez radio. Prawdę mówiąc, nie mam czasu na urlop, tak jestem zapracowany, ale żona mi głowę suszy, pojedźmy i pojedźmy. Chciałaby zobaczyć te wały, przejść się po nich. Gdy nieraz jej opowiadałem, że zostawiłem w tych wałach kawałek mojej młodości, a ile potu wylałem, zawsze się wzruszała. A któż ja wtedy byłem? Nikt. I bez nadziei, że coś się w tym moim życiu zmieni. A dzisiaj, widzisz. Myślałem nawet, wybuchnie wojna, bo zaczęto wtedy już mówić o wojnie, to się pójdzie na wojnę i może się zginie. I tak byłoby najlepiej. Na wojnie nie byłem, chociaż zgłosiłem się na ochotnika, spotkamy się, to ci opowiem, dlaczego mnie nie wzięli. Poszedłem za to do partyzantki, byłem trzy razy ranny, raz ciężko, ale jakoś się wylizałem. No, i matka się wzruszyła, i wynajęła im największy pokój, z osobnym wejściem, z korytarza w prawo.

W tym liście zapytywał jeszcze kuzyna, a jak tam Krysia, zaznaczając jednocześnie, aby nie wspominał jej przy żonie. Pamiętasz, poznałeś mnie z nią. Niebrzydka była dziewczyna. Z niedalekiej wsi pochodziła. Nie miał kto u nich w gospodarstwie pracować, ojciec już nie żył i tylko ona z matką, a starszy brat był zawodowym podoficerem i służył gdzieś na granicy. Mieliśmy się pobrać. Czy żyje? Nie żyła.

Powódź podobno była ogromna. Apokalipsa, niektórzy mówili. Przerwała wały, potopiła domy, ludzi, zwierzęta, najstarsi ludzie nie pamiętali takiej powodzi. A kiedy się cofnęła i rzeka zeszła z powrotem w swoje brzegi, przyjechał cały pociąg bezrobotnych do naprawy przerwanych wałów i podwyższenia ich. Wybudowano im baraki i pracowali aż do później jesieni, gdy pierwsze mrozy zaczęły już ścinać ziemię. Zaludniło się, zaweseliło, częściej urządzano zabawy, niemal w każdą niedzielę. Pili, bili się z miejscowymi. I kuzyn poznał się z nim na jednej z tych zabaw. Kuzyn nie miał pieniędzy, a chciał się napić. I ten mu postawił, bo był akurat po wypłacie. Jednego, drugiego, trzeciego, aż wycałowali się i zaprzyjaźnili. Aha, napisał jeszcze w tym liście, że jeśli chodzi o cenę za wynajęcie tego pokoju, pieniądze nie grają roli.

No, i którejś niedzieli tuż po południu przyjechali. Z dwiema walizkami, on w prochowcu, ona w kostiumie. Pogoda była nieprzyjemna, niebo zaciągnęło się chmurami, wiatr, a od czasu do czasu przelatywał i deszcz. Ojciec co dopiero wstał, bo zawsze w niedzielę odsypiał cały tydzień. A ja szedłem na nocną zmianę do pracy. Nie ukrywam, że ta jego żona spodobała mi się. Na pierwszy rzut oka mogła być z dziesięć lat od niego młodsza, a może i więcej. Do tego w miarę obfita, lecz zgrabna, blondyna, miły uśmiech.

Na drugi lub trzeci dzień chciała ich matka zameldować i poprosiła o dowody. Powiedzieli, że nie musi.

– A jak przyjdzie milicja, będę musiała karę płacić.

– Nie przyjdzie – rzekł dość stanowczym tonem.

– Jak to? – zdziwiła się matka.

– Wyjdziemy któregoś dnia i zameldujemy się sami – ona złagodziła jego stanowczy ton. I poprosiła matkę na kawę do ich pokoju.

Przywieźli z sobą wielką puszkę prawdziwej kawy i od tamtego dnia prawie każdego dopołudnia prosili matkę, czasem i mnie, jeśli nie szedłem na pierwszą zmianę do pracy, na tę kawę do ich pokoju. Ojciec co rano wychodził do biura. Poza tym nie lubił kawy. Mówił, że pamięta kawę jeszcze sprzed wojny i wtedy też nie lubił. Pił rano herbatę. A matka za niczym tak nie tęskniła jak za prawdziwą kawą. Bo jeśli chodzi o inne rzeczy, to nie ma znów co tak tęsknić za przedwojną. Mąż wykształcony, a nie mógł przez parę lat znaleźć pracy. Chodził z gitarą. O, to ta gitara, przyniosła im i pokazała. We trzech chodzili, skrzypce, klarnet i mąż gitara i śpiew. Ładny miał głos. Do dziś ma ładny. Czasem go proszą, żeby na akademii coś zaśpiewał. Tak go poznałam. Usłyszałam przez okno, że jacyś grają i śpiewają. Wyszłam, żeby dać im parę groszy, a mąż, jeszcze nie mąż wtedy, że woleliby coś gorącego się napić, a może i zupy zjeść zamiast pieniędzy. Po ślubie dopiero mi się przyznał, że nie byli głodni, tylko spodobałam mu się. Zaprosiłam ich do domu. Matka burczała, kogo ja zapraszam, może to jacyś złodzieje i dla niepoznaki tylko grają i śpiewają. Zrobiłam im herbaty, nakrajałam chleba, posmarowałam grubo masłem. Zjedli, spytali, czy chcemy, żeby coś zagrali, zaśpiewali. No, i grali, śpiewali, matka się udobruchała, tak że gdy chcieli już wyjść, zatrzymała ich, żeby zostali na obiad. Zaczęli opowiadać, kim są, skąd pochodzą, co pokończyli – skrzypek szkołę muzyczną, klarnecista coś handlowego, a ten mój musiał przerwać studia, bo mu ojciec zmarł. Użaliła się nad nimi matka i uszykowała im po kanapce na drogę, dała po jabłku. Ten mój, całując matkę na pożegnanie w rękę, powiedział, że kiedyś jeszcze nas odwiedzi, jeśli pani pozwoli. Może znajdę już do tego czasu pracę. Ale nie znalazł. Ruszyliśmy w świat szukać szczęścia, bo nie wypadało mu już grać i śpiewać pod oknami. Byliśmy młodzi i to nas niosło. Tylko że samą młodością nie nakarmi się człowiek. Młodość nie rozciągnie mu dachu nad głową. Nie napełni szafy w ubrania, buty, pościel i co tam trzeba do życia. Całe szczęście, że wybudowali tutaj te zakłady warzywno-owocowe i wróciliśmy. Zaraz po śniadaniu przygotowywała się matka do tej kawy. Podkręcała włosy, malowała usta, czerniła brwi, rzęsy. Ubierała się w świeżą bluzkę, dobierała spódnicę, czyściła pantofle do połysku. Przeglądała się w lustrze, tu skubnęła, tu roztarła, tu podciągnęła, wyrównała, dopóki nie rozległo się pukanie do drzwi wraz z ciepłym głosem:

– Zapraszamy na kawę.

Piła tę kawę omal z nabożeństwem, jakby przenosząc się w przedwojenne czasy, a zarazem w swoją młodość. Właściwie smakowała, nie piła, drobniutkimi łyczkami, prawie przez zamknięte usta. Wypożyczyła im do tej kawy najładniejsze filiżanki, kiedy zobaczyła, że piją w szklankach.

– Któż to pije kawę w szklankach! Przed wojną piło się zawsze w filiżankach – nie tyle się zdziwiła, co prawie obruszyła. – W szklankach kawa traci smak.

Zaczęli się usprawiedliwiać, że kawę piją tylko w pracy, a w pracy wszyscy piją w szklankach. Filiżanki trzeba by swoje z domu przynosić, a szklanki są z przydziału. Stłucze się, dadzą drugą. Zresztą przy takiej pracy, że człowiek nieraz walnie w biurko, rzuci słuchawką telefonu, zerwie się jak oparzony z krzesła, filiżanka mogłaby sama z siebie pęknąć, a szklanka wytrzyma. To i przyzwyczaili się już do szklanek. A przyzwyczajenie wiadomo...

– A cóż to za praca? – Matka była wścibska i lubiła nieraz drążyć.

– Taka sama jak inne potrzebna. Tylko że nie ma określonych godzin. Ile trzeba, tyle się pracuje. Czasem do późna w nocy.

– To współczuję – lubiła matka i współczuć.

Aha, zaniosła im matka również dzbanek do parzenia kawy, bo nie mogła patrzyć, jak zalewają kawę wrzątkiem w szklankach. Dzbanek był jeszcze przedwojenny i od wojny bezużyteczny. Sypało się do niego kawę, zalewało wrzątkiem i kawa parzyła się pod ciśnieniem, nie mówiąc, że długo trzymał ciepło. Stał ten dzbanek w bieliźniarce na najniższej półce, w tyle za poszwami, prześcieradłami. I kiedy coś z tej półki brała, wyciągała i ten dzbanek, żeby choć popatrzyć, przypomnieć sobie, że parzyła w nim kiedyś kawę. Czasem nawet wyrwała jej się z ust jakby nuta żalu, że trzeba będzie ten dzbanek wyrzucić albo dać komuś, kto zbiera stare rzeczy, bo pewnie kawy już nigdy nie będzie.

Kiedyś przy tej kawie, zachwycając się jej smakiem, rzuciła matka nieśmiałe pytanie:

– I gdzież taką kawę można dzisiaj kupić? Bo u nas tylko zbożowa.

– Są takie sklepy – odpowiedziała ona, spoglądając na niego, który nagle zmarszczył czoło. I jakby zatrzymując ją, aby nie zabrnęła, gdzie nie powinna, rzucił ostro:

– Będzie kiedyś i tutaj. Teraz są pilniejsze sprawy niż kawa. Trzeba kraj odbudować ze zniszczeń, zapewnić ludziom pracę. Zaszczepić wiarę, że będzie lepiej niż kiedyś, bo wszystko jest w zapaści po tej wojnie. A do tego niemało i takich, którzy przeszkadzają. Kawa potem. Pracowałem przed wojną przy tych wałach i nie piłem kawy, chociaż była w sklepach. Żar, z jakim to mówił, widocznie przekonały matkę.

– Ma pan rację. U nas kilka domów się spaliło. A ile natłukło dachów, szyb. Niektórzy dotąd mają okna zabite deskami. A gdy deszcz pada, podstawiają miednice, garnki, bo dachy dziurawe. I zginęło też kilka osób.

Wypogodziła się jednak matka, po tym chwilowym wojennym smutku, gdy upiła trochę kawy i ta kawa wycisnęła z jej ust kolejny zachwyt:

– Nie wiem, czy nawet ta przedwojenna miała taki wspaniały smak.

Na co ona nieoczekiwanie powiedziała:

– Przyślemy pani taką puszkę kawy. Synowi płaszcz, a pani kawę.

– Dziękuję. Ale czy mnie będzie na to stać? Bo ileż może taki płaszcz i kawa kosztować? – Głos matki zabarwił się z lekka trwogą.

– Nic – rzekł on.

A ona z uśmiechem dodała:

– W prezencie.

– To podziękuj i ty – nakazała mi matka.

– Dziękuję – dość wstrzemięźliwie powiedziałem, choć ucieszyłem się tym płaszczem, że mało co by mnie tak ucieszyło.

Zaraz na drugi dzień po przyjeździe postanowili wybrać się na spacer na te wały. I zaszli do kuchni powiedzieć, że wychodzą, wrócą za jakieś dwie godziny. On spytał jeszcze matki, czy dojdzie się tą samą drogą co przed wojną. A był w tym płaszczu. Pogoda zapowiadała się nie najlepsza. Niebo zaciągnięte chmurami, wiatr. Zdziwiła się matka, że na taką pogodę chce im się iść na spacer. Może padać. O, już zaczyna pokrapywać.

— Mamy parasolki — powiedział.

— Ale musicie na te wały? Tam was nawet drzewo nie osłoni. Golizna. Tyle tu jest miejsc do spacerów. — I zaczęła wyliczać: — Moglibyście pójść i tu, i tam.

Jakby go to zirytowało:

— Nachodziłem się kiedyś po tych wszystkich miejscach. Wystarczy mi.

Domyśliła się matka, że dotknęła jakiejś czułej jego struny i dla złagodzenia tego, że się wtrąca w ich sprawy, rzekła:

— Piękny ma pan płaszcz. Ach, jak przydałby się taki płaszcz synowi. Zaglądam do sklepów, ale nie ma takich. A ten i na deszcz, i na pogodę. Wybiera się na studia, musi mieć jakiś płaszcz.

— A gdzie? — Nagła ciekawość go ożywiła.

— Jeszcze nie wie. — I zwróciła się do mnie. — Chyba że już wiesz, to powiedz panu.

— Nie musi teraz. Porozmawiamy o tym później — powiedział, jakby nie chciał, abym już podjął decyzję. — A płaszcz przyślemy.

Na to ona:

— Może niech pan od razu przymierzy, czy taki sam rozmiar. Jesteście z mężem podobnego wzrostu. — I do niego: — Zdejmij.

Zdjął, przymierzyłem, pasował jak ulał na długość, na szerokość, w ramionach, w pasie, rękawy nie za krótkie, nie za długie.

– To ja państwa zapraszam dzisiaj na obiad. – Matce aż oczy zajaśniały z wdzięczności. – Nie chodźcie już do restauracji. Kluseczki na samych jajkach, cieniutkie jak pajęczyna. Sama zawsze robię. Kurę miałam na niedzielę, ale dzisiaj zrobię, z ziemniaczkami. Będzie i kompot z porzeczek. – A wdzięczność kazała jej jeszcze dorzucić na popołudnie i placek: – A po południu upiekę topielca.

– Topielec? A cóż to za placek? – Ona ze zdziwienia aż rozwarła szeroko oczy. – Nie słyszałam o takim placku. I dlaczego topielec?

– Będzie pani smakował, to dam pani przepis, choć nikomu nie daję. Teraz tylko powiem, że ciasto trzeba włożyć do garnka z zimną wodą i czekać aż wypłynie. Raz krócej, raz dłużej. Nieraz wydaje się, że już nie wypłynie, a wypłynie. Tylko czasem takie uparte. I nie wiem, od czego to zależy.

– Zostawmy już tego topielca – przerwał matce, jak gdyby przewidując, że na tym czekaniu, aż wypłynie, się nie skończy. A zdziwienie żony też mu podpowiedziało, że zacznie pytać, co dalej, kiedy wypłynie. – Ja wychodzę, a ty jak chcesz.

– Nie, nie, już idziemy. Potem mi pani powie. Zapiszę sobie.

Po ich wyjściu matka nie wiedziała, w co ręce włożyć, tak była przejęta tym płaszczem, tą kawą. Brała nie to, co chciała, kładła nie tam, gdzie powinna.

– No, popatrz, jacyś dobrzy ludzie. W prezencie, no. A ja tyle im policzyłam za pokój. Opuszczę im. Może bym im tam *Pana Jezusa w Ogrójcu* zawiesiła? Wzięłabym ze swojego pokoju. No, co nic nie mówisz? Dzisiaj aby każdy do siebie grabi, a oni spod serca. A ty nie zauważyłam, żebyś się tak bardzo tym płaszczem ucieszył. Musiałam ci dopiero powiedzieć, podziękuj. I bąknąłeś to dziękuję jakby od niechcenia. Aż mi nieprzyjemnie się zrobiło. Mogli pomyśleć, żeś źle wychowany. A źle wychowany, to kto winien? Matka. Bo nie ojciec. Ojciec osiem godzin w pracy, przyjdzie, to musi się zdrzemnąć, a potem gazetę czyta. Jakby nie mógł w pracy przeczytać. Żeby cię chociaż nauczył na gitarze grać. O, wisi gitara i schnie. Proszę, naucz go. Nie wiadomo, czy mu się kiedy nie przyda. A na co mu? Nie będzie chodził po ulicach i brzdąkał ludziom pod oknami. Gitara fachu nie zastąpi. A skąd wiesz, czy nie przyjdzie jeszcze taki czas, że będzie musiał chodzić i brzdąkać, żeby na chleb zarobić. Skończy studia, to i na chleb, i na masło zarobi. Ty wiesz, co to przed wojną były studia? Może i ma ojciec rację. Ale pamiętam przecież, że chodzili, grali i śpiewali, a mieli studia. Nigdy nie wiadomo, czy świat nie zawróci. Człowiek musi się zabezpieczyć i przed tym, co było, i przed tym, co będzie. No, ale zabezpiecz się, jak? Mieliśmy na książeczce trochę oszczędności usкładane, to przyszła wojna i przepadło. Może rzeczywiście tylko to, co ma człowiek w głowie, nie przepadnie. Ale jak kto ma pustą, to co ma mu przepaść. Ucz się, synu, ucz. Jakoś sobie poradzimy, abyś tylko skończył te studia.

Coś takiego było w charakterze matki, że łatwo wpadała w radosne podniecenie, jakby jakieś szczęście ją spotkało.

I gotowa była w takiej chwili zrobić lepszy obiad, a nawet upiec topielca. Niestety, zdarzało się, że po takiej nagłej radości ni stąd, ni zowąd nachodziło ją zwątpienie, jakby samej sobie przestawała wierzyć, czy ma się z czego tak cieszyć. I odstępowała od lepszego obiadu i upieczenia topielca. Gotowała kartoflankę, a na drugie kaszę ze słoniną.

Kiedyś ojciec wrócił z pracy, a ledwo zamknął drzwi za sobą, rzucił:

– Stalingrad. Jest nadzieja.

Nie dała mu dokończyć:

– Co Stalingrad? Stało się coś, żeś taki zasapany?

– Ano, niech trochę odsapnę. Przyłóż mi rękę do serca. Czujesz jak wali? Jak tylko usłyszałem, a jeszcze szybko szedłem, tak mi wali. – I po chwili zaczął opowiadać, czego się dowiedział. – Tylko cicho sza. Nikomu, pamiętaj. Mogliby zaaresztować, wywieźć, zastrzelić. W zaufaniu mi ktoś powiedział. Nie powiem ci nawet kto.

– To jutro upiekę topielca i zrobię jakiś lepszy obiad. Przyjdź wcześniej. Dałby Bóg.

– Co Bóg, radio zagraniczne gadało – obruszył się.

Ale matkę już naszło zwątpienie:

– A ty myślisz, że radio zagraniczne musi mówić prawdę? Zagraniczne niezagraniczne, a może tylko pocieszają. Pamiętasz, raz przyniosłeś, nie wiem, czy to było zagraniczne, że wojna skończy się na Boże Narodzenie. I co, które to już Boże Narodzenie?

Tak samo było wtedy, gdy obiecali mi przysłać ten płaszcz, a jej kawę. Nie mogła ukryć radości po ich wyjściu. Gdy nieoczekiwanie, gniotąc już kluski na rosół, powiedziała niby do mnie, a właściwie do naszłych ją wątpliwości:

– Myślisz, że przyślą? Może tylko obiecują. Niektórzy lubią tak coś obiecać, a liczą, że się zapomni. Ale ugotuję już ten obiad, skoro ich zaprosiłam. I upiekę tego topielca. Może prędzej przyślą, jak im posmakuje.

Naturalnie posmakował im, i to obojgu. Ona się wręcz zachwycała, cóż to za pyszny placek i że chętnie by wzięła jeszcze kawałek, czy może. Nie powinna, musi dbać o linię i tak ostatnio przybrała na wadze, lecz chętnie by jeszcze kawałek. Zjadła chyba trzy kawałki. On też powiedział, że dobry, zadowolił się jednakże tylko jednym. Nie omieszkała matka wtrącić w pewnej chwili w te jej zachwyty, że byłby jeszcze lepszy, gdyby były w nim rodzynki i skórka pomarańczowa. Ale skąd wziąć rodzynek czy pomarańczy?

– Przyślemy – powiedziała, niosąc do ust kolejny kawałek. I do niego: – Pamiętaj, rodzynki i pomarańcze. – I do matki: – Czy coś jeszcze? Proszę się nie krępować. To dla nas żadna sprawa, rodzynki czy pomarańcze. A może i migdały przysłać? A cytryn nie?

– Przydałyby się, lecz nie śmiem.

– Tylko musi nam pani podać dokładny adres – uzupełnił dobroczynne gesty żony.

– A to zaraz napiszę na karteczce. – Wyszła matka do kuchni, napisała, przyniosła. I wręczając mu tę karteczkę, powiedziała:

– To może i państwo podaliby mi swój. Bym chociaż wysłała państwu życzenia na Boże Narodzenie. I na Wielkanoc bym wysłała. Jakoś bym się chciała odwdzięczyć za tyle dobroci. A na Święta to jakby i Bóg do życzeń się dołączał. Ona trochę spłoszona spojrzała na niego, lecz jemu nawet brew nie drgnęła. Twarz miał zimną, surową. Czy może tylko ja odniosłem takie wrażenie, zwłaszcza że siedziałem z boku. Bo przyjechać na urlop, i to po tylu latach, w czasie których zmieniły się przecież i epoki, jedynie po to, żeby odwiedzić przeciwpowodziowe wały, przy których się w młodości pracowało, to musi się coś tlić wewnątrz człowieka, a twarz jest mapą wnętrza. Widocznie nie umiałem jeszcze tej twarzy odczytać, bo nie było dnia, żeby się na te wały nie wybrali. Deszcz nie deszcz, wiatr nie wiatr czy niechby najgorszy upał, że strach było na dwór wyjść, gdyż od razu słońce wciągało człowieka w siebie. On zawiązywał sobie na cztery rogi chusteczkę na głowie, bo był z przodu dobrze łysy, ona też chusteczkę, mimo że miała bujne włosy, i każdego dopołudnia na te wały. A cóż tam było na tych wałach oprócz tego, że się szło po płaskim?

– Nie mamy stałego adresu – powiedział nawet z lekka zatroskanym tonem, uprzedzając żonę, która też chciała coś powiedzieć.

– Przenieśli mnie niedawno z innej miejscowości.

– I na wyższe stanowisko – wtrąciła ona.

– I czekamy na mieszkanie. A wiecie państwo, jak trudno teraz z mieszkaniami. Musi się jednych do drugich dokwaterowywać. I na razie mieszkamy w hotelu. Nic, wybuduje się w przyszłości dla wszystkich mieszkania. Już się zaczęło budować. Biją rekordy murarze. Może państwo słyszeli?

W tym czasie wrócił ojciec z pracy i dosiadł się do nas.

– Pyszne ciasto żona upiekła – w pierwszych słowach ona do ojca.

– To panowie w tych samych zakładach pracujecie – on nie tyle spytał, co jakby potwierdził.

– Tylko mąż w biurze – pospieszyła matka, gdyż ojciec miał pełne usta topielca i popijał właśnie herbatą. – A syn zwykły robotnik. Ale uparł się, że pójdzie do pracy, kiedy go na studia nie przyjęli. Jaka to zresztą praca. Tłucze wytłoki. A ma przecież maturę. Namawiamy go z mężem, żeby znowu spróbował. Zmarnował już kilka lat przez tę robotę, ale młody jeszcze jest.

– Słusznie – powiedział. – Przed młodymi świat stoi dzisiaj otworem. Tylko trzeba tchnąć w nich nową wiarę, że ten świat może być lepszy, sprawiedliwszy.

– Jest przecież wiara – obruszyła się matka. – Po co jeszcze inna?

– Jaka?

– W Boga.

– W Boga, mówi pani. Tylko że ten pani Bóg zbudował świat, który my teraz z gruzów podnosimy. I nie kiwnął nawet palcem, gdy się walił. Na jego oczach mordowali ludzi, palili wsie, miasta, torturowali, szczuli psami. Nawet złote zęby wybijali ze szczęk. I nie pomógł. Nosili jego imię na klamrach u pasów, że jest z nimi. Na tej pani wierze nic się już nie zbuduje. Potrzeba nowej, która natchnie ludzi nadzieją, pozwoli im odzyskać utracone siły. – Mimo że zimny, surowy, oszczędny w słowach, teraz omal się zaperzył.

– Ale ta jest od dwóch tysięcy lat i wszyscy w nią wierzą. To kto panu w tę nową uwierzy? – Matka, jakby z lekka strwożona, szła jednak w zaparte. – Młodzi, młodzi uwierzą, droga pani. Na starych nie ma już co liczyć. Wypaleni, zaczadzeni, niech sobie odpoczną. Młodzi jak uwierzą, że przyszłość od nich zależy, nic ich nie powstrzyma.

– Ja to panu powiem – odezwał się wreszcie ojciec – zawsze się tak mówiło, że młodzi. Tylko że młodzi się starzeją, przychodzą nowi młodzi, po nich inni młodzi. A jest, jak było. Czasem gorzej. Bo ci najnowsi młodzi muszą się tak samo nachapać, jak ci przed nimi młodzi, a może i więcej. – Tamten chciał coś powiedzieć, lecz ojciec nie tak łatwo dał się wytrącić z koleiny, gdy pewny był swojego zdania. – Niech pan poczeka. U nas na zakładzie, jakby pan tak policzył, to mniej więcej tyle samo obiboków wśród młodych, co starych.

– To zależy, kto by liczył.

– Kontrole liczyły. Ale niech pan poczeka.

Tamten jednak też się nie dał zbić z tropu:

– A do ilu lat tych młodych liczono?

– Tego nie wiem. Ale przyszedł taki jeden młody do nas do biura. A w biurze trzeba przesiedzieć te osiem godzin. A on co trochę, że musi iść na produkcję coś sprawdzić, bo mu się w papierach nie zgadza. I co się okazało. Że dorwał na sortowni jakąś dziewuchę i do niej latał. Złapali ich w magazynie na workach z suszem. Im, panie, żeby prosto z mostu powiedzieć, tylko ksiuty w głowie. – Tu skłonił się jego żonie. – Przepraszam panią.

– Jak ty możesz? – oburzyła się matka. – I to przy pani. Wstyd.

– Przeprosiłem – odparł. – A prawdy nie ma się co wstydzić, prawda, proszę pani?

Nic nie odpowiedziała, upiła tylko łyk herbaty. On natomiast, ucinając dalsze rozważania ojca dotyczące młodych, powiedział:

– Wróćmy do syna. – I skierował do mnie pytanie: – To co ma pan zamiar studiować?

– Historię – powiedziałem niepewnie, jakkolwiek byłem już zdecydowany.

– Hm, historię. Mamy i historię. A nie lepsza byłaby psychologia? Potrzeba nam psychologów. Mógłby pan studiować, a jednocześnie pracować. Praca nie byłaby ciężka i w niewielkim wymiarze godzin, właściwie dorywcza. A miałby pan darmowy internat z darmowym wyżywieniem, z darmowymi biletami do kina, teatru, na różne imprezy. Kolej też byśmy opłacali, gdyby pan chciał przyjechać do rodziców. Dwa bilety w roku. No, i te parę złotych dodatkowo na własne potrzeby. Odciążyłby pan rodziców.

– O, dobrze by było – ucieszyła się matka. – Z tej marnej pensji męża niewiele moglibyśmy mu pomóc.

– No, właśnie. Z czasem pan mógłby pomóc rodzicom.

– Niechby już nie pomagał. Niechby tylko studiował – matka najwyraźniej sprzyjała jego narastającym zachętom.

– Z czasem, mówię. – I do ojca: – Chyba zastanawiał się pan nieraz, jak sobie państwo poradzicie, gdy przejdzie pan na emeryturę.

.

– Jeszcze mi trochę lat zostało. – Ojciec nie krył niezadowolenia, że ktoś obcy, nieproszony wtrąca się w ich życie. Jak go znałem, najchętniej by powiedział: Co to pana obchodzi? Brat pan, swat czy choćby sąsiad? Ale udłubał tylko kawałek topielca z talerzyka i powiedział: – Przyjdzie czas, będzie się człowiek zastanawiał.

– Nie namawiam, radzę. Zastanawiać się zawsze powinno zawczasu, aby nie być zaskoczonym, gdy przyjdzie to, co nieuchronne. Dajmy na to, choroby. Chociaż życzę panu i pani stu lat w zdrowiu.

– Dziękujemy – powiedzieli oboje niemal równocześnie. – I wzajemnie.

– Dziękuję. – Kiwnął głową. – Niestety, z chorobą każdy się musi liczyć. Nawet najzdrowszy. Mnie tak pokłuwało w prawym boku u dołu. Zlekceważyłem. I ledwo mnie odratowano. A to była tylko ślepa kiszka.

– O, to tak zmarł taki sławny artysta, Rudolf Valentino. Tak samo ślepa kiszka. Piękny mężczyzna. A jaki tancerz. – Matka się niemal ucieszyła, że mogła podać głośniejszy przykład.

– Możliwe. A brat żony nie miał jeszcze trzydziestu lat, gdy zabrała go gruźlica. Gdyby stać go było na lekarzy czy na sanatoria, żyłby jeszcze. Ale ojciec bezrobotny, matka bez zawodu, zarabiała jedynie praniem, sprzątaniem, skąd mieli wziąć na jego gruźlicę? Zwłaszcza że przyszła z nagła. Człowiek czuje się zdrowo. Kaszle, no, to kaszle. Może się przeziębił. Może za dużo pali, do tego najtańsze papierosy. W głowie mu się czasem zakręci, no, to może z żołądka, zjadł coś niestrawnego. A tu nagle krew z ust. Tak było właśnie z bratem żony.

– Nie palę – rzucił ojciec. – Jeść, też nie jem na stołówce. Jem, co żona ugotuje. A żona nie gotuje niestrawnego.

– Nie mówię o panu. Daję tylko przykłady. Albo weźmy wypadki, że ktoś straci palce, dłoń, spadnie z drabiny, przetrąci kręgosłup. Potem resztę życia musi na wózku.

– Gdzie w biurze można spaść z drabiny? – żachnął się ojciec. – Najwyżej o krzesło zawadzić. Czy, jak pan mówi, stracić dłoń. Najwyżej przyciąć sobie palce w szufladzie od biurka, gdy się nieumiejętnie coś wyjmuje.

– Ale przecież nie żyje pan tylko w biurze. Chodzi pan po ulicach. W biurze zresztą kręgosłup też może odmówić posłuszeństwa, od samego siedzenia, z braku ruchu.

– O, już chodzi przygarbiony – wtrąciła matka. – A prościutki był zawsze jak trzcina.

– No, i widzę, że pan nosi grube okulary. Wzrok w biurze najszybciej się psuje. Niech pan się przypatrzy swoim kolegom urzędnikom. Większość na pewno w okularach. I tak w każdym biurze jest. I co wtedy? Renta. Nawet nie połowa pensji. A udar, zawał, również może dopaść w biurze.

– Prawdę pan mówi – znów wtrąciła matka. – Trzeba nad wszystkim zawczasu się zastanowić. A niemłodzi już jesteśmy.

– Zastanawiali się, zastanawiali, jak do wojny nie dopuścić, a ona i tak wybuchła – ojciec wydawał się podirytowany.

– Gdybyś się zastanowił, to nie dałbyś go na robotnika – matka, wskazując na mnie, omal rzuciła się na ojca. – Dyrektor chciał go dać do kantorku, żeby spisywał normy, to nie.

Ma syn przecież maturę, mówił, a w kantorku praca jakby biurowa. A może na rewidenta? Sprawdzałby tylko, jak wychodzą z pracy, czy nie wynoszą czegoś. A co tam mogą wynieść, słoik dżemu czy kompotu, panie dyrektorze. A złapie któregoś i na mnie będą krzywo patrzeć za ten słoik dżemu czy kompotu. Nie, panie dyrektorze, niech zakosztuje prawdziwej roboty. Jak to prawdziwej? A pańska nieprawdziwa? Moja nieprawdziwa. Miałeś dostać podwyżkę, to przez to nie dostałeś. Bo musi mieć zaświadczenie, że robotnik.

Zaczynali się już z sobą kłócić, bo ojciec też potrafił odwzajemnić się matce, gdy przyparła go do ściany. Może nawet już rozważał, co jej powiedzieć, gdy ten przerwał im:

– Przepraszam państwa, ale chciałbym jeszcze z synem. Nie musiałby pan mieć zaświadczenia. Przyjęlibyśmy pana bez egzaminu. Są zawsze te dwa, trzy miejsca na każdym wydziale, że wystarczy rekomendacja. Na historii, o ile pamiętam, również. Zresztą gdyby nawet nie było, jakoś byśmy to załatwili. Moja już w tym głowa. Mamy swoich profesorów, docentów, asystentów. Historia też potrzebna, gdyby zdecydował się pan na historię. Na historii opiera się każda z epok, a już nasza szczególnie. Historia jest odpowiedzialna za stan umysłów, przekonań, zaangażowania. Nie można bowiem niczego zbudować, nie zmieniając historii. Groziłoby to rozpadem społeczeństwa, upadkiem moralności, wiary w przyszłość, którą zaczęliśmy budować. Zresztą wojna już zadała kłam dotychczasowej historii, obnażyła jej wszystkie fałszerstwa. Dlatego musieliśmy wziąć historię w swoje ręce, nadać jej prawidłowy kierunek, który by prowadził do sprawiedliwszego świata. O takim świecie marzyły pokolenia. Za taki świat krew przelewały, gniły w więzieniach. I aż do dziś daremnie. Zimny, surowy dotychczas, ważący każde słowo, nim je wypowiedział, wydał mi się niepodobny do siebie. Roznamiętnił się, jakby nie tyle historia, co jego własne słowa tak go porwały. Nie przypuszczałbym, że jest w nim tyle słów. Przemawiał do nas jakby do jakiejś sali pełnej ludzi. Matka słuchała z wytrzeszczonymi oczyma, ojciec ze spuszczoną głową, a z jego słów biła taka moc, że pomyślałem, czy nie jest przypadkiem sam profesorem historii, skoro tak potrafi tę historię przenicować, a nawet tknęło mnie podejrzenie, że groźna to nauka. I straciłem pewność, iść na nią czy nie iść? Czy może lepiej ponownie na etnografię. Wtem obniżył ton i powiedział jak gdyby z odcieniem goryczy:

– Za wolno się to wszystko zmienia. Konieczne jest przyspieszenie, gdyż historia gotowa nas minąć i zostawić daleko w tyle za światem.

Widocznie zaschło mu w ustach, bo ona zwróciła się do matki z prośbą:

– Czy mogłaby pani zrobić mężowi jeszcze herbaty?

– Ależ naturalnie. – Wzięła matka jego filiżankę, a tak była przejęta, że gdy szła do kuchni, filiżanka drżała jej w ręce, podzwaniając o spodeczek. Na szczęście przyniosła już spokojnymi rękami, postawiła przed nim, podziękował. Chciała mu nawet nałożyć na talerzyk jeszcze kawałek topielca, ale również podziękował, że pyszny, lecz nie może więcej. Wypił od razu całą filiżankę, można by rzec, duszkiem. Jakby ogień go palił i chciał ugasić.

– Może zrobić panu jeszcze jedną?

– Poproszę.

Tę pił już normalnymi łykami. Po czym spokojnym, trochę przytłumionym głosem, zwracając wzrok w moją stronę, powiedział:

– Będzie pan musiał tylko przejść okres próbny. Niedługi, półroczny, chociaż niełatwy. Niektórzy nie wytrzymują, czasem bywają trudne sprawy. Ale pan, jestem pewny, da sobie radę. Przyślemy panu płaszcz, to napiszę, jakie są wstępne formalności.

– I pani kawę – dorzuciła ona.

– I pani kawę – powtórzył, kiwnąwszy głową ku matce.

– Dziękuję. – Uśmiechnęła się matka.

– I rodzynki, pomarańcze, migdały, zapamiętaj – ona.

– I rodzynki, pomarańcze, migdały, naturalnie. Gdybym w nawale pracy zapomniał, to ty bądź moją pamięcią. Przyślemy, przyślemy, niech pani będzie spokojna. – Znów spojrzał na matkę.

– I cytryny – ona.

– I cytryny. – Twarz mu się ścięła, gdy musiał znów powtórzyć, bo najchętniej walnąłby pięścią w stół i krzyknął: – I cytryny! Bo inaczej!... – Upił jednakże łyk herbaty i rzekł głosem jeszcze z lekka przyduszonym. – Jeśli się pan zdecyduje, proszę krótko odpisać, że tak. Nic więcej. Jeśli nie, proszę nie odpisywać, aby nie było śladu, że pan odmówił. Tak będzie lepiej.

Ostatniego dnia, kiedy mieli odjeżdżać, zrezygnowali ze spaceru, mimo że pociąg odjeżdżał dopiero późnym popołudniem. A przecież dnia nie było, żeby się nie wybrali na te wały. Matka, która już powinna się przyzwyczaić do ich codziennych spacerów, za każdym razem, gdy wychodzili, nie kryła zdziwienia. Te zdziwienia matki musiały w nich wywoływać złość, lecz nie okazywali tego, a ona nawet czuła się w obowiązku każde ich wyjście usprawiedliwić przed matką:

– Męża tak tam ciągnie. Z początku, powiem pani, i ja nie mogłam tego zrozumieć. A teraz, proszę mi wierzyć, żal mi będzie odjeżdżać, gdy sobie pomyślę, że nigdy już tam nie pójdziemy. Nie ma pani pojęcia, jak tam pięknie.

– Byłam, ale nie wydaje mi się.

– Ach, człowiek ma wrażenie, że świat nie ma końca. Szłoby się i szło. Nie asfalt, nie bruk ma pani pod nogami, lecz ziemię. I mąż tak się wyciszył. Czasem zdejmie buty i mnie każe zdjąć. I idziemy boso. Kiedyś mnie pyta, i co czujesz?

Gdy się już spakowali, ona spróbowała go jeszcze namówić, że do pociągu mają sporo czasu, mogliby się wybrać na ten ostatni, pożegnalny spacer.

– A z kim chcesz się tam żegnać? – rzucił oschle.

– No, z tymi wałami tak ci bliskimi.

– Bliskie miejsca to kula u nogi. Człowiek jest tam, gdzie jest, a nie gdzie był. Chodźmy na stację po bilety.

Spędzili na tych wałach cały urlop, dzień w dzień ciągnął tam i żonę, aż uległa jego przywiązaniu do tych wałów, a tu nagle jakby się nożem od nich odciął. Trudne to było do zrozumienia, zwłaszcza że gdy odwiedzał go kuzyn, a przeważnie z wódką, na wspominaniu, jak naprawiali te wały, spędzali każde spotkanie. Kuzyn był kowalem, ale przestał wtedy konie kuć, gdyż bardziej mu się opłacało narzędzia naprawiać, taczki, łopaty, kilofy, młoty, piły ostrzyć, a potem znów musiał wrócić do tej psiej roboty, jak mówił, czyli kucia koni. W każdym razie z rozrzewnieniem malowali sobie tamte czasy, jakby zawdzięczali im swoją młodość.

– Powiem ci, trudno nieraz uwierzyć, że człowiek był wtedy taki młody – wzdychał kuzyn, nalewając kolejne kieliszki. Na co ten, wznosząc kieliszek do ust:

– To do dna za naszą młodość. Nie wróci, ale wypić za nią nie szkodzi.

– Powiem ci, że gdyby się nie było młodym, nie dałoby się rady być i starym. Przypomnisz sobie i raźniej ci.

– A ile ty masz lat? No, to tyle, co i ja. O, to jeszcze trochę przed nami. I czasy nam sprzyjają. Robota teraz czeka na ludzi, nie ludzie na robotę. Zadań co niemiara. Tylko włącz się, chciej. Nie siedź, bo skapcaniejesz. Kto nie z nami, ten jak palec, że nie powiem czyj, bo nie wierzę. Inny kiedyś byłeś, miałeś ogień w sobie. Pamiętam, jak żeś kiedyś mi powiedział, żeby tak wszystkie konie powyzdychały. Kuj i kuj. Co to za życie. I nie będzie koni, gwarantuję ci. Co chciałbyś robić?

– A bo ja wiem? Chyba nic. Ech, było kiedyś życie. Co niedziela zabawa, a jak zabawa, to i wódka.

– No, nie tylko. Nie będę mówił przy żonie, bo można sobie za dużo przypomnieć.

– No, to zdrowie pani.

– Nie musicie mnie głaskać. – Wydęła obruszona wargi. – I tak swoje wiem. Gadajcie sobie, co chcecie. Wolę pójść porozmawiać z panią, niż was słuchać. – I wyszła.

– Nie ma jej, ale wypijmy jeszcze za nią. – Nalał kuzynowi, nalał sobie, wypili. – Powiem ci, że mam wspaniałą żonę. Ze świecą takiej drugiej szukać. Przynajmniej z żoną szczęśliwie trafiłem.

– A to ci winszuję. Bo wybrać żonę najtrudniejsza sprawa. Gdzie tam, trudniejsza niż wybrać władzę. Władza i tak zawsze jest wybrana, nim wrzucisz kartkę.

– Pan, młody człowieku, nie słyszał – powiedział, bo czasami zapraszali mnie, gdy nie byłem w pracy, a nie kosztowało ich to więcej niż kieliszek, dwa najwyżej. Nigdy zresztą wódka mi nie smakowała, wolałem wino, nawet takie podłe, jakie wtedy było. Czasami zapraszali też ojca.

– My tak po starej przyjaźni, no, i przy wódeczce, trochę więcej nam wolno. No, a ty? – zwrócił się do kuzyna. – Masz żonę?

– Miałem.

– I co?

– Umarła.

– Współczuję.

– A wyobraź sobie, że wybrała mi żonę powódź. Przyszła w czas wojny taka powódź...

– Jak to? Przecież naprawiliśmy wtedy solidnie, podwyższyliśmy.

– Ale przerwało, przelało, woda aż tu podeszła. Na taką powódź trzeba by wały do nieba. I też nie wiadomo, czyby nie przerwało, przelało. Stacja kolejowa stała jak na wyspie. Pociągi przychodziły z tej czy z tej strony, to nie otwierali im semaforów, dopóki nie sprawdzili, czy nie podmyło torów.

Latali kolejarze w tę i nazad, kłuli szpikulcami ziemię, stukali młotkami w szyny, a ludzi się woziło na stację, ze stacji łódkami. Przyjezdnych był nieraz pełny pociąg, a na odjezdne jeszcze pełniejszy, bo każdy wiózł z sobą mąkę, kaszę, fasolę, słoninę, co tylko udało się kupić. Miastom zawozili. To się obracało tyle razy, ile razy przychodził pociąg. Na takiej łódce zarobiłeś więcej, niż gdybyś od świtu do nocy konie kuł. Na jeden pociąg trzy i cztery razy jeździłem na stację i ze stacji. Łódek było niewiele. Stały pod kapliczką. Pamiętasz tę kapliczkę z Okiem Bożym pośrodku? Stała jakby na brzegu tej powodzi, bo aż pod nią woda doszła. Stoi, stoi, co miałaby nie stać? Mówili nawet ludzie, że to Pan Bóg zatrzymał powódź, nie dał jej dalej. Brednie, mówisz? Może brednie, może nie brednie. Nie nam wyrokować. Pamiętasz, że miałem łódkę jeszcze przed wojną. Kupiłem po jednym rybaku, któremu się zmarło. Za parę złotych. Zeschła się, naprawiłem, uszczelniłem. I na tej łódce któregoś dnia poznałem swoją przyszłą żonę. Zawoziłem na stację kilka osób, wszyscy z tobołami, a ona tylko z walizeczką. Niedużą, brązową, a leciutka była jak piórko. Powiedziała, że da sobie radę, ale zaniosłem jej na stację. Pociąg stał pod semaforem chyba trzy godziny. Niech pan wraca, namawiała mnie. Nie, poczekam, aż pani wsiądzie. I tak od słowa do słowa, aż pociąg się wtoczył na stację. Wsiadła, podałem jej walizeczkę przez okno. Taki tłok był, że musiałem ją popychać przy wsiadaniu w drzwiach. A gdy pociąg ruszył, krzyknęła mi, że w takim razie jeszcze kiedyś przyjedzie. I jak drugi raz przyjechała, tak już została. A wiesz, co w tej walizeczce miała? Mydło, ręcznik, szczoteczkę do zębów, pastę i tam takie babskie rzeczy. Dopiero po wojnie mi powiedziała, że w dnie tej walizeczki ukryte były jakieś tajne papiery. Gdyby ją złapali, nie miałbym żony. Powiem ci, nie wierzyłem, że przyjedzie. Miały dni, tygodnie, miesiące, powódź zeszła. Wychodziłem czasem na stację, gdy pociąg z tamtej strony przychodził, a tu nic, nie ma. Myślałem, może by się za inną obejrzeć, ale nie wiem, czybym do dzisiaj jakąś znalazł, bo mi ona z myśli nie wychodziła. Aż tu nagle któregoś dnia jem obiad, a ona się zjawia. Obiecałam, że przyjadę i jestem. Nie żyła długo, nie zdążyła nawet dziecka urodzić, bo może by mi się chciało i konie dalej kuć.

Stację było widać od nas z kuchni przez okno. Toteż kiedy wyszli po te bilety, matka, odchyliwszy zasłonkę, dłuższą chwilę patrzyła za nimi, jakby upewniając się, czy już daleko zaszli.

– Co ich śledzisz? – obruszyłem się.

– Nie śledzę, tylko patrzę, czy idą na stację.

– Przecież powiedzieli, że na stację po bilety.

– Co kto mówi, nie zawadzi i sprawdzić dla pewności. Popatrz teraz i ty. Ja pójdę zobaczyć, czy wszystko zabrali. Bo nieraz i zapomni się czegoś. I daj mi znać, jakby już wracali. – Wyszła i niemal w tej samej chwili wróciła roztrzęsiona. – Matko Święta, a kogóż to my wzięliśmy pod nasz dach?

– Co się stało?

– A nawet ci nie powiem. I nie idź tam, broń cię Panie. Tak wziąć, kogo nie znasz. Diabli by i tego kuzyna. Że przed wojną. A co mi i przed wojną. Ile to się ludzi nazmieniało od przedwojny. I topielca im upiekłam. Mamili mi tylko oczy.

I ona taka słodziutka. Kawę, rodzynki, pomarańcze, migdały, wszystko mi przyślą. I co tam jeszcze? Aha, cytryny. Nie chcę, żeby mi przysyłali. I tego płaszcza dla ciebie nie chcę. Obejdziesz się bez płaszcza. Aż się boję myśleć, co to będzie. – Nic nie będzie. Uspokój się. Pojadą, jak przyjechali. – Jak to nic?! – omal wrzasnęła na mnie. – Nie słyszałam, co ojciec gadał? A i ten kuzyn cały? Jaki on tam zresztą kuzyn. Jego babka i moja siostrzane siostry tylko były. A i ty niby nic nie mówiłeś, ale ciągnął z ciebie, ile się dało. Młodych potrzebują, nie mówił? Młodzi im mają coś zbudować, w coś uwierzyć. I bez Boga. Chyba diabeł mnie podkusił, żeby upiec im tego topielca. Nie będę więcej piekła topielca. Muszę znaleźć jakiś inny placek. Pojadą, to przejrzę przepisy. Może piernik. Lubisz chyba piernik. A ciekawam, przyślą czy nie przyślą?

Przysłali. I to wkrótce. Listonosz przyniósł zawiadomienie, że jest paczka dla matki.

– Duża – powiedział. – I waży swoje.

– Może ty byś, synu, poszedł?

– Nie może syn. Na panią jest zaadresowana. I dowód niech pani weźmie.

Przywiozła matka tę paczkę furmanką. Znajomy woźnica, co nam węgiel na zimę przywoził, jechał i podwiózł matkę z tą paczką. Miałem wrażenie, że wnosząc ją w próg, z trudem tłumiła matka radość. Nie zabrała się od razu do otwierania tej paczki. Zaczęła najpierw oglądać ją ze wszystkich stron.

– A ileż tu znaczków, pieczątek, popatrz. I poobklejane ze wszystkich stron. Gdyby chcieli na poczcie coś ukraść, nie otwarliby, bo jak? Musieliby ciąć. Chociaż mają sposoby.

Kiedyś mi koleżanka z młodości, a wyjechała do Ameryki, przysłała kilka dolarów w książce, to książka przyszła, bo kto by kradł książkę, a dolarów ani śladu. Przejrzałam strona po stronie, nie ma. I już nie było, choć nawet przeczytałam. I ojcu kazałam przeczytać. Nie podobała mi się, trup na trupie przez całą książkę. I nie poznałbyś, jak się dobrali do tych dolarów. O, tu pisze ekspres, tu, ile warta. Ale adresu ich nie widzę. Może w środku jest albo nie dostali jeszcze tego mieszkania. Otwórz może ty.

Przysłali wszystko, co obiecali. Płaszcz kazała mi matka od razu przymierzyć.

– Taki sam jak jego. – Oczy jej wyraźnie się już cieszyły. – Kawa. Ależ to duża puszka. Chyba większa niż ta, co mieli z sobą.

– Taka sama.

– Nie, o wiele większa. Zapomniałeś. Rodzynków cały kilogram. – Od razu zważyła. – Będę mogła po parę deko sprezentować sąsiadkom, niech przypomną sobie rodzynki. Nam i tak na długo starczy, gdybym i częściej piekła. Przyjdą niedługo ojca imieniny, to upiekę mu prawdziwego topielca. A to co? Ananasy, no, popatrz. Aż trzy puszki, a nie obiecywali.

Nie pamiętam już, ile było pomarańczy. Ale każdą brała matka w ręce, powtarzając:

– Jak słońce, no, jak słońce. A spójrz na tę. Ależ to dorodna. Nie wiem, czy przed wojną były takie dorodne. Inna sprawa, że kupowało się te tańsze. Obierzemy sobie jedną, jak ojciec wróci z pracy. Mój Boże, kiedy to ja jadłam pomarańcze ostatnim razem?

– A cytryn nie zważysz?

– Nie będę już sprawdzać, bo aż wstyd.

– A tu masz migdały. A tu jeszcze coś. – Wyciągnąłem duże blaszane pudełko. – Czekoladki. – Na pudełku naklejona była karteczka: „Za tego topielca".

Złapała to pudełko, nie chciało się otworzyć, podważyła paznokciem, aż sobie paznokieć złamała. Zdumienie jej zabrzmiało niewiarą.

– Może przez pomyłkę włożyli? Mieli komu innemu wysłać i paczki im się pomyliły.

– Ale przecież masz na wierzchu karteczkę „Za tego topielca". A tu list, przeczytaj. Piszą, że i czekoladki.

Nie od razu zabrała się do listu. Najpierw wysypała na stół wszystkie te czekoladki, a każda była owinięta, i zaczęła liczyć.

– Aż tyle tego wszystkiego, no. Spodziewałbyś się? Nikt mi w życiu tyle nie przysłał. – I jakby ten nadmiar nagle ją zaniepokoił. A list pogłębił jeszcze jej niepokój, choć prócz serdeczności nic w nim takiego nie było. List pisała ona. Dziękowała matce, że czuli się u nas jak w rodzinie, i wyliczała, co jest w paczce. Przepraszała, że nie podają swojego adresu, bo jeszcze nie wiedzą, gdzie będą mieszkać. Podają na razie adres swojej krewnej, która na pewno im przekaże, gdy odpiszę mężowi, jak się z nim umawiałem. Najwięcej i z zachwytem pisała o matki topielcu. I że też upiekła, wszyscy się nim zajadali. Poczęstowała jakichś swoich znajomych, to nie mieli słów. Mąż zaniósł kiedyś do pracy, to teraz żony jego pracowników dzwonią z prośbą o przepis. A on na tym liście dopisał w post scriptum: „Czekam".

– Widzisz, czeka. – Matka tym słowem „czekam" najwyraźniej się spłoszyła. – Coś ty mu nagadał, przyznaj się. Nie wszystko słyszałam, wychodziłam do kuchni, parzyłam herbatę, kroiłam ciasto, kiedy miałam słyszeć? A przecież i na wódkę raz, drugi cię zaprosili. On niby pił, ale tacy mają głowy. Powiedz.

– Nic nie mówiłem. Pytał mi się o coś, to prawdę mówiłem.

– O, prawdę trzeba wiedzieć, komu mówić i kiedy. Za prawdę już niejeden poszedł za kratki. A za kłamstwo nie słyszałam, żeby ktoś siedział. Pożyjesz, przekonasz się.

Od czasu, gdy przyszła ta paczka, coraz bardziej się zadręczała, spać nie mogła, chodziła osowiała, zamyślona, aż któregoś dnia mówi mi:

– Wyjedź, synu. Będą się pytali o ciebie, to nie wiemy, gdzieś wyjechał. Ojciec ma ciotecznego brata, gajowym jest, napisałoby się do niego. Przeczekałbyś ten rok, póki nie pójdziesz na studia. Może się teraz dostaniesz. A nie, to byś u niego popraktykował. Taki gajowy też niezły zawód. – A już najgorzej mnie męczyła, gdy piekła topielca, gdy dokładała czy to rodzynki, czy skórkę pomarańczową, jakby odradzała się w niej udręka.

Mimo tej ciągłej udręki matki nie przyszedł już do mnie żaden list. A wyjechałem dopiero w następnym roku, gdy dostałem się na studia. Nie wiem, czy tę własną udrękę matka tak głęboko we mnie zaszczepiła, czy to tylko odzywała się moja własna udręka z tamtego jeszcze przesłuchania, gdy oficer powiedział:

– Nie rozstajemy się przecież na zawsze.

Byłem na ostatnim roku studiów, gdy matka doniosła mi w liście, że ona sama przyjechała. W pierwszej chwili nie poznała jej – postarzała, wychudła, byle jak ubrana, włosy w nieładzie, a przedtem elegancka, zadbana, kiedy spędzali u nas urlop. Gdy matka ją spytała, a gdzie mąż, oczy jakby zaszły jej łzami.

– Proszę mnie nie pytać. Nie jestem w stanie o tym mówić.

Matkę zmroziły jej słowa, bo pomyślała, że i z ojcem mogłoby się coś podobnego stać, choć nie wiedziała co. Mógłby umrzeć, zaginąć, mogliby go aresztować, ale za co? Najmniej się zmartwiła, że mógłby ją porzucić, gdyż na tyle znała ojca, że nie dałby sobie rady bez niej. Niemniej jednak nie odpuściła tak łatwo i szukała sposobów, jak by tu cokolwiek odgadnąć.

Przyjęła ją oczywiście jak najserdeczniej, rada, że będzie mogła chociaż w ten sposób odwdzięczyć się za tę paczkę. Umieściła ją w tym samym pokoju z osobnym wejściem, w którym mieszkali oboje przed laty. Powiedziała, że jej tę samą pościel uszykuje, pod którą wtedy spali. Uśmiechnęła się, ale jakiś gorzki był to uśmiech, według matki. Nawet obiady, powiedziała, będzie i dla niej gotować, niech nie chodzi do restauracji, bo co to jeden obiad więcej. Zanosiła te obiady do jej pokoju, bo sama by pewnie nigdy nie przyszła po obiad, nawet o herbatę nigdy matki nie poprosiła i też jej matka zanosiła. Kiedy miała wyjść, bo każdego dopołudnia wychodziła na spacer, kazała jej matka najpierw wypić herbatę, a drugą herbatę zanosiła jej po południu. Domyślała się matka, że chodzi na te wały przeciwpowodziowe, ale też jej nigdy o to nie spytała.

Był maj, pogoda słoneczna. Przyszedł kiedyś kuzyn i matka do niego, że może on by się podpytał, co z tym mężem, przyjacielem jego był, prędzej mu powie. Wybrał się więc kuzyn z nią na spacer, ale wrócił z niczym.

– Pytałeś?

– Pytałem.

– I co?

– Nic.

– Jak to nic? Ani słowa?

– Rozpłakała się.

– To trzeba było...

– Co trzeba było? – obruszył się kuzyn. – Takaś mądra, to przetłumacz łzy na słowa. Jak?

Miałem przyjaciela. Można by powiedzieć, przyjaźniliśmy się od zawsze. Nasza przyjaźń miała coś z miłości, jakkolwiek w przeciwieństwie do niego nie byłem gejem. Długo to ukrywał przede mną, chociaż nie sądzę, aby nie domyślał się, że wiem. Ukrywał zresztą nie tylko to, ukrywał całe swoje życie. Jeśli o czymś mówił, zawsze było: ktoś, gdzieś, kiedyś. Nigdy kto, nigdy gdzie, nigdy kiedy. Gdy nieraz brutalnie dopominałem się, aby powiedział, o kogo chodzi, gdzie to było, kiedy, czułem, że go to boli.

Nie dla ciekawości dopominałem się, tylko uważam, że coś, co nie jest nazwane, nie istnieje. Nazwanie jest poznaniem. Potrzebujemy słów, jeśli chcemy wiedzieć. Prócz słów, jakie mamy inne możliwości, żeby wejrzeć w siebie, zrozumieć innych, wyobrazić sobie świat? Weźmy nadzieję, czym jest, jeśli nie słowami? A sumienie, czy nie udręką zadawaną przez słowa? A nasze myśli bez słów, czy w ogóle są możliwe? A nasze uczucia pozbawione słów? Nasze sny bezsłowne? Nieraz mnie irytował tym swoim lękiem przed słowami. Nieraz przerywał zdanie w połowie i nie kończył. Nieraz ledwo zaczął i na tym poprzestał, za całe usprawiedliwienie rzucając: – A zresztą... – Jakby uznał, że niepotrzebnie w ogóle zaczął. Jeszcze jakoś starałem się to zrozumieć na początku, gdyśmy się nie od tak dawna znali. Myślałem, że z czasem to się zmieni, gdy nabierze do mnie zaufania. Ale tak już było przez całą naszą przyjaźń, aż do jego śmierci. Był kilka lat ode mnie starszy. Niestety, wcześnie zaczął chorować. W dodatku nie lubił się leczyć. Pójście do lekarza, a przedtem konieczność zrobienia sobie najprostszych badań, było dla niego katorgą. Trapił się tym od tygodni, że czeka go wizyta u lekarza, a przedtem musi sobie zrobić badania. Z tym jednym się nie krył. Nie mógł sobie widocznie sam poradzić i chciał, żeby inni przynajmniej mu współczuli. Ujawniała się w tym jego kruchość i jego potrzeba czułości. Nie żądając niczego, domagał się samą swoją bezradnością w najprostszych sprawach opieki jak dziecko.

Przyjaźń z nim była trudna. Ale może każda prawdziwa przyjaźń jest trudna? Jego wobec mnie objawiała się w tym, że coraz mniej mówił, jakby mu wystarczyło, że myślimy o sobie, pamiętamy o sobie, a niekiedy i za sobą zatęsknimy, od czasu do czasu spotkamy się, posiedzimy, zjemy, wypijemy i nie musimy słowami potwierdzać naszej przyjaźni. Ten schyłek słów między nami mógł też wynikać z tego, że moje życie, jego życie jakby się zaczęły nakładać jedno na drugie. Człowiek przecież odbiera pozasłowne sygnały od drugiego człowieka i takież jemu nadaje. Nietrudno sobie wyobrazić, co zachodzi między dwojgiem ludzi, gdy zalega między nimi milczenie, więc po co jeszcze się zastanawiać, co by tu powiedzieć, skoro cokolwiek by jeden czy drugi powiedział, i tak będzie nie to. Zawsze będzie nie to. Nie słowami mierzy się przyjaźń.

Mógłby ktoś powiedzieć, że był to raczej objaw narastającej między nami nieufności, więc gdzie tu przyjaźń? Jeśli nawet tak by było, to przyjaźń zacieśnia się przez nieufność. U podłoża przyjaźni czai się bowiem nieustanna obawa, czy nie zdarzy się coś takiego, czy choćby nie padnie jakieś niefortunne słowo, że dozna się zawodu i przyjaźń nagle runie. A im głębsza przyjaźń, tym bardziej zawód może się okazać dotkliwy, że przestanie się w ogóle wierzyć w przyjaźń. Obawa jest więc czymś w rodzaju anioła stróża przyjaźni.

Kiedyś zaprosił mnie do restauracji. Restauracja znajdowała się niedaleko jego kamienicy, gdzie mieszkał. Wzięliśmy jakieś danie, wodę i po pięćdziesiątce wódki. Spytał mnie nawet z troską, czy wódka mi nie szkodzi. Może wolałbym wino. Jemu, co prawda, szkodzi, lecz nie może się nie napić przy takiej okazji.

Wówczas w tej restauracji, po którejś pięćdziesiątce, nieoczekiwanie rzucił:

– Chciałbym kiedyś poznać twoich rodziców.

– Nic prostszego. Pojedziemy – powiedziałem. – Ucieszą się. Musimy tylko zawczasu ustalić, żebym ich zawiadomił.

Ale czas płynął, a on się więcej nie upomniał. Pomyślałem, że może tak tylko powiedział, aby zrobić mi przyjemność. Poza tym zacząłem pisać doktorat i nie na rękę był mi jakikolwiek wyjazd. Nadchodziła zresztą jesień, nie najlepsza pora na wyjazdy. I tak minęły chyba dwa lata. Byłem pewny, że zapomniał. Aż tu kiedyś mówi:

– Mieliśmy pojechać do twoich rodziców. Pamiętasz?

– To może w najbliższą niedzielę – powiedziałem bez namysłu, gdyż wstyd mi się zrobiło. – Bo może znowu zapomnimy.

– Ja nie zapomniałem – obruszył się.

Był czwartek. Ojca, matki już nie miałem jak zawiadomić. List by szedł co najmniej trzy dni, przyszedłby więc najwcześniej w sobotę, ale w sobotę poczta była nieczynna. Tak że sprawiliśmy rodzicom niespodziankę. Matka co prawda wpadła w popłoch, gdyż akurat szykowała obiad, a obiad był zwyczajny, kartoflanka i kluski ze słoniną i serem, nie dała jednak poznać po sobie, że jest zaskoczona. O, w udawaniu była mistrzynią. Udać smutek, żal, radość, nawet zapłakać, gdy okoliczność tego wymagała. Toteż trudna była do odgadnięcia nawet dla mnie, jej syna. Może była to jednak mądrość? Ileż to razy udaje się zainteresowanie tym, co ktoś mówi, na co się skarży, z czego się śmieje, mimo że człowieka to mało obchodzi i o swoim myśli. Ale to pomaga w życiu, usposabia przychylniej do nas ludzi, sprawia, że niektórzy nawet nas polubią. A któż nie chciałby być lubiany.

Ojciec, żeby podnieść rangę tej kartoflanki i klusków ze słoniną i serem, postawił butelkę swojej nalewki. A stawiał ją tylko od wielkiego dzwonu, gdy chciał kogoś szczególnie ugościć. Poczęstował raz tych, co przysłali potem mnie płaszcz, a matce kawę, rodzynki, pomarańcze, cytryny i czekoladki, to nie mogli się tej nalewki nachwalić.

– O, wyśmienita. – On aż mlaskał, pociągnąwszy łyczek z kieliszka. – Wyśmienita. Piłem różne alkohole, krajowe, zagraniczne, lecz czegoś tak smakowitego nie piłem. Wyśmienita. Ona też chwaliła, że od razu humor jej się poprawił, bo jakaś przygnębiona czuła się od rana. Pogłaskany tymi pochwałami, dał im ojciec na odjezdne niewielką buteleczkę.

– Może ten płaszcz przyślą – tłumaczył się potem matce, która raczej wątpiła, czy cokolwiek przyślą.

– Obiecanki cacanki, a głupiemu radość. Zawsze byłeś łatwowierny.

Toteż triumfował, gdy przysłali, jak mówił, dzięki jego nalewce.

– Widzisz, co moja nalewka potrafi. Prośby, modlitwy nie potrafią. Mógłbyś się modlić i modlić, żeby przysłali. A wahałem się, dać, nie dać, bo wiedziałem, że się będziesz krzywiła.

Nie zdarzyło się dotąd, aby komuś dał nawet najmniejszą buteleczkę, choćby taką po kroplach żołądkowych. Poczęstować, owszem, poczęstował, przynajmniej kieliszkiem na posmakowanie. Ale wystarczyło, że ten ktoś nie pochwalił, nigdy już go nie poczęstował. Nie z chytrości, nie był chytry, lecz była to droga nalewka, tak że rzadko ją robił, raz na parę lat. Skąd miał przepis, nie wiem, mówił, że to bardzo stary przepis, jeszcze sprzed wojny, sprzed której nie wymagało według niego dookreślenia, ponieważ każdy powinien wiedzieć, sprzed której, jakby innych nie było.

Nalewkę robiło się z suszonych śliwek węgierek. Śliwki na suszenie zrywało się dopiero, kiedy ścięły je już przymrozki. Takie były najlepsze. Podobnie jak powidła najlepsze są z podmarzniętych śliwek. Na nalewkę muszą być z pestkami. I nie przesuszone czy niedosuszone. Te dzisiejsze importowane nie nadają się na taką nalewkę. Czasami udawało się ojcu gdzieś takie śliwki kupić, a czasami przynosił ze swojego zakładu pracy, gdy suszono już te najpóźniejsze, można powiedzieć, ostatnie. Dostawał je *a conto* deputatu, jaki przysługiwał pracownikom raz do roku.

Wsypywał około pięciu kilogramów do słoja i zalewał równo z ich powierzchnią czystą wódką. Wypadało też około pięciu litrów. Wódka jednak musiała mieć trochę większą moc niż normalna czysta, gdzieś około pięćdziesięciu, pięćdziesięciu pięciu procent. Pojawiała się czasem taka w sklepach, nazywała się „mocna". Jeśli takiej nie dostał, robił ze spirytusu. W tym celu wypożyczał z laboratorium w zakładach alkoholomierz. Alkohol trzeba było podgrzać niemal do stanu wrzenia i teraz następował niebezpieczny moment. Czysty spirytus wrze przy temperaturze około siedemdziesięciu ośmiu stopni. Przy jakiej taki rozrobiony z wodą, nie wiem. W każdym razie musiało się uważać, gdyż uchodząca para mogła się zapalić. Raz się zapaliła, poparzyła ojcu ręce, a gdy zgasła, została sama woda. I takim prawie wrzątkiem zalewał śliwki w słoju. Słój szczelnie zatykał i tak stało to do trzech tygodni. Ze względu na pestki nie wolno było tych trzech tygodni przekraczać.

Potem zlewało się nalewkę do butelek i odstawiało na jakiś czas. Niestety, z tych pięciu kilogramów śliwek zalanych pięcioma litrami alkoholu otrzymywało się nalewki najwyżej trzy litry, czasem mniej. Pozostałe w słoju, napęczniałe od alkoholu śliwki, zasypywało się cukrem pudrem i po jakimś czasie otrzymywało się około litra likieru.

Zlaną w butelki nalewkę po odstaniu filtrowało się przez gazę i watę i ponownie wlewało do butelek. Nie do pełna, gdyż każdą butelkę uzupełniało się kieliszkiem białego wytrawnego wina, a jeszcze lepiej kieliszkiem koniaku, z tym że koniak musiał być, jak to się mówi, z najwyższej półki, czyli francuski. Można było dostać taki koniak za dolary. Ojciec, nie mówiąc nic matce, kupował u kogoś po cichu dolary, żeby potem kupić koniak. Matka, gdy nawet spojrzała na etykietkę, to nie znając francuskiego, myślała, że kupił w monopolowym, gdzie czasem pojawiały się koniaki bułgarskie czy albańskie. Potem ta nalewka musiała znowu swoje odstać, aż nabrała rubinowego koloru. Podniosło się butelkę do światła, to promienie załamywały się w niej jak w szlachetnym krysztale. Rzadko kto, gdy jej spróbował, odgadywał, że to z suszonych śliwek nalewka.

– Przywiozłem mojego przyjaciela – powiedziałem, witając się z rodzicami. – Chciał was poznać.

– A, witamy, witamy. – Ojciec podniósł się z krzesełka z wyciągniętą ręką, chociaż domyśliłem się po nim, że nie bardzo go ten niespodziewany przyjazd kogoś obcego uradował.

Po latach, już matka nie żyła, przyznał mi się kiedyś, że tej niedzieli, kiedy przyjechałem ze swoim przyjacielem, był akurat umówiony z kimś, kto też miał skądś przyjechać i przywieźć mu dolary na koniak do nalewki.

Matka natomiast, jak zwykle, umiała być w takich przypadkach serdeczna i wybuchła nieomal radością, jakby jej to w ogóle nie zaskoczyło.

– Jak przyjaciel, to niech go ucałuję. – I nachylając jego głowę, ucałowała go w czoło. Na co on ujął obie jej ręce i chciał obie ucałować, lecz jedną mu wyrwała, że nie zdążyła zrobić sobie na niej manikiuru, byśmy godzinę później przyjechali, miałaby obie gotowe. Tę jedną na szczęście wczoraj zrobiła, a drugiej już nie miała czasu, bo zawsze jest coś pilniejszego, jak to w domu.

Roześmiał się tak serdecznie, jak nigdy go tak roześmianego ani przedtem, ani potem nie widziałem. Jakby coś rodzinnego ujawniło się w jego zachowaniu wobec mojej matki. Może przypomniała mu się jego własna matka, o której nigdy nie wspominał. Podobnie jak o ojcu i reszcie rodziny. Bo przecież musiał mieć bliższą, dalszą, jak każdy. Czasem coś zaczął i w pół słowa urywał, tak że mogłem się jedynie domyślać, że jego ojciec, matka już nie żyją. Ale nie było to dla mnie takie pewne. Nie był wtedy nawet w średnim wieku i nie miałby ojca, matki? A może z jakichś, sobie znanych, powodów chciał być bezrodzinny?

Matka, by podkreślić radość z jego odwiedzin, zgłosiła pretensję pod moim adresem, że nie uprzedziłem ich, nie mają telefonu, mieć mają, już im nawet termin przysłali, że za trzy lata, ale mogłem na pocztę zadzwonić, na awizo, by jakiś lepszy obiad przyszykowała.

– Przedwczoraj dopiero zdecydowaliśmy się, żeby do was przyjechać. Nie kłopocz się. Zjemy, co nam dasz. Albo napijemy się tylko herbaty. Nie na długo wpadliśmy. Powrotny pociąg mamy o ósmej wieczorem.

– Jak to? – oburzyła się. – Coście dopiero przyjechali i już chcecie odjeżdżać?

– Musimy, mama.

– O, nie. Chybabym matką nie była. Jest gdzie spać. A jutro zrobię zakupy i będzie co jeść. Przygotuję obiad, jaki dzisiaj powinnam, gdybym wiedziała. A po południu upiekę topielca. Dawno nie piekłam. Będzie okazja. – I do ojca: – No, powiedz coś i ty.

– A co? Powiedziałaś, co trzeba.

– Ale mógłbyś i ty. Że poczęstujesz ich nalewką. Masz chyba jeszcze?

– A, została ostatnia butelka. Miałem nową robić na jesieni.

I tak zostaliśmy cztery dni. Matka, oczywiście, jeszcze tego samego dnia upiekła topielca, żeby mógł przynajmniej na kolację skosztować. A przy tym nie omieszkała mu, i to ze szczegółami, opowiedzieć, jak się go piecze. Gdyby może nie powiedział, że pyszny, nie zachęciłby jej do opowiedzenia, jak się go piecze.

Myślałem, że z uprzejmości tylko słucha. Ale kiedyś, wspominając ten pobyt u rodziców, powiedział:

– Topielec był rzeczywiście świetny. Ale gdybym miał wybrać tego topielca czy opowieść, jak się go piecze, wybrałbym opowieść. Tylko matki tak potrafią opowiadać o pieczeniu placków.

Ojciec niemal z dumą postawił tę nalewkę przy obiedzie. Gdy przyniósł butelkę z piwnicy, nie omieszkał zaznaczyć, że to ostatnia. Chociaż mogło się kryć w jego słowach i usprawiedliwienie, że chętnie by sprezentował gościowi taką butelkę na odjezdne, ale cóż, ostatnia.

– Przyjedziecie następnym razem, to już będzie nowa.

Wypiliśmy prawie całą tę butelkę do obiadów. Butelka nie była pełna, zawierała nie więcej niż trzy czwarte. I nalewał nam skąpo, tak żeby uchronić jakąś resztkę na koniec. Tę resztkę wypiliśmy na odjezdne, tuż przed wyjściem do pociągu. Już na stojąco.

– Na pamięć – rzekł. – Żeby się nie zapomniało.

– Takiej nalewki nie ma się prawa zapomnieć – odrzekł mój przyjaciel. A nie było to pochlebstwo z jego strony, ponieważ smaki alkoholi odróżniał, gdyby nawet pił w ciemno. Czyste wódki na przykład od razu odgadywał, czy z kartofli, czy z żyta, czy z innego zboża, nie mówiąc, ile która ma procent. Podobnie kolorowe alkohole. I tak samo nalewki, aby posmakował i bez zastanowienia rzucał: aroniówka, tarninówka, pigwówka, czarna porzeczka. I jako jedyny też zgadł, chociaż nie przy pierwszym obiedzie, że ojca nalewka jest z suszonych śliwek. Nie odgadł tylko, że jest w niej koniak, lecz ojciec mu dopowiedział.

– Ach, tak. Coś ten smak śliwek mi łamało.

Ojcu jakby miód na serce spłynął, że nie ma się prawa zapomnieć takiej nalewki i jakkolwiek tylko matka zamierzała nas odprowadzić na stację, powiedział, że i on pójdzie, bo jakżeż takiego gościa nie odprowadzić. I czekali oboje, dopóki pociąg nie odjechał. Ostatni wagon już opuścił stację, a oni wciąż nam kiwali. Otworzyłem okno, żeby się im odwzajemnić i mimo hurgotu kół usłyszałem, jak matka krzyknęła:

– Zapraszamy!

Mieliśmy miejsca naprzeciw siebie, przy oknie. Oprócz nas w przedziale było jeszcze dwóch mężczyzn i kobieta. Mimo zmierzchu dopiero wszyscy troje spali. Pociąg był dalekobieżny, więc widocznie jechali z daleka. Pobudziliśmy ich, gdyśmy weszli. Co prawda mieli powyciągane nogi, więc aby dostać się do okna, nie dało się ich nie potrącić. Powłóczyli po nas mętnymi oczami, kobieta ziewnęła na całą szerokość ust, obnażając wyrwy między zębami. Jeden z mężczyzn spytał, jaka to stacja, drugi spojrzał na zegarek.

– O, dopiero ta godzina. Myślałem, że już noc. Długo jeszcze.

Ale gdy pociąg nabrał pędu i zaczął kołysać, znów posnęli. Żeby ich nie budzić, prawie nie mówiliśmy, czasem jakieś słowo szeptem, nachylając się ku sobie. I to raczej ja do niego niż on do mnie. On cały czas patrzył w okno na rozmazujące się w zmierzchu łąki, lasy, wsie, miasteczka i nawet gdy nakryła je już ciemność wieczora, nie oderwał od nich oczu. Czasem gdy coś powiedział, to jakby do tej szyby, a tak cichutko, że słowa nie chciały się od niej odbić, abym mógł usłyszeć.

Przyszedł konduktor, zapalił światło, spytał:

– Kto z państwa przybył?

Podaliśmy mu bilety, skasował, tamtych śpiących nie budził, co też świadczyło, że już długo muszą jechać i wcześniej im skasował. Zgasił światło i wyszedł. Gdyby nie spali, spytałbym się, skąd jadą i dokąd, bo to niemal obowiązkowe pytanie, gdy się razem jedzie.

– Ciemno już – powiedziałem. – Przecież nic nie widzisz. Nie odpowiedział. Nie odchylił nawet głowy ku mnie. Miałem wrażenie, że trzyma się kurczowo tego okna. Pochyliłem się ku jego twarzy i zobaczyłem, że płacze. Nie zmyliła mnie ciemność, płakał. Omal bezgłośnie, jakby dusząc ten płacz w sobie, aby tamtych trojga nie pobudzić. Widocznie nie był w stanie dłużej się powstrzymywać, gdyż nagle ten płacz wstrząsnął całym jego ciałem. Nie oderwał jednak oczu od okna. Nawet jakby mocniej przywarł do ciemności za tym oknem.

Nie wiedziałem, co robić. Bezradność narastała we mnie, jak w nim ten płacz. Wydawało mi się nawet, że po szybie ściekają jego łzy. Choć nie wykluczam, że mógł i deszcz siąpić.

– Czemu płaczesz? – Szarpnąłem go za ramię. – Co się stało? Nie płacz.

– Zostaw go pan. – Zbudził się jeden z mężczyzn, siedzący obok niego. – Niech się wypłacze. Widać musi.

– Ale to mój przyjaciel.

– A co pan możesz wiedzieć i o przyjacielu.

Zbudził się i drugi mężczyzna.

– Co mu jest?

– Nic. Płacze – odrzekł ten pierwszy.

– Ano, tak nieraz zbiera się i zbiera w człowieku. Aż nie wiadomo kiedy wybuchnie. Wtedy dobrze mieć z sobą te pół litra.

Zbudziła się i kobieta.

– Co, i ten pan stracił kogoś? – rzekła jakby tak w ogóle, dając raczej znać, że i ona się zbudziła. Podniosła się, sięgnęła na półkę po torbę, wyjęła coś i zaczęła jeść.

– Tak dwa lata będzie, jak straciłam córkę. Co się napłakałam, Bóg jeden wie. Pan i tak cichutko, a ja darłam sobie włosy z głowy. Klęknęłam przed obrazem Świętej Panienki i wołałam, nie ma Boga! Nie ma Boga! Potem poszłam w pielgrzymkę. Szło się i szło. Nogi miałam całe w bąblach. Materia mi ciekła. Dwudziestu lat nie miała. Kawalery leciały na nią. Jeden miał gospodarstwo, maszyny, parobków. Ale nie chciała wsiowego. Co to za życie na wsi. Naharuje się człowiek od świtu do nocy, a grosze płacą. Za mleko to nam od wiosny zalegają. Poszła na zabawę do sąsiedniej wsi i już nie wróciła. Wyciągnęli ją potem z rzeki, gdzieś tam od nas daleko. Prawie zgniła. – Zmięła papier po zjedzeniu, wrzuciła do torby, wyciągnęła jabłko, zachrupało jej w ustach. – W szuwarach przy brzegu leżała. Rybaki łapali ryby i któremuś się wędka zaplątała.

– Przestań, pani – warknął mężczyzna, który pierwszy się zbudził. – Każdy kogoś stracił. Nie ma takich, co by nie stracili.

– Może zapalić światło? – Podniósł się z ławki ten drugi mężczyzna.

– A po co? – żachnęła się kobieta. – Ciemno to przyjemno. Może znów da się usnąć. – I po chwili zaczęła z lekka pochrapywać. A za nią i obaj mężczyźni.

Czy to jazgot pędzącego pociągu i jego ukołysał, czy tylko przygłuszył jego płacz, bo gdy pochyliłem się nad nim, najmniejszy szmer nie doszedł, prócz oddechu. Poczułem ulgę i też przysnąłem. Nie był to sen, raczej półdrzemka, bo nagle usłyszałem, że kobieta chrapnęła i jakby zamruczała pod nosem:

– Płacze?

Na co siedzący obok niej mężczyzna, wyrwany ze snu:

– Nie słychać.

– Może w sobie płacze? – Kobieta się całkiem rozbudziła.

– E, chyba śpi – powiedział mężczyzna.

– To niech śpi, niech śpi. Nie ma lepszego lekarstwa niż sen.

Rozdział 4

Otrzymałem, jak to zwykle na początku, najniższe stanowisko, młodszego asystenta kustosza. Przeważnie spoczywał na mnie obowiązek oprowadzania wycieczek szkolnych. I to wyłącznie szkół podstawowych. Średnie szkoły oprowadzał już asystent, wyższe starszy asystent, a gości specjalnych sam kustosz. Nie była to praca łatwa, jak by mogło się komuś wydawać. Wycieczki zjeżdżały każdego dnia. Nieraz jedna nie odjechała, a już druga przyjeżdżała. Ma się rozumieć, każda była zaplanowana, zamawiana wcześniej, nigdy jednak nie miałem do czynienia ze szkolnymi dziećmi. Rozłaziło się to po pałacu, krzyczało, biegało, trudno było je przywołać do porządku. Nawet nauczycielki czy nauczyciele, z którymi przyjeżdżały, nie byli w stanie ich upilnować. Często przy tym się gubiły i szukało się ich po wszystkich komnatach, których było bez liku, a wiele nieprzewidzianych nawet do zwiedzania, co nie przeszkadzało im i tam zawędrować. Najgorzej, gdy stan się nie zgadzał, gdy je policzono przed odjazdem, bo wtedy trzeba było przeszukiwać cały pałac. Nie mówiąc, że zostawiały za sobą papierki po cukierkach, torebki po kanapkach, ogryzki po jabłkach, gruszkach. Kiedyś któreś strąciło grecką amforę, inne strzeliło z procy do portretu któregoś z przodków i wybiło mu oko, a inne nasiusiało na posadzkę w łazience. A wszystko to spadało na mnie.

Na szczęście kustosz był wyrozumiały i pocieszał mnie, że wiedza to nie tylko zyski, lecz i straty. Poza tym jeśli przejdę przez takie doświadczenie ze szkolnymi dziećmi, to lepiej zrozumiem i historię, bo historia zaczyna się od dzieci, i to takich jeszcze u piersi matek, one płacą za nią swoją niewinnością, i dużo więcej niż dorośli, dla których historia jest tylko grą. Nie wiem, co miał na myśli, ale ja miałem czasem dość. Żeby mnie podtrzymać na duchu, awansował mnie na pełnego asystenta i przeszedłem na szkoły średnie. Wciąż mnie to jednak nie zadowalało, bo nie jako oprowadzanie wycieczek szkolnych wyobrażałem sobie swoją pracę.

Ale pewnego razu, gdy czekałem na nią w Uchu Igielnym, nadszedł i on. Czy piął się po tych schodach z tej dawnej dzikiej, zielonej doliny, czy dopiero do niej schodził, nie powiem, bo mi się wszystkie spotkania z nim już mieszają.

– Czeka pan na nią – nie tyle spytał, co stwierdził. – Czeka pan. No, tak, w pańskim wieku jeszcze się czeka. W moim już nie ma na co. Proszę pozdrowić kustosza.

– A od kogo?

– Będzie wiedział. – I czy wspiął się na schodek wyżej, czy zszedł na niższy, nie zwróciłem uwagi, choć może powinienem, gdyż każdy jego krok coś znaczył. Nagle zatrzymał się. – Aha, zapomniałbym. Myślę, że pan powinien zacząć robić doktorat. Nie ma pan chyba zamiaru poprzestać na magisterium. To, że pan musi wycieczki szkolne oprowadzać, to nic szczególnego, a przyda się kiedyś panu. Miałbym temat dla pana, nie ruszony jak dotąd przez badaczy. Magisterium robił pan ze średniowiecza, prawda? No, właśnie. Ma pan coś niewyraźną minę. Wolałby pan z historii współczesnej? Nie radziłbym. Współczesność to nie historia, to walka o historię, gdyż każdy chciałby się wznieść na jej szczyt. W średniowieczu miałby pan do czynienia z dawno umarłymi, co jest warunkiem prawdziwej historii, z ich umarłymi lękami, cierpieniami, ambicjami, z umarłą rozpaczą, śladami po nadziejach. Nie musiałby pan nikomu współczuć, nikogo fałszywie chwalić czy ganić. Bezinteresowna epoka, piękna epoka, gdyż piękno jest zawsze bezinteresowne. Niech pan to przemyśli. Póki pan młody, czas jeszcze wolno płynie. Ale niedługo przyspieszy, przyspieszy. Spotkamy się następnym razem, da mi pan odpowiedź.

Mówiąc prawdę, nie miałem zamiaru robić doktoratu, musiałem zarabiać, pensja asystenta kustosza była skromna, za to stała, zwalniała rodziców od pomagania mi. Dręczyło mnie przez całe studia, że sobie od ust odejmują, a ze mną się dzielą. W tej monotonnej codzienności zdarzyło się jednak coś, choć niby nic takiego, co niejednokrotnie przywoływałem potem w swojej pamięci, gdy zastanawiałem się nad sobą.

Otóż miejscowe władze postanowiły urządzić jubileusz pewnemu osiemdziesięciolatkowi, a powodem było nie to, że skończył osiemdziesiąt lat, bo temu zaprzeczał, lecz przede wszystkim, że napisał książkę opartą na swojej biografii, obejmującej także życie jego matki, w mniejszym stopniu ojca, który jeszcze w niemowlęctwie go odumarł. A wszystko to na szerokim tle społecznym.

Opracowano program jubileuszu, a mnie powierzono pieczę nad jubilatem i jego rodziną w czasie uroczystości, co uznałem nawet za wyróżnienie. Przeznaczono niemałe środki, zaproszono wielu gości, nie tylko miejscowych, także przyjezdnych. Jubilat, żywy, dziarski, bez cienia sklerozy, pochodził z jednej z okolicznych wsi. Cztery zimy szkoły podstawowej to było całe jego wykształcenie. Zimy, zaznaczał, bo od wiosny do jesieni pasał dworskie krowy. Za to życie miał tak bogate, że, można by powiedzieć, nie musiał kończyć żadnych szkół.

Znałem jubilata. Znali go tu zresztą wszyscy. Przychodził czasem do pałacu, wmieszał się w jakąś szkolną wycieczkę i razem z dziećmi obchodził dostępne komnaty, sale. Zdarzało się, że nawet objaśniał, gdy ja nie wiedziałem, kto jest kto na jakimś portrecie, zdjęciu, czyja była tu kiedyś sypialnia, jakie bale na sali balowej się odbywały, kto tu przyjeżdżał, skąd, z jakich polowań te wszystkie trofea, z Azji, Afryki czy tutejszych lasów. Najczęściej jednak widziało się go, gdy siedział na ławce pod platanem i czekał, żeby ktoś się do niego przysiadł. Przysiadłem się czasem i ja, gdy zmęczony oprowadzaniem wycieczek, musiałem choć trochę odpocząć na świeżym powietrzu. Zasypywał od razu człowieka opowieściami ze swojego życia, jakby napór przeżyć, jaki w nim się zgromadził, domagał się słów. Trudno było się od niego oderwać, tak wsysał w te swoje opowieści. Niskiego wzrostu, w każdym razie mniejszego niż średniego, za to obdarzony niezwykłym poczuciem humoru, jakby słowa odpłacały mu się za ten niski wzrost. W każdym jego zdaniu czaiła się ironia, drwina, mimowolny dowcip. Przychodził do pałacu, jak mówił, gdy mu się już cniło w domu, a żona nie chciała go słuchać.

Zdumiewał wiedzą o świecie i życiu. Służył w wojsku, brał udział w poprzedniej wojnie, niczego się nie dosłużył, kpił ze wszystkich rang, ciągle go wsadzali do paki, odsyłali na zaplecze, dzięki czemu nie był ani razu ranny i nawet chwalił sobie wojsko, że nigdzie już tak wesoło nie było. Wędrował za chlebem tu i tam, toteż, jak się to mówi, z niejednego pieca ten chleb jadł. Nierzadko wędrował i z nudów, nuda go z domu sama wypychała, no, bo niech pan powie, wstajesz i spać idziesz, wstajesz i spać idziesz, nie uprzykrzy się? Czepić by się jakiejś roboty? Nie było roboty. Mieliśmy ledwo półtorej morgi, to matka z siostrą same obrobiły.

Gdy przypominam go sobie po tylu latach, ze smutkiem myślę, że będziemy niedługo czytać po polsku ze słownikiem w ręku. Jego słowa widziało się, nie tylko słyszało. Miało się wrażenie, że ze słów tworzy świat, nienaśladowany, niepowtarzany za kimś, niczym wielobarwne malowidło, na które się patrzyło, kiedy opowiadał, a nawet w którym widziało się i siebie, towarzyszącego mu w wędrówce przez ten jego świat, bo słowa nieraz tak wciągają w czyjeś życie, choćby nie wiadomo jak odległe od naszego. Zwłaszcza że ta wędrówka z nim wydawała się wyzwalać człowieka ze smutków, przygnębień, zmęczenia.

Kpiąc ze wszystkiego i wszystkich, nie oszczędzał i siebie. Spytał mi się kiedyś, jak pan myśli, lepiej się urodzić wysokim czy niskim? Mnie bieda nie dała wyższym się urodzić. Ale może i dobrze. Bo widzi pan, jak teraz rosną. Będą dalej tak róść, to domy trzeba będzie bez pował budować. Tylko jak to będzie żyć bez powały nad głową? Gdzie wieszać czosnek, cebulę czy choćby zawiesić kołyskę z niemowlęciem, kiedy stragarzy nie będzie. I wysoki dwa razy tyle potrzebuje, a ziemia nie chce uróść. Do tego całe życie patrzyć od spodu w dach. Strzechą kryty jakoś by się wytrzymało, ale papą, dachówką, blachą, musiałoby się dziury porobić, żeby nieba trochę wpuścić.

– Nos mam kartoflany, krzywy, widzi pan. Ale jak podsuwają mi do wąchania to czy tamto, to czuję kapustę. Nie masz pan pojęcia, jaką moja mama robiła kapustę. Oczy panu tego nie powiedzą, uszy nie powiedzą, mowa nie powie, a nos wyczuje. Kapustę mógłbym co dzień jeść.

Gdy gruchnęła wieść, że napisał książkę, zdumienie było powszechne, a nawet graniczyło z niewiarą, że ktoś taki, co wydawałoby się, podpisać się nie potrafi, napisał książkę. Cztery zimy nauki i napisał książkę. A jaka to była nauka dawniej? Wszystkie klasy nieraz w jednej izbie się uczyły od pierwszej do czwartej razem. Ktoś nawet orzekł, że nie ma sprawiedliwości, bo po co się kształcić, po co kończyć to czy tamto? Ktoś pojechał do miasta sprawdzić w księgarni, lecz wrócił z niczym. Niestety, była książka, lecz nim doszedł w kolejce do lady, zabrakło egzemplarzy. Kazano mu zajrzeć, kiedy przyjdzie nowa partia za jakiś tydzień, dwa, zamówili już.

Tego samego dnia, kiedy tamtemu nie udało się kupić książki w księgarni, przyszła pocztą na adres pałacu, na ręce kustosza. Z dedykacją, o dziwo, nie dla kustosza, lecz dla pałacu, jakby z cieniutkim podtekstem, że kustosze przemijają, a pałace trwają. Napisana była regularnym, wręcz zamaszystym pismem, co tym bardziej wprawiło wszystkich w zdumienie. Nawet zasiało u niektórych wątpliwość, czy mu tej dedykacji ktoś nie napisał, jak może i całej książki, bo trudno sobie wyobrazić, żeby po czterech zimach. Po czterech zimach umiałby najwyżej stawiać kulfony, a nikt nigdy nie widział jego odręcznego pisma.

Po tej książce autor już się nie pokazał w pałacu, jakby zląkł się, że ją napisał. Te wszystkie wątpliwości, posądzenia, podejrzenia rozwiały się dopiero, gdy z polecenia władz postanowiono urządzić mu jubileusz. Wybrała się do niego trzyosobowa delegacja, w której i ja się znalazłem, żeby mu to obwieścić, lecz nie było go w domu. A gdzie jest? Żona rozłożyła ręce, że nie wie, gdzieś poszedł, nie opowiadał się jej. A kiedy będzie? Też nie mówił, Bóg raczy wiedzieć, może być wieczorem, a może nie wiadomo kiedy. Tak kiedyś wyszedł, i zaczęła opowiadać, a bez ładu i składu, mieszając, motając, że można było odnieść wrażenie, jakby odtamtąd do dziś jeszcze nie wrócił. Pożegnaliśmy ją i zapowiedzieliśmy, że za kilka dni znów przyjdziemy, a może do tej pory wróci.

– Dałby Bóg, dałby Bóg – z nadzieją w głosie powiedziała, że kto wie, może wróci.

Za kilka dni znów wybrała się delegacja, i to w poszerzonym składzie, z kierownikiem jakiegoś wydziału na czele, lecz okazało się, że nie wrócił. Mnie w tej delegacji na szczęście nie było, zastąpił mnie sam kustosz. Nie wiedzieli, czy dać za wygraną, czy może zapowiedzieć, że za kilka dni przyjdą, gdy wtem na strychu coś załomotało.

– Co to? – spytał ktoś z delegacji.

– A to kot, psiajucha – powiedziała żona. – Musiał gonić za myszami i coś zwalił.

– Kot? – zdziwili się, lecz może by uwierzyli, gdyby nie to, że kot wślizgnął się do izby przez niedomknięte drzwi i zamiauczał, na co ktoś z delegacji spytał: – To ile macie tych kotów?

– A tego – nieopatrznie powiedziała.

– To i na strychu jest, i tutaj, w izbie? Jakiś podwójny ten wasz kot – zaśmiał się ktoś z delegacji.

– Zlazł po drabinie ino mig.

– Kiedy nie widzieliśmy w sieni drabiny?

– Bo odstawiona.

– To przystawcie, wejdziemy, popatrzymy.

Wyszła do sieni, zagdakała ko! ko! ko! i drabina jakby sama zsunęła się ze strychu. Wyszła cała delegacja, szczęście, że się drabina pod nikim nie zarwała, bo szczeble aż trzeszczały, kiedy wychodzili. No i okazało się, że jubilat tam się krył przez wszystkie te dni. Miał siennik, pierzynę, poduszkę, tam mu żona posiłki zanosiła, a gdy musiał zejść za potrzebą, wystawała przed chałupą, pilnując, czy ktoś nie nadchodzi. Znaleźli go na tym posłaniu nakrytego z głową pierzyną, a że był nieduży, a pierzyna kopiasta, mogliby się nie domyślić, że ktoś pod nią leży. Tym bardziej że chałupa kryta strzechą, trochę prześwitu jedynie z włazu na strych. Ale ktoś z delegacji palił papierosy i miał zapalniczkę, poświecił tą zapalniczką, odgarnął pierzynę, a kierownik wspomnianego wydziału, jako przewodniczący delegacji, do leżącego w koszuli i gaciach jubilata zwrócił się w te słowa:

– Szanowny jubilacie, nie chowajcie się dłużej. Napisaliście książkę, a przy okazji sprawdziliśmy, że macie osiemdziesiąt lat...

– Nie mam jeszcze – zaprzeczył jubilat.

– Władza mówi, że macie, to macie.

– Nie mam, a to moje lata, nie władzy.

– To pokażcie dowód.

– Nie śpię z dowodem.

– To gdzie macie?

– W izbie.

– No, to zejdźmy.

Zeszli. Szukał i szukał tego dowodu, nie udało mu się jednak go znaleźć.

– Musiał mi ktoś ukraść albo gdzieś zgubiłem. – Rozkładał bezradnie ręce, wydawał się nawet szczerze zmartwiony.

– Zajrzyj za Matkę Boską – poradziła mu żona.

– A co ma Matka Boska do dowodu? Nie mieszaj światów – zezłościł się na żonę.

– O, poważna sprawa – oznajmił groźnie przewodniczący delegacji. – Nie wiecie, jaka grozi za to kara, a nawet więzienie. Obywatel bez dowodu to jakby chciał zataić przed władzą, że jest. A to przestępstwo.

– To co mam robić? – Jubilat najwyraźniej zląkł się.

– Nic, zgłoście się jutro do urzędu.

Nie zgłosił się ani jutro, ani pojutrze. Żona nie umiała powiedzieć, gdzie jest. Rozkładała tylko bezradnie ręce i przyobiecała sobie, że gdy wróci, zgłosi się, dopilnuje, żeby się zgłosił. A na strychu tym razem go nie znaleźli. I może by się nigdy już nie zgłosił, ale przyjechała po raz kolejny delegacja i zapowiedzieli, że jeśli zgłosi się, kupią mu garnitur, białą koszulę, krawat, pantofle, skarpetki i będzie miał to już na własność, nie musi oddawać. Któżby więc nie przystał na swój jubileusz, gdyby mu ofiarowano takie wiano. Nie zaprzeczał już, że nie ma osiemdziesięciu lat. Nawet zgodził się, żeby mu malarz namalował portret. Zrobił się potulny, na wszystko się zgodził.

Uroczystości odbywały się w sali balowej, największej i najpiękniejszej z wszystkich sal. Stoły, ustawione pośrodku w jednym rzędzie, ciągnęły się przez całą salę, a jeden i drugi koniec wieńczyły poprzecznie przystawione, znacznie krótsze. Przy jednym z tych poprzecznych siedział jubilat, obok jego żona, jakichś dwóch kuzynów, kuzynka i ja, który miałem sprawować pieczę nad jubilatem. A przy drugim, naprzeciwko, przy końcu tego długiego rzędu, zasiadły władze miejscowe, choć mówiono, że również przyjezdne, wśród których najważniejszą osobą był jakiś sekretarz, który nawet nie musiał dawać znać, że jest tu najważniejszy, gdyż pierwszy wzniósł toast ku czci jubilata.

Gości było mnóstwo, z trudem się mieścili po obu stronach tego długiego stołu. Byli przedstawiciele różnych komitetów, rad, stowarzyszeń, organizacji, ale także pisarze, poeci, krytycy, dziennikarze, nawet dwóch lub trzech profesorów zajmujących się literaturą. Uroczystość zapowiadała się nad wyraz okazale, żeby nie powiedzieć, świątecznie, chociaż był to zwykły dzień tygodnia, środa albo czwartek. W każdym razie nastrój był podniosły, wszyscy w garniturach, pod krawatami, z należytą powagą na twarzach. Temu nastrojowi sprzyjała i sala balowa. Na ścianach jakby rozkwitłe wiosennie kinkiety, między nimi portrety przodków byłych właścicieli pałacu. Mógłby ktoś nawet pomyśleć, że to przodkowie jubilata, uczestniczący przynajmniej w ten sposób w jego osiemdziesięcioleciu. U sufitu olśniewające koronkowym bogactwem kryształowe żyrandole, zwisające wprost nad stołami. A na stołach istne zatrzęsienie różnorakich potraw. Od półmisków, salaterek, tac mogło w głowie się zakręcić, gdy zaczęły krążyć wśród gości. Miało się wrażenie, że w powietrzu tak krążą, a dziesiątki rąk wyciągają się ku nim i ściągają je z powrotem na stół.

Przed każdym z gości stała butelka piwa i półlitrówka wódki. Mimo że było południe, wszystkie światła się paliły. Słońce waliło oknami, a te jaskrawe światła żyrandoli, kinkietów sprawiały, że sala jakby kołysała się w oczach, zamiast widzieć wyraźniej, widziało się mętnie. Na znak dany od stołu, gdzie siedziały władze, kelnerzy zaczęli odbijać butelki z wódką i nalewać w kieliszki. Butelki były jeszcze lakowane, więc budzili podziw wprawą, z jaką je odbijali. Jedno uderzenie dłonią w dno i zalakowany korek przemagał opór laku i szyjki. Budzili zresztą podziw i ze względu na wygląd. Jasnopopielate smokingi, białe koszule, czerwone muszki, czarne spodnie, takież lakierki na nogach. Skąd ich przywieziono, nikt nie umiał powiedzieć, mówiono tylko, że ich przywieźli. Do tego włosy na gładko brylantyną do czaszek przywarte, z przedziałkami pośrodku. Kiedy już wszystkim napełnili kieliszki, od stołu z naprzeciwka powstał, jak się można było już wcześniej domyśleć, najważniejszy wśród siedzących tam władz sekretarz i zaczął wygłaszać toast. Wydawało się, że toast będzie krótki, powitalny, tak przynajmniej zapowiadały jego pierwsze słowa:

– Drogi jubilacie i wy, drodzy goście, witam was w swoim imieniu i w imieniu naszej władzy. – I ujął kieliszek, a za nim wszyscy ujęli kieliszki i wstali. Widocznie ten kieliszek w ręku okazał się jakby ostrogą, bo głos mu się nagle podniósł, słowa zaczęły mu wartko płynąć i ze zdania na zdanie nabierały wiecowego tonu.

Jubilat jak wszyscy też z kieliszkiem w ręku stał, chociaż jako człek nieduży, nie dawał tak wyraźnie poznać po sobie, stoi czy siedzi. Można było nawet sądzić, że stoi za niego jego żona, dość wysoka kobieta, no, i reszta rodziny, w której byli wyżsi i od żony. Łysą głowę przechylił na lewą stronę, jakby mu zaczęła ciążyć. I co rusz przymykał i odmykał oczy, broniąc się przed rozbawieniem, że obchodzi swój jubileusz. Wyglądał niczym na rysunku pierwszoklasisty, co narysował dziadka jako zadanie domowe. Jedynie kieliszek, który trząsł mu się w ręku, zaświadczał, że jubilat jest prawdziwy. A tymczasem sekretarz ciągnął toast:

– Ten pałac, drogi jubilacie, nigdy by cię nie wpuścił na swoje pokoje, gdyby nie władza ludowa. W tej sali bawiliby się dalej panowie, a uciemiężony lud harowałby od świtu do nocy na ich zbytki, hulanki, swawole. Kto by wówczas pamiętał, że ci stuknęło osiemdziesiąt lat? Piękny wiek, swoją drogą, czcigodny wiek. Ale żeby twój wiek został należycie uczczony, trzeba było najpierw lud podnieść z klęczek, a jego gnębicieli wyrzucić na śmietnik historii. To dzięki władzy ludowej obudził się i twój talent. Władza ludowa wyzwoliła z klasowego ucisku twoją wiarę w siebie, że też potrafisz pisać, twoją odwagę, że nie bałeś się chwycić za pióro, twoje czułe na niedolę serce, no, i tę twoją spracowaną rękę, którą piszesz. I tak jak my tu wszyscy jesteśmy tobie wdzięczni za to, co napisałeś, tak ty winieneś być wdzięczny władzy ludowej. Bez niej... – W tym momencie kieliszek w jego ręku, dotąd nad wyraz spokojny, mimo tylu gromkich słów, które raz po raz wstrząsały mówcą, zadygotał, roniąc sporo kropel, które wyciekły mu na rękę. – No, to czas wypić, towarzysze! – zawołał. – Zdrowie jubilata! Niech nam żyje i pisze! – Już miał kieliszek przy ustach, gdy ktoś stojący obok nieoczekiwanie krzyknął:

– Zdrowie władzy ludowej w osobie obecnego tu z nami towarzysza sekretarza.

Podirytowany sekretarz, że ktoś śmiał zakończyć za niego toast, rzucił ostro:

– Władza ludowa nie musi pić swojego zdrowia. Mamy obowiązek być zdrowi. – I chlusnął zawartość kieliszka w usta.

Za nim wychylili wszyscy tak samo do dna, a odstawiwszy kieliszki, wzięli się do bicia braw. Bili długo, wpadając w rytm, dopóki nie wyciągnął ręki na znak, że dosyć. Po czym usiadł. Usiedli więc wszyscy i zabrali się do jedzenia.

Niewiele jednak dało się zjeść, gdyż samo rozejrzenie się po potrawach wymagało namysłu, co wziąć, potem nałożenie sobie na talerz również trochę czasu zabierało. A czujni kelnerzy, ani chwili nie czekając, ponownie napełnili kieliszki. I już ktoś się zerwał, przełykając jeszcze kęs, dzięki czemu nie pozwolił się nikomu wyprzedzić, a zarazem dając do zrozumienia, że kolejność wygłaszanych toastów jest równoznaczna z pozycją w hierarchii. Uniósł kieliszek, lecz widocznie kęs nie całkiem połknął, bo odkaszlnął raz i drugi, przeprosił, że ma chrypkę, i jakby zapomniał, co chciał powiedzieć, zaczął od powołania się na wyższego w hierarchii sekretarza. Jak powiedział, i znów się powołał, jak słusznie powiedział, jak głęboko to ujął, jak mądrze nam naświetlił… przy czym zdanie ze zdaniem nie chciało mu się związać, tak że sekretarz w końcu z litości mu przerwał:

– Lepiej wypijcie. Dobrze wam na gardło zrobi. I zjedzmy coś.

– No, to zdrowie jubilata! – wyrzęził, przemagając ściśnięte gardło. Po czym zgaszony usiadł, wypił, spuścił głowę, może zastanawiał się, czy nie spadnie w hierarchii, aż sekretarz stuknął go w bok.

– Czemu sobie nie nałożycie? Nie myślcie, jedzcie. Wszyscy jedzą. W domu tego nie zjecie ani w naszej stołówce. Dzisiaj jest pomidorowa i kotlet z jajka.

Odgłos noży, widelców roznosił się po sali, bo też wszyscy rzucili się na jedzenie z jakimś nagłym przyspieszeniem, czy zdążą coś zjeść, zanim ktoś znów wstanie, żeby wygłosić toast. Lecz mimo że kelnerzy napełnili ponownie kieliszki, nikogo nie poderwało to do toastu. Nawet nie było słychać, żeby ktoś z kimś zamienił jakieś słowo. Słychać było tylko chrzęst jedzenia, jakby jakiś straszliwy głód wypełzł z żołądków na zewnątrz i kazał się wszystkim najeść na kilka dni naprzód, a może i dalej.

Nie jadł tylko jubilat, nie jadł, nie pił i raczej przysypiał. Widząc to, żona szarpnęła go za rękę.

– Nie śpij.

– Nie śpię.

– Jak nie śpisz? Oczy masz zamknięte.

– Zamknięte, ale co trzeba, widzę.

– To zjedz coś. Nałożyć ci?

– Kapusty.

– Jakiej kapusty?

– Mamy mojej.

– Zwaryjowałeś?! – obruszyła się. – I mówisz, że nie śpisz, a śni ci się kapusta. – I nałożyła mu czubaty talerz różności, których nie tknął do końca.

Trudno byłoby powiedzieć, czy ktoś się najadł do syta, zwłaszcza jeśli wziąć pod uwagę, że przy alkoholu głód rośnie wraz z każdym wypitym kieliszkiem, a kelnerzy raz po raz nalewali pod ten głód, wiedząc z doświadczenia, jak głód podniecić.

Wtem podniósł się ktoś wysoki, w okularach, kto pewnie uznał, że już za długo nie było toastu. Jakby onieśmielony, czy może dla dodania sobie powagi, nie uniósł jednak kieliszka, przesuwając go w bok i rozglądając się po obecnych, jakby czekał, kiedy odłożą noże, widelce i skierują uwagę na niego. Po czym wyjął z kieszeni marynarki plik kartek, zmienił okulary na inne i potykając się początkowo o własne słowa, zaczął czytać:

– Zajmuję się całe życie literaturą. – Usłyszawszy jednak, że ktoś trącił się z kimś kieliszkiem, powtórzył dobitnie: – Zajmuję się całe życie literaturą. – Nie był stary, w średnim wieku zaledwie, więc co mogło znaczyć całe życie? Całe życie trzeba najpierw przeżyć, żeby móc się na nie powoływać. Co prawda, człowiek nie wie, czy jego życie, niezależnie, ile lat sobie liczy, nie ma się ku końcowi. Przeżyłem swoje, to wiem. Niestety, za długie. Co najmniej o ten rok, niż mi przepowiedziała Cyganka. Tak że musiałem w tym ostatnim roku przeżyć je od nowa, od początku do tej chwili, gdy stojąc w Uchu Igielnym, zastanawiałem się, czy zejść jeszcze ten ostatni raz do tej dawnej dzikiej, zielonej doliny, której już nie było, czy może nie schodzić. I pewnie nie zdecydowałbym się zejść ten schodek niżej, gdybym nie dostrzegł w jego młodych oczach tego błysku szyderstwa z mojej starości. I wtedy laska zadygotała mi w ręku. – W oparciu – ciągnął mówca, lecz przerwał, usłyszawszy jakiś zakłócający dźwięk, po czym powtórzył: – w oparciu o moje wieloletnie badania doszedłem do smutnego wniosku, że literatura dobiegła kresu i już tylko się powtarza. Nie przypuszczałbym, że dożyję jednak chwili, gdy oto pojawi się kryształowy talent. Tu robię głęboki ukłon w stronę naszego jubilata. –

I ukłonił się, dotykając niemal głową stołu. – A więc talent nieuwikłany w żadne prądy, tendencje, kierunki, programy, teorie, i zmieni oblicze literatury, odświeżając ją swoim prostym sercem. Pokaże świat, jakiego nie znamy. Bo ten, jaki znamy, każdy widzi. A nas, jego zgromadzonych tu wielbicieli, natchnie optymizmem, tak koniecznym do życia. Jako że pesymizm, którym literatura się dotąd karmiła, i to w coraz brutalniejszym wydaniu, zniechęcił już wszystkich. Więc zwracając się z najwyższym szacunkiem do drogiego nam jubilata...

Ktoś krzyknął:

– Niech żyje!

– Chwileczkę, jeszcze nie skończyłem. – I widocznie kartki mu się pomieszały z przejęcia wystąpieniem, bo zaczął je przekładać z wierzchu na spód, ze spodu na wierzch. Wymuszona jednak przez niego cisza urwała się nagle. Rozległy się znów noże, widelce, wybuchły śmiechy, rozmowy. – Proszę jeszcze o cierpliwość. Proszę o cierpliwość – nieomal błagał.

– Może powiedzieliście już, co trzeba, towarzyszu uczony? – próbował go ratować sekretarz.

– Nie, nie. – Ręce mu się trzęsły od tego przekładania kartek. – Nie, nie.

– Wypijcie, a kartki się znajdą – zachęcał sekretarz.

– Nie, nie.

Na to zerwał się ktoś i ochrypłym basem zawołał:

– Szukajcie, a my tymczasem zaśpiewamy jubilatowi *Sto lat*. Powstać wszyscy.

Rumor się zrobił od tego wstawania, odsuwania krzeseł, zwłaszcza że niektórzy już mieli w czubie i nie tak łatwo było się im podnieść, wyciągnąć do pionu, niektórzy potrzebowali sąsiedzkiej pomocy, inni co się podźwignęli, to siadali z powrotem, bo trudno było im się utrzymać na stojąco. A gdy wreszcie popłynęło z wszystkich gardeł *Sto lat*, to nierówne, chrypiące, jakby odarte z melodii. Najgorsze, że co skończyli, to zaczynali od nowa. „Sto lat, sto lat, niech żyje, żyje nam, niech mu gwiazda pomyślności nigdy nie zagaśnie, nigdy nie zagaśnie, a kto z nami nie wypije, niech go piorun trzaśnie!" Wstał i jubilat do tych *Stu lat* z całą rodziną. Gdy jednak zaczęli od początku śpiewać, nie wytrzymał i siadł, a wraz z nim siadła i rodzina. Co prawda, uśmiechał się, cały czas się uśmiechał, jakby tym uśmiechem tworząc zaporę między sobą a resztą.

Na szczęście śpiew zaczął zamierać. Zostało może dwóch, trzech, którzy dalej stali, śpiewając, lecz reszta zabrała się do jedzenia. Rzucili się kelnerzy do nalewania opróżnionych kieliszków. Wydawało się, że wreszcie bez przeszkód można będzie się najeść, napić, tym bardziej że potrawy jakby się napraszały, pobudzały już nie tylko głód, lecz i wyobraźnię. A wyobraźnia i w jedzeniu, i piciu odgrywa niemałą rolę. Wyobraźnią można wyprzedzić, jak się potem będzie opowiadać znajomym, co się jadło i piło, a nawet wspólnie przeżywać, jakby się jadło i piło. Z tym że w opowieści dużo lepiej smakuje, niż kiedy się jadło, piło.

Uroczystość robiła się swobodna, można by powiedzieć, rwała się w szwach. Wszyscy ze wszystkimi gadali, przepijali do siebie bez toastów, przesiadali się, dosiadali jeden do drugiego. Niektórzy zdejmowali marynarki, rozwiązywali krawaty, obejmowali się, wychylali bruderszafty. Dostojnie zachowywał się jedynie jubilat i jego rodzina, gdyż nawet sekretarz rozluźnił sobie krawat i odpiął guzik pod szyją u koszuli.

Rozmowy stawały się coraz głośniejsze, przesuwały się z jednej strony stołu na drugą, zbliżały się, przenosiły dalej, rozszczepiały na wiele rozmów. Tu, tam, dalej, bliżej, jak stół długi wszędzie się przegadywali, gardłowali, bełkotali i wciąż wychylali napełniane sprawnie przez kelnerów kieliszki. Tu się całowali, a tam skakali do siebie, jakby chcieli się pobić, tylko że stół ich dzielił. W końcu jacyś dwaj zaperzeni, czerwoni na twarzach złapali się za klapy marynarek. Na szczęście inni ich powstrzymali, wieszając się na nich. A poszło im o to, czyje wiersze lepsze. Rozdzielono ich dopiero, gdy ktoś zaproponował, żeby przeczytali po jednym. Nie od razu jednak zgodzili się. Siedli naburmuszeni, wypili i zaczęli jeść, widocznie musieli ostygnąć.

Wtem zerwał się jeden z nich, wyciągnął z kieszeni kartkę, oznajmiając, że przeczyta wiersz, który napisał na cześć jubilata. Wiersz był, co prawda, o młodości, lecz i jubilat był kiedyś młody. Odezwało się trochę braw, mimo że mizernych, autor jednak kłaniał się w podzięce na wszystkie strony, przerwał mu te podziękowania dopiero ten drugi, z którym o mało się nie pobili. Zawołał:

– Przeczytam lepszy wiersz! – I zaczął czytać, a właściwie dukał, raz po raz potykając się o słowa, to podnosił głos, to tracił oddech, że miało się wrażenie, jakby wiersz był chromy, kulawy, nie nadążający za pewnością autora, że czyta coś niezwykłego, tak że trudno się było zorientować, czy wiersz czyta, czy przemówienie. Aż ktoś nie wytrzymał i krzyknął:

– Schować wiersze! Nie na wiersześmy tu zjechali! Zdrowie żony jubilata!

I całą salę tym toastem rozpalił. Ktoś nawet wzniósł zdrowie wszystkich żon. Nie skończył na tym zdrowiu. Jego toast przerodził się w przemówienie o roli żon piszących mężów, z czego płynął wniosek, że gdyby nie żony, mężowie by nie pisali, gdyż żony to natchnienie. Ktoś pijanym półszeptem, a więc dość wyraźnym, wtrącił w jego słowa, że miał trzy żony i wcale mu się lepiej nie pisało. Na co jego sąsiad odpowiedział:

– Może źle wybierałeś? Spróbuj z czwartą, piątą. Do skutku próbuj.

– Do skutku to śmierć wcześniej przyjdzie niż natchnienie.

– Ale może wstańmy, nie wypada nie wypić zdrowia żon.

Wszystkie głowy odchyliły się pod kieliszki, a kelnerzy niemal w biegu ponownie nalali, jako że za żony nie wystarczy po jednym.

Od tego momentu niemal każdy już rwał się do jakiegoś toastu. I wznosili, co komu przyszło do głowy. Słowa im się nie kleiły, rozpadały się nieraz na sylaby, z trudem wypychali je z ust, mieli najwyraźniej trudności z utrzymaniem się na stojąco, a kieliszki w ich rękach jakby wiatr zawiewał niczym chorągiewki, wylewało im się z nich, lecz natychmiast przyskakiwał kelner i dopełniał. Czasem wyciągało się z krzeseł dwóch, trzech naraz w tym końcu, w tamtym, pośrodku, a nawet siedzący obok siebie, jakby wzrok już tak im zmętniał, że się nie dostrzegali. Wygrywał, kto miał silniejszy głos, kto lepiej trzymał się na nogach i pewniej dzierżył kieliszek. Ktoś właśnie z głosem jak dzwon, chociaż pękniętym, pokonując innych, huknął nie tyle toastem, co upomnieniem:

– Aby żony nasze były z nami szczęśliwe! I odwrotnie!

Bywa, że alkohol odbiera mowę, lecz bywa i przeciwnie, milczka przemienia w złotoustego. Takim złotoustym okazał się ten o głosie pękniętego dzwonu. Mówił i mówił, chociaż nikt go już nie słuchał. Nawet władza ludowa zajęta była rozmową o jakimś plenum, które się odbyło, czy dopiero miało się odbyć, nie dosłyszałem dokładnie, a ten mówił. Ktoś obsunął się z krzesła na podłogę, inni rzucili mu się do pomocy, lecz widocznie tak samo opadli z sił, bo co go unieśli, to im się z powrotem obsuwał na podłogę, i dopiero kelnerzy podbiegli i posadzili go na krześle. A tamten mówił. Niektóre głowy jak ścięte opadły na stół, a on mówił. Ktoś nagle zerwał się z krzesła, aż nim zachwiało. Wydawało się, że upadnie, ale pokolebał się w tę i we w tę, i ustał. Może miał zamiar przerwać tamtemu, lecz słowa go odeszły i tylko uderzył się pięścią z całej siły w piersi, po czym klapnął i rozpłakał się, jakby obolała dusza tak nim zatargała. Przy takich okazjach zdarza się, że i obolałe dusze pragną się wyżalić. Zwłaszcza gdy słowom nie udaje się nic powiedzieć, a milczenia nie może człowiek znieść.

Wniesiono torty.

– To już torty? – zdziwił się sekretarz. – No, patrzcie, jak ten czas leci.

Kelnerzy rozstawili te torty na stołach, mniej więcej w równych odstępach, największy stawiając przed jubilatem. Leżał ten tort na wysokiej paterze, a jeszcze miał powsadzane gęsto świeczki, tak że przesłonił jubilata. Jeden z kelnerów pozapalał te świeczki. Nie udało mi się policzyć, ile tych świeczek było, ale myślę, że jedną za dwa lata powsadzali, bo osiemdziesiąt raczej by się nie zmieściło.

Żona jubilata obruszyła się:

– I jak tu jeść z tymi świeczkami? Musieli do patrzenia postawić, nie do jedzenia. Nigdy żem czegoś takiego nie widziała.

– Trzeba poczekać, aż się wypalą – wyjaśnił jeden z mężczyzn, siedzących przed tym tortem, z rodziny.

Nie wiem, co to mogło znaczyć, gdy jubilat pogroził palcem temu tortowi.

– Oj, ty torcie czorcie. Nie oszukuj, nie oszukuj. – Po czym wyjął z tortu kilka świeczek, zgasił i powiedział do żony: – Masz tu wolny kawałek, ukrój sobie.

– Tobie też ukrajać?

– Nie.

– A im? – wskazała na rodzinę.

– Niech sobie powyjmują i pogaszą.

Długo jedzono te torty, zresztą trudno powiedzieć, że jedzono, bo nie szło to jedzenie, niektórzy gmerali w nich łyżeczkami, niektórym łyżeczki jakby odmawiały posłuszeństwa i próbowali jeść nożami i widelcami.

W pewnej chwili podciągając krawat pod szyję i zapinając marynarkę na guzik, powstał sekretarz i rzucił gromko do sali:

– Wszyscy powstać! Nastąpi teraz uroczysta chwila! Kto miał jeszcze siły, powstał, kto nie miał, przynajmniej próbował. Jedni drugim pomagali, gdyż opornie szło to powstawanie. Tym bardziej że podsypiających z głowami złożonymi na stołach trzeba było budzić, a nie od razu dawali się przywrócić przytomności. Niektórzy podniesieni dalej spali na stojąco ze zwieszonymi, jakby nie swoimi, głowami. Sekretarz cierpliwie czekał, sam również się lekko chwiejąc.

– No, dobra. Stoimy – orzekł wreszcie. – Prosiłbym teraz, żebyśmy się skupili. – I zwrócił się do kogoś, kto stał tuż za nim w gotowości, trzymając w obu rękach rozłożone do czytania sztywne czerwone okładki. – Kopertę potem – rzucił. Mimo że starał się swojemu głosowi nadać podniosły ton, niezbyt gładko szło mu to czytanie. Niektóre zdania brzmiały mocno, donośnie, inne zapadały w ledwo słyszalny pogłos.

Był to list gratulacyjny skierowany przez władze do jubilata. Skończył z wyraźną ulgą to czytanie. Rozległy się oklaski. Kto zachował siły, bił za dwóch. Niektórzy jednak ledwo dłoń o dłoń pocierali, jakby nie tylko głowy, nogi, lecz i ręce odmówiły im posłuszeństwa. A niektórzy w ogóle nie bili, tylko rozwierali nieprzytomne oczy, nie całkiem rozumiejąc, co się dzieje.

Sekretarz złożył te okładki, wziął z rąk tamtego również kopertę i ruszył w stronę jubilata. Szedł, jakby zadając sobie każdy krok, toteż trzeba przyznać, że się ani razu nie zachwiał. Doszedłszy do jubilata, wręczył mu te okładki z listem, wręczył kopertę i uścisnął, nachylając się nad jego głową, gdyż ta głowa sięgała mu do piersi. Położył nawet rękę na łysinie jubilata i pogładził ją. Po czym wrócił na swoje miejsce i wzniósł toast:

– Jeszcze raz zdrowie jubilata! Niech nam żyje!

Żona jubilata porwała natychmiast kopertę z rąk męża i pod stołem zajrzała do niej. Pewnie i policzyła, korzystając z ożywienia sali po tej uroczystej chwili i kolejnych toastach, jakie ta chwila wyzwoliła, gdyż długo trzymała wzrok zwieszony pod stół.

– Mogliby dać więcej – powiedziała zawiedzionym półszeptem. – Byśmy schody na strych zrobili, nie trzeba by włazić po drabinie, bo za starzy już jesteśmy.

– Dobrze, że choć tyle dali, mogliby nic nie dać – odrzekł jubilat.

Nie oddała mu już tej koperty, schowała pod bluzkę. A do sekretarza przypadł młodszy asystent kustosza i nachyliwszy mu się do ucha, coś szepnął, na co sekretarz kiwnął głową. Ktoś podniósł się znowu do toastu, ale sekretarz machnął mu ręką:

– Siadajcie. Nie pora teraz.

I za chwilę wkroczył uroczyście na salę sam kustosz, prowadzony pod ręce przez dwie dziewczyny, ubrane na ludowo, z wiankami na głowach, uwitymi z polnych kwiatków. Były to dwie najmłodsze pracownice w pałacu, jedna pracowała w sekretariacie, druga w księgowości, i chyba najładniejsze.

Kustosz niósł przed sobą w obu rękach srebrną tacę, na której leżał wieniec laurowy. Podeszli do jubilata i kustosz odezwał się mniej więcej w te słowa:

– W starożytnym Rzymie był zwyczaj, że triumfatora zwycięskiej bitwy nagradzano wieńcem laurowym. Wieniec, którym nagradzamy naszego czcigodnego laureata, jest również z liści laurowych, rośnie laur w naszej oranżerii. Wieniec nakładał na głowę zwycięzcy najstarszy senator w towarzystwie dwóch dziewic.

Sala gruchnęła gromkim śmiechem, aż kryształki w zwisających z sufitu żyrandolach zadźwięczały. Roześmiała się i władza, jakkolwiek nie tak gromko, gdyż sekretarz natychmiast zawołał:

– Spokój!

Mimo to posypały się mniej lub bardziej żartobliwe okrzyki:

– A sprawdzono?! Nic na wiarę! Nie te czasy! Sprawdzić! Sprawdzić! Niech żyje Rzym!

Dziewczyny speszyły się, spłonęły, pospuszczały głowy. Kustosz, zachowując jednakże należną takiej chwili powagę, przeczekał śmiechy, żarty, okrzyki, a nawet nie drgnął, gdy ktoś krzyknął:

– Nawet dziewice są dzisiaj mianowane! I jak ma być dobrze?!

Gdy się trochę uspokoiło, kustosz zaczął mówić dalej:

– Dzisiaj zwycięzcą jest nasz drogi jubilat i jemu włożymy ten wieniec na głowę. Nie jestem senatorem, lecz przypadł mi ten zaszczyt, więc pozwolę sobie...

Jubilat wstał, wyszedł zza stołu i podstawił swoją łysą głowę pod wieniec.

– O, coś za duży ten wieniec – stwierdził kustosz. – Niech tak na razie zostanie, potem się poprawi.

– Nie trzeba. Może głowa mi po tym wszystkim urośnie – odrzekł jubilat. Uścisnął rękę kustoszowi, a dziewczyny ucałował w policzki. – O, jakie smaczne – dodał.

Gdy siadł, żona od razu z pretensjami do niego:

– Nie musiałeś całować. Dziadyga, zachciało mu się. W głowie ci ten wieniec zamącił. Wyglądasz jak straszydło.

Niestety, wieniec obsuwał się jubilatowi aż na uszy, to na lewe ucho, to na prawe. Próbował poprawiać, nic z tego. W końcu udobruchana już żona wzięła ten wieniec i przełożyła liście lauru na drugą stronę, do wewnątrz, zmniejszając w ten sposób jego obwód, lecz bezskutecznie, ponieważ liście uplecione na hartowanym drucie wymknęły się z powrotem na zewnątrz.

– Gdybyś miał włosy, jak żeś kiedyś miał, bym ci zapinką przymocowała. A najlepiej zdejmij to pachruście, bo śmieją się z ciebie. Wstyd.

Jubilat nie wydawał się jednak zawstydzony, choć rzeczywiście wyglądał śmiesznie. Uśmiechał się do sali, która wciąż biła mu brawo, jakby zdawał sobie sprawę, że jest śmieszny. A może nawet chciał być śmieszny. Zresztą od początku tej uroczystości było coś błazeńskiego w jego zachowaniu. Miałem wrażenie, że postanowił zabawić się z tą salą. I w miarę jak ona była coraz bardziej pijana, on coraz wyraźniej grał rolę błazna. Kto wie, czy nie w tym kryła się jego mądrość, że jedynie w roli błazna był w stanie znieść ten swój jubileusz. A może nie tylko jubileusz, lecz swoje życie. A może i ten cały świat, na którym przyszło mu żyć. Zresztą czy nie wszyscy występujemy w jakichś rolach, i to te role za nas żyją?

– A gdzie portret? – sekretarz nagle zwrócił się do kogoś tam. – Zamówiliśmy przecież portret jubilata.

– Już wnoszą, towarzyszu sekretarzu.

I za chwilę otwarły się oba skrzydła drzwi, ktoś wszedł ze sztalugami, postawił je tuż przy sekretarzu, sekretarz kazał dalej, żeby wszyscy widzieli. Potem dwóch mężczyzn wniosło portret niewidoczny na razie pod białą przesłoną. Postawili go na tych sztalugach, nie odsłaniając jeszcze. Za nimi uroczyście wszedł dopiero malarz. Włosy miał na plecach ściągnięte w koński ogon, na głowie szeroki beret, a zamiast marynarki długą czarną szubę. Ukłonił się, a sekretarz zwrócił się do niego:

– Poprosimy teraz mistrza, aby nam odsłonił swoje dzieło.

Mistrz poodwiązywał z tyłu obrazu jakieś tasiemki i przesłona opadła, ukazując oczom zebranych jubilata. Niektórzy zaczęli się tłoczyć do portretu z ciekawością. Natomiast sekretarz, jakby oniemiały, patrzył chwilę na portret, po czym z trudem hamując wzburzenie, rzucił w stronę mistrza:

– Kto to ma być?

– Jubilat – odrzekł niemal z triumfem mistrz.

– Na klęczkach? – Sekretarz był bliski wybuchu. – Mieliście chyba wytyczne.

– Owszem. Żeby namalować jubilata przy pracy. To namalowałem przy pracy.

– To co on robi?

– Pisze.

– Modli się, nie pisze. Nie wmawiajcie w zdrowego choroby. Pisze się przy biurku, nie na klęczkach. Co z was za malarz!? – Nerwy mu całkiem puściły. Wyciągał rękę, kłując omal malarza wskazującym palcem. Jego współtowarzysze siedzieli pokuleni, ze spuszczonymi głowami. Wydawało się, że odstawi krzesło i wyjdzie, ale na szczęście złapał z wściekłością kieliszek i wypił. Nalał sobie drugi, wypił. Odetchnęli i współtowarzysze i też wypili.

– Nalejcie i jemu – powiedział jeszcze dygoczącym głosem do kelnera, wskazując na malarza. – I niech siądzie, i zje coś. Ktoś go musiał podpuścić. Trzeba będzie zbadać. Zajmiecie się tym. – Zwrócił głowę ku siedzącemu obok niego, na co tamten od razu odpowiedział:

– Mam już pewien trop, towarzyszu sekretarzu.

– Dobrze, tropcie dalej.

Moim zdaniem portret ujmował jubilata tak, jak rzeczywiście wyglądał, kiedy pisał. W jakichś domowych łachach, boso, klęczał na kawałku derki, wspierając się łokciami o taboret. W ręku trzymał obsadkę, a z bliska można było nawet dostrzec, że na końcu obsadki nadziana jest stalówka rondówka, były wtedy takie stalówki. Na brzegu taborka stał kałamarz z atramentem, a między łokciami jubilata leżała biała kartka papieru do połowy zapisana. Z dbałości o wierność malarz umieścił na ścianie ślubny portret jubilata i jego żony, jakkolwiek będąc u nich nieraz w domu, nie widziałem żadnego portretu. A na wprost jubilata, tuż nad jego głową, okno z otwartym lufcikiem. Dodatkowo za oknem główki słoneczników, rzucające promienie na głowę jubilata i jego rękę, w której trzymał obsadkę. Musiał malarz postawić sztalugi w odpowiednim miejscu, które by sprzyjało jego wyobraźni, bo twarz jubilata zawieszona nad kartką papieru była namalowana w niecałej połowie, z nosem, uchem i jedną skronią, natomiast bez oczu. Za to bose stopy, rozklepane, pobrużdżone, wielkie niczym łopaty, znalazły się na pierwszym planie. Próbując odczytać intencje malarza, pomyślałem, że widocznie chciał w ten sposób pokazać, ile świata musiał przewędrować jubilat, żeby napisać tę jedną książkę.

— Nie mogliście mu wstawić biurka? — sekretarz jakby trochę już oklapły zwrócił się do malarza, który wciąż stał przy portrecie jubilata. — Zmienialiśmy w komitecie biurka. Trzeba było jedno wziąć. A tak będziecie musieli przemalować. Nie może być na klęczkach. Myśmy krew przelewali, żeby podnieść ich z klęczek, a oni buch, znów na klęczki.

Tymczasem portret zdjęto ze sztalug i szukano miejsca na ścianach, gdzie by go powiesić.

— Zdejmijmy tu tego — ktoś zaproponował.

Portret jubilata był duży, ale i obraz, który chciano zdjąć, niemały. Był na nim ktoś w peruce z bujnymi lokami, w surducie, na którym przy piersi widniał jakiś gwiaździsty order, w białych pończochach i z dwoma chartami. Niełatwo go było jednak zdjąć. Za wysoko wisiał. Trzeba by drabiny. Ale przy takiej uroczystości nie wypadało przynosić drabiny. Zresztą wszyscy byli pijani. Nawet sekretarz od czasu do czasu ziewał, jakby i on miał dosyć. Pijanym jednak wpadają czasem do głowy odważne pomysły. I jakichś dwóch uniosło na rękach trzeciego. Ten już prawie dostał rękami do chartów u dołu obrazu, lecz obsunął się. Więc znów go unieśli. I znów im się obsunął. Kazali wspiąć mu się na ich ramiona. I gdy wspinał się, rękami podtrzymując się ściany, nagle wszyscy trzej runęli, aż zadudniło.

– Wstyd – powiedziała żona jubilata. I zaczęła karcić męża.

– Mówiłam, załóż garnitur. Nie mówiłam? Mówiłam. Wyprasowałam ci koszulę. Mówiłam, załóż krawat, buty. Szuwaksem wysmarowałam ci buty.

– W garniturze, w krawacie, w butach – bronił się jubilat, popatrując z niezmiennym uśmiechem na salę – kto by ci uwierzył, że nie modlę się, tylko piszę.

– Bo trzeba było siąść przy stole. Wyszorowałam ługiem i stół.

– Chciał, żebym pisał, a nie piszę przy stole.

– Ten jeden raz mógłbyś przy stole.

– Przy stole to bym myślał o kapuście, nie o pisaniu.

– A jak każą oddawać pieniądze? Chryste Panie, co będzie?

– Nie każą. Nie podpisywałem, że wziąłem.

– Nie może być na klęczkach – sekretarz znów ziewnął, jakby uszło z niego powietrze. Wszystkich zresztą ogarnęła senność. Kielichy stały puste, ale nikt się nie upominał, żeby ponalewać, zresztą poznikali gdzieś i kelnerzy. Być może ktoś im kazał już nie dolewać, nie obsługiwać, uznając, że najwyższy czas kończyć uroczystość. Patrząc na salę, można było odnieść wrażenie, że większość uczestników jest już śpiąca i trzeba będzie ich budzić, podnosić z krzeseł, wskazywać drogę, którędy mają wyjść, a może i wyprowadzać na dwór, żeby się nie sturlali po schodach, nie połamali rąk, nóg, gdyż sala balowa mieściła się na piętrze. I nieoczekiwanie, jakby za jakimś podmuchem, buchnęła ostatnia iskra z dogasającego, wydawałoby się, ogniska. Nie wiem, z którego miejsca ten głos się rozległ, bo nikt nie zerwał się, lecz zabrzmiał donośnie:

– Niech przemówi jubilat!

– Niech przemówi! Niech przemówi! – wsparły go inne głosy.

– Nie musi! – ożywił się i sekretarz. – O, wypijmy lepiej strzemiennego, bo trzeba kończyć. – I nagle jakby coś nim rzuciło. – Gdzie kelnerzy, do cholery?!

Wpadli hurmą kelnerzy, zaczęli w pośpiechu nalewać. Sekretarz ujął kieliszek, wstał.

– Wasze zdrowie, jubilacie. Ale towarzysz malarz musi was przemalować, żebyście nie klęczeli.

Podniósł się i jubilat. Zdjął wieniec z głowy i nałożył na głowę żony.

– To jej się należy za całe życie ze mną – powiedział. – Nie mnie. – Po czym też uniósł kieliszek. – Oj, piliście tu za mnie, pili. To teraz ja za was wypiję tego strzemiennego. Życzyliście mi tu wiele, to i ja wam się odpłacę życzeniem. Niech się życie każdego z was rozciąga jak guma, abyście nigdy nie doczekali swoich jubileuszów. Co trzeba przeżyć, żeby napisać tę jedną książkę, to widać po tym, że klęczę. Nie modlę się. Piszę.

Po latach, jubilat już dawno nie żył, zostałem zaproszony do uczestnictwa w komisji rzeczoznawców, która miała ocenić autentyczność różnych przedmiotów, gdyż muzeum zamierzało je kupić u jakiegoś prywatnego kolekcjonera. Przyjechałem dzień wcześniej, żeby trochę pozwiedzać pałac i zobaczyć, co się w nim zmieniło od tamtego czasu, gdy pracowałem tu jako asystent kustosza. Oprowadzał mnie młody jak ja wówczas asystent kustosza.

W jednej z komnat, niemal nie wierząc własnym oczom, ujrzałem nagle portret jubilata, nie przemalowany, jak życzyła sobie wówczas władza, lecz na klęczkach przy taborku, z obsadką w ręku, nad w połowie zapisaną kartką papieru i ze stopami jak łopaty na pierwszym planie. Asystent pospieszył z wyjaśnieniami, że nie wiadomo, dlaczego ten portret wisi w pałacu, nie jest przecież żadnym zabytkiem, lecz do tej pory, mimo że różni byli kustosze, nikt go nie śmiał zdjąć.

Spytałem go:

– A pan wie przynajmniej, kto to był?

– Tak, wiem.

– To czytał pan zapewne jego książkę.

– Nie. Od niedawna dopiero tu pracuję. A obowiązków mam tyle, że nie starcza mi czasu na czytanie. Ale to i owo słyszałem o nim.

– I cóż takiego pan słyszał?

– Że to nie on ją napisał.

– A kto?

– Podejrzewano różnych. Ale najczęściej wymieniano ówczesnego kustosza, który pochodził też z ludu. I podobno dedykacja na egzemplarzu, który jest w pałacu, przypomina pismo kustosza.

– Ale przecież na tym portrecie nie kustosz klęczy przy taborku, nie kustosz trzyma obsadkę w ręku, nie posługiwał się zresztą obsadką, tylko wiecznym piórem, jak pamiętam. No i nie kustosza te bose stopy.

– Prawda portretów i prawda życia to różne prawdy, panie profesorze. Jak na tych wszystkich portretach pięknych dam i dostojnych mężów w pałacu.

– No, ale chyba został gdzieś rękopis tej książki?

– Szukano, owszem. Jeszcze długo po jego śmierci szukano, że gdzieś może jest zdeponowany. Aż w końcu wdowa wyjawiła, że kazał go sobie włożyć do trumny.

Rozdział 5

Spróbuję sobie przypomnieć, ale nie wiem, czy to będzie prawda. Chyba że prawda uznaniowa. Jak to rozumieć? No, uznaje się często za prawdę to czy tamto, chociaż nie wiadomo, czy tak było. I w ogóle czy było. Ale ktoś chciał, żeby tak było, ktoś sobie tak, a nie inaczej wyobraził, komuś tak, a nie inaczej podpowiedziało podejrzenie, czy ktoś mógł mieć w tym jakiś cel, żeby tak, a nie inaczej było. Jeśli chodzi o rzeczy błahe, nie ma nieszczęścia. Ale bywa, że uznaje się za prawdę coś, co mimo dowodów, świadków, okazuje się po latach pomyłką, i to pomyłką, która skazała kogoś na śmierć. W historii takich prawd uznaniowych znajdzie się bez liku, a im bliżej nas, tym ich więcej.

Nie, nie zaprzeczam. Lecz tylko tak mogę to pamiętać. Wymagać od własnej pamięci, aby była przeciw mnie, znaczyłoby, że ją zdradzam. A zdrada pamięci jest niewybaczalna, nie ma za nią kary ani pokuty.

Powiedział, że mu się śniłem. Wcale mnie to nie obeszło.

Więc złapał mnie za rękaw i powtórzył:

– Śnił mi się pan.

– Jak? – spytałem, chociaż nie lubię snów. Gdy mi się coś śni, zawsze gorzej śpię. Sen powinien być jak śmierć. Nic, a po przebudzeniu zwyczajny dzień, jakby się dopiero życie zaczynało. Sny ciążą, zniechęcają, często każą się domyślać Bóg wie czego. Ba, nawet zmuszają do tropienia siebie. Tym bardziej nie lubię czyichś snów, w których się komuś śniłem. Bo co się za tym kryje, że mu się śniłem? Nie mogłem się przyśnić bez powodu, wiadomo. No, i szukaj powodów, zachodź w głowę, dręcz się, że czymś cię chce obarczyć. Że próbuje coś zrzucić z siebie i przerzucić na ciebie, aby mu lżej było, chociaż tobie będzie ciężej. Zwłaszcza że za sny się nie odpowiada. A może powinno. Może ktoś kiedyś poszerzy odpowiedzialność człowieka za sny. Zresztą już jesteśmy na drodze ku temu. Widzą nas, gdy idziemy ulicą, słyszą nas, gdy mówimy choćby szeptem, a nawet mury naszych mieszkań nie wiadomo, czy jeszcze nas bronią. A przecież jesteśmy zrośnięci z naszymi snami, podobnie jak z myślami, słowami, uczuciami i tak dalej. Do niektórych już się dobrali. Długo więc czekać, jak się dobiorą i do naszych snów.

Jak mu się śniłem? No, nie wiem, czy tak jak pamiętam. To on powinien wiedzieć, skoro to był jego sen. Ja mu nie dałem przyzwolenia, abym mu się śnił. Nie pytał mnie o to. Przywłaszczył sobie moje prawa. Że spotkaliśmy się czasem w Uchu Igielnym? To każdy mógł się z każdym spotkać i gdziekolwiek, niekoniecznie tam. On schodził do tej dawnej dzikiej, zielonej doliny, a ja czekałem. A może on czekał, a ja schodziłem. Tylko że w jego wieku na cóż by czekał?

– Umarłem – powiedział.

– Jak to pan umarł? Przecież jest pan, gdzieś pan idzie.

– Ale śniło mi się, że umarłem. Dlatego postanowiłem odwiedzić tę dawną dziką, zieloną dolinę, której podobno już nie ma. Bo kto wie, czy to nie ostatni raz.

Cóż, pomyślałem, w pewnym wieku to nic nadzwyczajnego umrzeć. Jakkolwiek z wyglądu nie był jeszcze w tym wieku, jaki mu przepowiedziała w młodości Cyganka. Życie jeszcze w nim nie zwiędło. Cera jeszcze różowa, czoło względnie gładkie, oczy niezmącone, błyszczące, włosy przesypane już siwizną, lecz dodawało mu to dostojeństwa. Nie, nie chodził jeszcze o lasce, trzymał się prosto, krok miał co prawda wolniejszy niż dawniej, lecz może uznał, że nie wypada mu już chodzić szybciej, gdyż nigdzie się teraz nie spieszy. A przy tym pachniał jakąś wytworną wodą toaletową. Nie wiem, czy nie fahrenheitem. Dość ostry to zapach, mało dyskretny, no, i nie na każdą kieszeń. Lecz gdy w pewnym momencie pochylił się ku mnie, zniżając głos do półszeptu, chociaż nie pamiętam, co powiedział, jakiś inny zapach zakłócił tego fahrenheita.

Każdy wiek ma swój zapach, od niemowlęctwa poczynając. Mają zapach choroby, nastroje, złość, radość, powodzenia, niepowodzenia. W towarzystwie wyczuwałem, która z kobiet ma okres, i nie zmyliły mnie jej perfumy. Człowiek zawsze ujawniał mi się bardziej przez zapach niż przez słowa. Słowom rzadko kiedy daje się wierzyć. Zapach to szczerość. Większość z nas jedynie na taką stać. Cóż, takim mnie stworzyła natura. Ktoś mi kiedyś nawet powiedział:

– Ty jak pies. Lecz się.

– Na co mam się leczyć?

– Na nos. I tak za dużo się widzi, za dużo słyszy, jeszcze wąchać to wszystko. Oszalejesz.

– Kiedy jedynie wąchanie mnie nie zawodzi.

– Zawiedzie cię, zawiedzie, znajdą i na to sposoby. Będziesz wąchał jak należy. Albo wszystko będzie miało tę samą woń. I całkiem stracisz węch. Psu podsunąć kiełbasę, to porzuci trop.

– No, i co pan na to?

– Na co?

– Że umarłem.

– Mówił pan, że się panu śniło.

– To prawda. Lecz cóż to jest sen? No tak, pan jeszcze nie wie, bo skąd? W pańskim wieku co tam może się śnić. Żeby tak powiedzieć, brak materii na sny. Ale przyjdzie i na pana, że będzie się pan bał swoich snów. Zacznie się pan bronić przed nimi. A jak się można bronić? Jedynie nie śpiąc. Zdradzę coś panu. Pan również ze mną umarł. Nie wiedział pan o tym? A widzi pan, jak pan nic jeszcze nie wie. Stał pan nad moją trumną, grabarze chcieli mnie zasypać, ale pan powiedział, że jeszcze nie czas, jeszcze nie całe życie ze mną umarło. Wiatr szumiał, targał drzewami, a pan od czasu do czasu rzucał grudkę ziemi na wieko trumny i milczał pan. Nie mogłem już znieść tego padania grudek, bo z każdą nieomal huk rozrywał trumnę. Błagałem, niech pan przestanie. Dlaczego pan tak mści się na mnie? Za co?

Z wieży katedralnej doszło nas w tym momencie bicie zegara. Bił raz na kwadrans, a po czterech kwadransach wybijał godziny. Zasłuchaliśmy się w te donośne dźwięki, licząc, którą godzinę wybije. Jakby nie mogąc się doczekać, wyciągnął z kieszonki u spodni zegarek, nosił jeszcze taki staromodny na dewizce, firmy Omega, taki sam nosił mój ojciec, i powiedział z niedowiarą w głosie:

– Czyżby już ta godzina? Czy może ten zegar na wieży?

Trudno już ufać nawet zegarom.

Spojrzałem na swój na ręku.

– Nie, jeszcze nie ta. Ta dopiero będzie.

– Żyjemy widocznie w różnych czasach – powiedział, chowając do kieszonki swoją omegę. – Miejmy jednak nadzieję, że kiedyś się nasze czasy zejdą. Jeśli przyjmiemy, że wszystko krąży wokoło, nawet czas. Widzi pan, jaką przewagę ma sen nad jawą. Nawet z trumny pan widzi, słyszy, co się nad panem dzieje. Jawa nie ma takich możliwości. Sen to nieskończoność wymiarów. Być może sen jest nawet bezwymiarowy. A wtedy nadeszła ona. I poszła z nim. Nie mogłem uwierzyć, bo to ja na nią czekałem. A mnie, miałem wrażenie, jakby nie zauważyła. Ledwie prześlizgnęła się po mnie wzrokiem, a do niego się uśmiechnęła. On był już w podeszłym wieku, a ona taka sama młodziutka jak dawniej, ten sam uśmiech rozjaśniał jej twarz, ten sam rząd bielutkich zębów odsłoniła w tym uśmiechu.

Nie pamiętam tylko, czy to był jeszcze jego sen, czy już mój. Cóż, człowiek nie jest w stanie sprostać swojej pamięci, a tym bardziej jej zmusić, aby pamiętała to, co by chciał. Pamięć zresztą służy w równym stopniu zapominaniu. I na szczęście. Gdyby musiało się pamiętać wszystko, cokolwiek się przeżyło, pamięć by rozsadziła człowieka. A gdy jeszcze dodać, że pamięć nieustannie pracuje nad tym, co wczoraj, przedwczoraj i dawniej, aż po dzieciństwo, to gdybyśmy nie umieli zapominać, całe nasze życie płynęłoby w nas jak jakaś niewyobrażalna rzeka, która nie ma brzegów i płynie we wszystkich kierunkach.

Umierał sąsiad z naprzeciwka. Często przychodził do nas i podobno mnie lubił. Sadzał mnie na kolano i huśtał, że niby cwałuję na koniu. Albo brał mnie na barana i podrygami udając bieg, nosił mnie z kuchni do pokoju, z pokoju do kuchni. Mówił do mnie, wnusiu, mój wnusiu, a ja do niego wujciu, chociaż nie byliśmy spokrewnieni. Wchodził, to już od progu pytał:

– Jak tam, wnusiu mój? – Nie witajcie, nie dzień dobry, nie pochwalony, tylko: – Jak tam, wnusiu mój?

A przychodził nieraz z samego rana, tuż po wyjściu ojca do pracy:

– O, jeszcze w łóżku wnusiu. Nie wstyd to? No, to pośmiejemy się. – Siadał na brzegu mojego łóżka i naśladując domowe zwierzaki, miauczał, szczekał, beczał, rżał, piał albo zwijał dłonie w trąbkę i grał mi pobudkę. – Śmieje się, wnusiu mój, to dobrze. Z rana trzeba się pośmiać, bo nie wiadomo, czy się wieczorem nie będzie płakać.

– Nie straszcie mi dziecka – oburzała się matka. – Czytać, pisać jeszcze nie umie, a wy mu o płakaniu.

– A co, zapomniałaś, że od dzieciństwa się płacze?

– Ale to inny płacz. Pierś w buzię i po płaczu. Albo grzechotkę czy smoczek i przestawał. Chyba że mu mokro było, a ja nie miałam czasu go przewinąć, bo tu mi kipiało, tu musiałam przecedzić. Jak to w domu, gdy nie ma służącej czy niani. Dom to kierat, nie wiadomo, w co ręce włożyć. Tak marzyłam, żeby mieć służącą, a jakby się nam coś urodziło, to i nianię. Mąż mi obiecywał, jak nie był jeszcze mężem. Takie tam przedślubne obiecanki cacanki. Potem nie stać nas było.

– Ja swojej nic nie obiecywałem. Spytałem, czy zgodzi się iść na biedę. Będziemy razem, to niestraszna mi bieda, powiedziała.

– Można iść na biedę, tylko co potem?

– Potem poszedłem na wojnę. Jakby prosto z wesela. Nie macie niani, służącej, ale macie wnusia, a my nic. Patrzycie, jak rośnie, dorośleje, mądrzeje. O, już wam ile urósł, odkąd się urodził. I tamte płacze mu minęły. Teraz czekają go inne.

– A wy znowu swoje, mówiłam, nie straszcie.

– Nie straszę, tylko mówię. Bez płaczów nie wiedziałabyś, co to życie. Płaczu nie musi być widać ani słychać. Płacz to jak krew, nie czujesz, że w tobie płynie. Śpisz, a on płynie. Możesz się nawet śmiać, a płynie. Urwało na wojnie jednemu nogi, to się śmiał, jakby go ktoś łechtał. Nawet doktory nie mogły pojąć, czemu się tak śmieje. Może cieszył się, że wojna dla niego się skończyła. Ale obie nogi za wojnę, nie wydaje mi się. Inna sprawa, że na wojnie wszystko się wywraca na drugą stronę, to i płacz nie musi być taki jak w cywilu. Puścili na nas czołgi, to niektórzy rzucali się pod gąsienice. I żeby jakieś studenty, nie dziwota. Od książek prosto pod czołgi, nie dziwota. Ale zwariował i jeden kowal, a całe życie kuł żelazo.

Zwariował maszynista kolejowy, choć w cywilu lokomotywę prowadził, to co taki czołg przy lokomotywie. Oj, wariowali, wariowali. Czy po wojnie wracali do siebie, nie wiem. Ja już zdjąłem mundur, wróciłem do domu, a nie chciało mi się wierzyć, że to ja. Niby w lusterku byłem podobny. I moja mnie od razu poznała, a mnie nawet imię moje wydawało się nie moje. Tam było szeregowy, starszy szeregowy, kapral, bo kaprala się dosłużyłem, a tu moja do mnie Franuś. Jaki Franuś, pytam się? Może przychodził tu ktoś do ciebie, przyznaj się. A oprzytomnijże, Matko Święta! Zdejmij ten krzyżyk znad drzwi, a przysięgnę ci.

– Co wy, wujna by chłopa wpuściła? – obruszyła się matka. – Okna w okna, nie widziałabym? Żyła jak pokutnica. A wy tam, nie wiadomo, czyście tylko wojowali. Nie opowiadają, co się na wojnach wyprawia? Z wojen nikt nie wraca niewinny. To wy musielibyście uderzyć się przed tym krzyżykiem w piersi, jak tylko wróciliście. Ile razy wysłała mnie mama z obiadem, zanieś wujnie, bo może zapomniała ugotować, to tylko koty były. Dwaście mieli? No, i dwa były. Tu ręką głaskała ich, a wargami się modliła za was. Kiedyś zachodzę, a ona bieli. Czemuż bielicie? Bieliliście co dopiero na wiosnę. Czysto jest. A bo może mój wróci. Znów kiedyś cała izba w piórach. A cóż wy robicie? Przesypuję w nową wsypę, bo może mój wróci. Przez tę już pióra przełażą. Co dzień ścierała kurz, myła podłogę, bo może mój wróci. Nasadziła kwiatków w oknach, niech będzie ładnie, kiedy mój wróci. Zimą śnieg sypnął, od razu brała łopatę, żebyście mieli odgarnięte, jak wrócicie. Furtka skrzypiała, poszła wynająć się do sprzątania w karczmie po czyimś weselu i zamówiła nową, żeby wam nie skrzypiała, jak wrócicie. A widzieliście makatkę, jaką wam wyszyła? No, na ścianie wisi, gdzieżby. Mąż w dom, Bóg w dom. Chodził tu malarz, zamówiła portret ślubny. A nie wiem, może miała jakieś zdjęcia. Wyglądacie na nim jak święty ze świętą. Raz tak pukam do drzwi, szarpię za klamkę, a drzwi nie puszczają. Zaglądam przez okno, zasłonki zaciągnięte, ale pukam i w szybę. Coś jakby się poruszyło, a za chwilę drzwi się otwierają. A, to ty, moje dziecko. Nie wychodziłam od rana, to jeszcze z nocy zamknięte. Płakaliście? Bo widzę łzy w jej oczach. I czemu? A nieraz tak myśli same płaczą. I jakież to myśli, że płaczą, powiedzcie? Co ci mam mówić, dziecko jeszcze jesteś, ciesz się, nim dorośniesz. Ale powiedzcie, ja wam też swoje powiem. A jakie tam te twoje myśli, na nikogo jeszcze nie czekasz. To z czekania płaczecie? A bo niechby go tam i ranili, aby nie za mocno, żeby tylko wrócił. O, chodź, pomóż mi zapleść warkocz, ułożę sobie koronę na jego przyjście. Poszedł, to rozpuściłam włosy i tak do teraz chodzę, a on lada dzień może wrócić. A wam mówić, że tylko koty, to rozpytujecie się, czy ktoś do niej nie chodził.

– A kogo ja rozpytuję? Co ty wygadujesz?

– Słyszałam, słyszałam. I ten, i tamten mi mówił. I ile to już lat po wojnie. Dalibyście sobie spokój. Przebąkują, że nowa będzie. A wy wciąż w tamtej żyjecie.

– Bo jak się było frontowym żołnierzem, to się już przez całe życie jest. Nie da się zapomnieć. Wojskowa pamięć inna niż cywilna. Myślisz, że bym nie chciał. Ale kiedyś tu budzę się w nocy i szarpię moją, gdzieś podziała mój karabin. Śpij, rano ci znajdę. A rano daje mi motykę, o, masz twój karabin, idź, grządki skop. Boże, Boże, co ta wojna z tobą zrobiła. Byłeś ranny? W głowę? A mnie nawet nie drasnęło, bobym może niejedno zapomniał. A tak wszyściutko pamiętam, wszyściutko widzę. O, jak tu ciebie, wnusia. Sierżanta raz rozerwało, stał przy mnie. Krew mnie jego zalała. Strzępy jego ciała musiałem z siebie strząchać. Innego znów rannego zarzuciłem sobie na plecy, żeby zanieść go na Czerwony Krzyż, do namiotu, a ten błaga, zanieś mnie do domu. To nie powiem mu przecież, z wojny za daleko do domu. Niosę cię do domu, mówię. Mówiłeś, że ze wsi jesteś. No to widzę już twoją wieś. Dzwon chyba bije z wieży kościelnej. Słyszysz? Wytrzymaj. Mieliście chałupę strzechą krytą. No, to widzę już twoją chałupę. Bocianie gniazdo na stodole. Dwa boćki w nim siedzą. O, zerwał się jeden, leci w naszą stronę. Chyba matka przed chałupą stoi. Kiwa nam. Cieszy się, że już wracasz. Szwagier też na wojnie? Bo sama siostra tylko wyszła. Nie, jest i dziewczynka. Mówiłeś, że mają dziewczynkę. O, ojciec ku nam idzie. Nie idźcie, zawołałem. Doniosę go. Ale nie doniosłem. Niedaleko już miałem, żeby prawdę powiedzieć, od was do nas przez drogę, nie dalej, jak skonał na moim ramieniu. Zrobił się nagle ciężki, że aż zachwiało mną, a nie jestem ułomek. Dotąd noszę jego śmierć, o, na tym ramieniu. I pomyśleć, tyle lat, a wciąż taka sama ciężka jak wtedy. A razu jednego szliśmy na bagnety, bo tak, to się przeważnie w okopach siedziało, mokło, gniło i myślało, co tam moja. A takie myśli, gdy się moknie, gnije, zatruwają. Parzy mi różne zioła, piję, ale nie widzę poprawy. Wysłała mnie do jakiegoś znachora, że wielce mądry. Byłem. Maca mnie, mruczy, każe w oczy popatrzyć i że wie już, co mi jest. Na szczęście zapytałem go, a na wojnie pan był? Ja na wojnie? Gdzieżbym, panie. Wojna jest dla durniów. To nie wiesz pan, co mi jest. Skąd taki może co wiedzieć. Nie niósł śmierci do domu na swoim ramieniu, nie strzepywał z siebie szczątków czyjegoś ciała, nie gnił w okopie. Nie przeczę, że był mądry, może nawet wielce. Tylko co warta mądrość, gdy się krwią za nią nie zapłaciło? Jeden profesor, a jakże, były i profesory, inżyniery, sędzie, adwokaty, dyrektory, hrabie. Był nawet jeden, co pisał książki. Miał pełny plecak tych książek, konserw nie miał, trzeba było swoimi się z nim dzielić. Rozdawał nam te książki i kazał czytać, że nas na duchu wspomogą. Deszcz akurat nie padał, słonko zza chmur wyszło, tamci do nas nie walili, to i my do nich. I nagle gdzieś ktoś wystrzelił racę, nie pamiętam, zieloną czy czerwoną, do ataku czy wycofać się, a tak nieszczęśliwie, że zamiast w górę, poszła po okopie i spadła na tę książkę, bo akurat czytał, poszarpała mu ręce, wypaliła oczy. Ktoś podobno potrącił niechcący tego, co naciskał spust rakietnicy. Przyniosłem tę książkę do domu, dał mi ją za pół konserwy. Wnusiu przeczyta, jak dorośnie. Przeczytasz, wnusiu? No, to nie na darmo poszło te pół konserwy. Co profesor?

— Mówiliście, że jakiś profesor — upomniała się matka.

— Profesor, mówisz? No, widzisz, zaczynam dzięki Bogu zapominać. Może to te zioła mojej. Czekaj, chyba nosił okulary, bo jak by był profesor?

– W okularach i na wojnę poszedł? Męża przez okulary
nie wzięli do wojska, powiedzieli, że niezdolny.
– Pod koniec już brali półwidzących, półgłuchych. Zabrakło widzących, słyszących, bo wyrżnęli się, to brali, jak
leci. Wojna wciąż potrzebowała ludzi. Może kiedyś wojny
obejdą się bez ludzi. Ale ja już na szczęście nie doczekam. Za-
wiązali mu te okulary z tyłu głowy sznurkiem, żeby mu nie
spadły, i poszliśmy na bagnety. Pierwszy raz nie zabił nikogo.
Mówię, niech profesor za mną leci, bo wiedziałem, że jeszcze
kłuć nie potrafi. Ale jak już nauczył się kłuć, to za jednym
sztychem dwóch przebijał. Znaczył każdego na karabinie.
Do dwudziestu mu ostatniego brakowało i snajper go wy-
patrzył. Okulary dużo lepiej widać niż oczy. I w te okulary
go trafił. Choć niektórzy mówili, że to jakaś zabłąkana kula,
nikt nie słyszał, nie widział, żeby skądś przyleciała, a trafiła
go. Może sam się zastrzelił, gdy policzył na kolbie, ilu zakłuł. Zdarzają się tacy żołnierze, co ich napadają wyrzuty
sumienia. Choć na wojnie nie ma sumień, są tylko rozkazy.
Może po to wojny są, żeby zwolnić trochę człowieka z sumienia, bo go dosyć nadręczy w cywilu. Ale w rozkazie tego nie
było, gdy go odznaczali, tylko że oddał życie w świętej sprawie. To chyba na górze lepiej wiedzą, co to święta sprawa.
Spadł śnieg, mróz ścisnął, a tu rozkaz, na bagnety. Wyskoczył z okopu porucznik, nawet go podsadziłem, bo się zsunął,
a ja za nim. Przeleciał kilka kroków i bez potrzeby się obejrzał,
czyśmy wszyscy wyskoczyli, i poślizgnął się, zachwiał, rzuciło nim do tyłu i nadział się na mój bagnet. Do ataku idzie
się z nasadzonym na karabin bagnetem, to i pierwszy idzie

bagnet, a karabin za nim. Wyszarpnąłem z niego ten bagnet
i poleciałem dalej. Nawet dla porucznika nie zatrzyma się
ataku. Nie wiem, dla jakiej szarży by się zatrzymało, może
dla generała. Tylko że generały grzeją się na tyłach. W okopach nigdy mi się nic nie śniło, a wróciłem do domu, to jednej nocy nie przespałem, żeby mi się nie śniło. Kiedyś tu
przyśnił mi się ten porucznik. Wyciągnąłem z niego bagnet, a ten wstał i mówi, o, ulżyło mi. Głęboko mnie pchną-
łeś, ale bez krwi lżej się żyje. I rozejrzał się wokół po śniegu,
chyba wszystka już ze mnie wyciekła. A nie dalej jak przedwczoraj armaty tak się na nas uwzięły, że chcę się zbudzić,
a nie mogę, zabite ciała przywaliły mnie, a nie mogę, krzyczę,
zbudźcie mnie…

    – Skończcie już z tą wojną – przerwała mu matka. – Obiad
mi się przez was spóźnia. Wojna i wojna. Potem dziecko będzie mi się zrywało po nocy, jak się nasłucha tych waszych
wojen.

    – Kiedy lubi słuchać. Prawda, wnusiu? W jego wieku jesz-
cze lubi się o wojnach słuchać.

    Nie wiedziałem, czy potwierdzić wujciowi, czy potwier-
dzić matce, i na wszelki wypadek roześmiałem się.

    – A ty czego się śmiejesz? – powsiadła na mnie matka.

    – Niech się śmieje, nie zabraniaj mu. Kiedy ma się śmiać?
Może lada dzień przyjdzie druga, to przestanie.

    – A wyście się z tamtej jeszcze nie wygoili, a już wam się
drugiej chce.

    – Nie powiedziałem, że chce mi się. Ale jakby wybuchła,
by się znów poszło.

– Za starzyście już na wojnę. Wojny młodych potrzebują. Młodzi by...

– Co młodzi? Co młodzi? – obruszył się. – Kto by ich nauczył wojować? Kto by im pokazał, jak się idzie na bagnety? Że kłuć najlepiej w brzuchy, bo miękkie.

– Przestańcie, do cholery! – matka aż się zapieniła.

– Starych nikim nie zastąpi.

Podniósł się i wyszedł. Na szczęście nie doczekał następnej wojny. Któregoś dnia, był maj, słonko mocno grzało, ani kłaczka na przeczystym niebie, matka zrzuciła kuchenną spódnicę, kuchenną bluzkę i przebrała się w czarną spódnicę, w czarną bluzkę, włosy spięła w kok, podmalowała wargi, brwi, ubrała i mnie w świąteczne ubranko, wyjrzała przez otwarte okno i powiedziała:

– Powinien ojciec już być. Miał się zwolnić z pracy. Widocznie coś mu tam wypadło. Trudno, pójdziemy sami. Jak nie umrą, ojciec pójdzie się po pracy pożegnać. Chodźmy. – I wzięła mnie za rękę.

– A kto ma umrzeć, mama? – spytałem, choć nie wiedziałem, co to znaczy umrzeć. Umrzeć, wydawało mi się, to gdzieś daleko wyjechać. Znajomy murarz, który przystawiał nam do domu ganek, przyszedł się pożegnać, bo wyjeżdżał do Ameryki.

– Na długo? – spytała matka.

Zastanawiał się, zastanawiał:

– Kto wie, czy nie na zawsze. Tu nie ma roboty. Nikt domu nie stawia, czasem tylko schody komuś dorobię, czasem coś otynkuję.

– Mówią, że będzie znowu wojna, to może poczekajcie. Po wojnie będziecie mieli robotę.

– A jak nie będzie? A żyć z czegoś trzeba. Żona, czworo dzieci. Ściągnąłbym potem ojców, jakby jeszcze żyli. Pisał szwagier, że tam budują i budują i coraz wyżej, niektóre pod niebo, aż będzie morze widać z jednej, drugiej strony. Nająłbym się do tych niższych, bo najwyżej byłem na wieży kościelnej, kiedy wichura zburzyła dzwonnicę. Cały kraj od nowa budują. I wojny nie mieli, a budują.

– Jak tak, to nie macie po co wracać. I pewnie już tam umrzecie. A ziemia tam chociaż lekka?

– To trzeba by nieboszczyków spytać.

– Wujcio – burknęła, jakby niezadowolona, że pytam, kto ma umrzeć. – Nie oglądaj się za ojcem. Jakby był, toby był. A tam śmierć może już jest w izbie.

Zapukała do drzwi, szarpnęła za klamkę, nie puściły. Szarpnęła drugi raz, nie puściły. Zajrzała do okna, zastukała w szybę i nic. Dopiero po chwili odchyliła się zasłonka i wujna, odstawiwszy kwiatek z okna, przylgnęła twarzą do szyby. Wpatrywała się w nas chwilę, po czym opuściła zasłonkę. Zazgrzytał klucz w zamku.

– Nikt za wami nie szedł? – przywitała nas strwożonym głosem. – Wejdźcie. – A sama wyjrzała na dwór. Po czym ponownie zamknęła drzwi na klucz.

– I czemuż na klucz zamykacie? – zdziwiła się matka.

– Kazał. Zaklucz i nie wpuszczaj ich.

– Kogo nie wpuszczać, Franuś?

– Ich. – Tyle usłyszałam z jego warg. – Jakich ich, Franuś?
Poruszył znów wargami. Nachyliłam się nad nim, przysta-
wiłam ucho do wąsów, ale może źle przez te wąsy usłyszałam, że tych, co zakłuł. O, Jezu, Jezu – rozpłakała się wdowa,
choć nie całkiem wdowa, bo wujciu jakby oblizał dolną wargą
swoje wąsy.

Głowa wujcia wydała mi się dużo większa, niż kiedy przychodził do nas i sadzał mnie na kolanie, które było koniem.
Może dlatego że leżał na dwóch wielkich poduchach, a głowa
okolona na tych poduchach rozrzuconą gęstwą siwych włosów tak się mu rozrosła. Podobnie wąsy, chyba dawno nieprzy-
strzygane, rozeszły się na boki, aż poza wychudłe, bezkrwiste
policzki. Gdybym nie wiedział, że to ten sam wujciu, który
mówił do mnie, wnusiu, nie poznałbym go. I nie uwierzył-
bym, że był żołnierzem. Na pierzynie, którą nakryty był po
piersi, leżały jego długie, wynędzniałe białe ręce. Wyobraziłem sobie, że w tych wielkich dłoniach trzyma karabin z nasadzonym na nim bagnetem, lecz już nie ma siły wbić go
w czyjś brzuch.

– Podejdź, dotknij wujcia ręki. – Matka podepchnęła
mnie w stronę łóżka. – Może już nas nie widzą, ale dotkniesz,
poczują.

Oczy miał wujciu cały czas zamknięte, ale nie wierzyłem mu, musiał przez powieki nas widzieć. Opowiadał, że
w okopach, gdy z utrudzenia przyspali, widzieli, co się przed
okopami dzieje. Żołnierz musi widzieć i przez zamknięte powieki. Nie to, co cywil, że gdy śpi, oczy mu się na drugą stronę
wywracają.

Podszedłem, dotknąłem wujcia ręki, a wtedy dźwignął z wysiłkiem tę rękę, jakby musiał razem z nią dźwignąć umarłe już ciało i położył ją na mojej głowie. Poczułem taki ciężar, że aż się przykuliłem i z lękiem spojrzałem na matkę, aby mi pomogła uwolnić się od tej ręki, bo wujciu mnie zabiera z sobą. Lecz w oczach matki było tylko przykazanie, stój, nie ruszaj się, dopóki sami nie zdejmą. Ale nigdy jej wujciu już nie zdjął. Dotąd ją czuję, tak samo ciężką jak wtedy. Podeszła wdowa, wzięła tę rękę z mojej głowy i powiedziała:

– Umarł. – I położyła ją z powrotem na pierzynie. Po czym zaczęła nagarniać w pierzynie piór od wujcia nóg po jego pierś. Założyła jedną rękę na drugą. Zdjęła z gwoździa ze ściany różaniec.

– Popatrz, jaki wytarty. – Podała go matce. – Tylko ten różaniec wie, co się namodliłam, żeby wrócił.

– Drewniany, to się tak wyciera – powiedziała matka. – Miałam taki sam po babci. Wisiał jako pamiątka, bo nie dało się już na nim modlić.

Wzięła ten różaniec z rąk matki i oplotła nim wujciowi dłonie. Po czym przysiadła na krawędzi łóżka i rozpłakała się niegłośnym, szemrzącym płaczem. Po chwili wstała, wzięła garnuszek, nabrała wody i podlała kwiatki w oknie, potem przestawiła garnek na kuchni z fajerki na fajerkę, zajrzała do szufladki przy maszynie do szycia, wyjęła igły, nici, naparstek, wzięła miotłę z rogu, jakby miała zamiar zamiatać i znów się rozpłakała. Podeszła do niej matka, wtuliła ją w siebie.

– Nie płaczcie. Nic nie poradzicie. A chociaż nowej wojny nie doczekają.

Stały tak chwilę jakby zlepione z sobą. Chciałem się i ja do nich przytulić. Ale kto by nas wtedy widział?

– No, nie płaczcie – matka zaczęła ją pocieszać. Posadziła ją na krzesełku, dała jej wody, żeby się napiła, poprawiła jej chustkę na głowie, końcem zapaski otarła jej łzy, kazała się w tę zapaskę wysmarkać. – Przyjdę wam pomóc. Tylko zaprowadzę chłopaka do domu. Mój powinien niedługo być. Miał się zwolnić z pracy. Nie zamykajcie drzwi na klucz. Tamci już nie przyjdą, jak nie przyszli dotąd.

I wyszliśmy. Na drodze przystanęliśmy i matka jakby mimo woli spojrzała w jedną, drugą stronę.

– E, nikogo nie widać. Po co by mieli przychodzić?

– Mama. – Wyszarpnąłem z jej ręki swoją rękę, za którą mnie trzymała. – Którędy śmierć weszła do wujcia, drzwi były zamknięte na klucz?

– Śmierć nie musi wchodzić. Dawaj tę rękę. – I mocniej mnie ścisnęła.

– Nie była u wujcia, prawda?

– Co nie była? Jak by umarł?

– Nie widziałem jej.

– Kto umiera, ten ją widzi. Inni nie muszą.

– Może wujciu umarł bez śmierci, mama.

Wojna, której wujciu już nie doczekał, wybuchła parę lat potem. Kto wie, czy nie byłby wujciu znów żołnierzem. Umiałem już czytać, pisać i przeczytałem kiedyś na jego grobie, że miał czterdzieści osiem lat. Dla dziecka to nie było mało. Ale w miarę, jak i mnie lat przybywało, było to coraz mniej, jakby zamiast się starzeć, młodniał, tak że dziś by się powiedziało, umarł w młodym wieku. Kilka lat po wujciu umarła i wdowa. Może wujciu kazał jej umrzeć, nim wybuchnie wojna. Nie spodziewaliśmy się jej śmierci. Matka nieraz mówiła, a wujna wciąż ładna, mogłaby jeszcze wyjść za mąż.

Zachodziła nieraz do nas, ale żeby kiedy powiedziała, że i na nią przyszedł czas, czy poskarżyła się, że coś źle się czuje. Nigdy. Nawet gdy ostatni raz przyszła, nikt by nie przypuszczał, że to ostatni raz. Tyle że na odchodne, wstając z krzesełka, powiedziała:

– Śnił mi się mój dzisiaj. Pytał o wnusia, czy duży. Musi być już kawaler, powiedział. Widać czas tam prędzej leci niż tutaj.

– Zostańcie – próbowała ją zatrzymać matka. – Zjecie obiad. O, kartofle już mi się dogotowują.

– Bóg zapłać, moja droga, ale już pójdę. Mam kluski z wczoraj, odgrzeję sobie. Nie mogę coś jeść.

To była jedyna jej skarga. Ale jeść to nie mógł nieraz i ojciec, że coś nie ma ostatnio apetytu. I matka czasem nie miała apetytu. Tłumaczyła, że to z tego nawąchania się, nasmakowania, zanim ugotuje. Nie mówiąc już o mnie, mnie się nigdy nie chciało jeść. Siedziałem nad talerzem i dłubałem widelcem, a matka stała nade mną i namawiała mnie, prosiła, no, jedz, synku, jedz, bo nie urośniesz, dając mi za przykład kogoś, na kogo wołano „karzełek", który nie urósł, bo nie jadł. Ojciec, jeśli był akurat w domu, brał mnie w obronę albo może nie mógł już dłużej tego słuchać:

– To nie dlatego, że nie jadł. Tylko wszyscy w ich rodzie kurduple. Nadawaliby się do cyrku. A on nie będzie cyrkowcem. I daj mu spokój. Zgłodnieje, to zje.

– Ale muszę potem odgrzewać.

– To odgrzejesz.

I wtedy matkę ponosiło, nie wiem, na ojca czy na mnie, wybuchała złością:

– Więcej wam nie gotuję! Koniec! Narobię się jak bury osioł. Przypodchlebiam, jak mogę. Jeszcze proś ich, żeby jedli. Albo wezmę pasa i złoję ci kiedyś skórę! – To już było do mnie. – Jedz mi tu zaraz!

Już w progu, gdy ujęła klamkę w rękę, jeszcze się wujna zatrzymała.

– Dobrzyście byli ludzie. Niech wam Bóg wynagrodzi.

Poza wdzięcznością nikt by się jednak nie domyślił w jej słowach pożegnania. Matka od śmierci wujcia prawie co dzień do niej zachodziła, coś jej pomogła, coś zaniosła. Tak samo ojciec, nigdy nie odkładał, gdy uznał, że potrzebuje męskiej ręki, choćby miał spóźnić się do pracy. Często i zwalniał się, przychodził wcześniej, narąbał jej drzewa, naoliwił w drzwiach zawiasy, na dach wyszedł, gdy poskarżyła się, że jej przecieka, korki naprawił, żarówkę zmienił, bo elektryczność już przed wojną u nas była, dzięki temu, że wybudowano zakłady przetwórstwa owocowo-warzywnego. Co prawda, słowo „byli" powinno zastanowić ojca lub matkę. Czasem jedno słowo potrafi wszystko powiedzieć. Słowa cierpią, gdy są nadaremne. Tylko że akurat wszyscy mówili o wojnie, która miała lada dzień wybuchnąć, a chyba nawet wybuchła, tyle że do nas jeszcze nie doszła. Radio podobno już nawet mówiło, gdzie są, tu są, tam są i wciąż idą, to kto by zwrócił uwagę na to jedno słowo „byli", gdy słowa lały się potokami i coraz bardziej przerażone.

Nie dziwiło więc, że wdowa się nie zjawia, a nawet jej przez okno nie uświadczy. I dopiero po iluś dniach matka, stojąc przy kuchni i mieszając kaszę w garnku, nagle wykrzyknęła:

– Matko Boska! Wojna wojną, ale trzeba do niej zajść.

– Do kogo? – Ojciec jakby nie zrozumiał od razu, tak był w tej wojnie zanurzony, co to będzie, kiedy do nas dotrze.

– Popilnuj tu. Mieszaj, żeby się nie przypaliła. – I pobiegła. Stukała, wołała, waliła, bo drzwi były zamknięte na klucz, ale nikt się nie poruszył. Zasłonki zaciągnięte, stawała na palcach, ale nic nie dostrzegła.

Na drugi dzień z rana ojciec poszedł do urzędu zawiadomić, że wdowa nie otwiera mimo stukania, wołania, walenia. Przyszli z urzędu, przyszedł posterunkowy i zawezwali ślusarza. Gdy otworzył, stwierdzili, że wdowa siedzi sobie jakby nigdy nic w fotelu przy łóżku, łóżko posłane, nakryte kapą, a na kapie leży zdjęty ze ściany portret ślubny, który kazała namalować obraźnikowi, gdy wujciu z wojny nie wracał. Fotel był jeszcze w całkiem dobrym stanie, kupił go wujciu za psi pieniądz w zakładach, gdy zmieniali meble w gabinecie dyrektora, jak przyszedł nowy dyrektor.

– To za tę wojnę – powiedział – żeś tyle się na mnie naczekała, będziesz teraz w fotelu jak pani siedzieć, nie na twardych stołkach.

Postanowił jednak pokryć ten fotel nowym materiałem, żeby, jak powiedział, nie siedziała na dupie jakiegoś tam dyrektora, ale na własnej. Jakoś tak jednak mu schodziło, że fotel nie doczekał się pokrycia, chociaż już był porozpruwany.

Najbardziej przybyłych zdziwiło, jak wdowa, krucha, nieduża, przeciągnęła ten fotel z komory do samego łóżka, gdy ojciec poświadczył, że w komorze stał.

– O, niech zobaczą. – I pokazał im te poprucia, na dowód, że wujcio miał zamiar pokryć fotel nowym materiałem. Tego materiału jednak nie znaleziono.

Długo zastanawiano się, od czego zacząć. I najpierw powołano komisję, gdyż dopiero komisja była w mocy zacząć śledztwo. A ponieważ naocznie i komisja nie czuła się upoważniona do stwierdzenia, że wdowa nie żyje, zawezwano lekarza. Lekarz wziął wdowę za rękę, popatrzył jej w oczy i stwierdził zgon.

– Nie ma wątpliwości – powiedział. – Nie żyje.

Niełatwo jest jednak umrzeć komisyjnie, gdyż pojawiła się sprawa protokołu. Kto spisze? Zgłosił się jeden z urzędników. Lecz okazało się, że nie ma czym pisać ani na czym. Lekarz miał tylko recepty. Policjant miał co prawda kopiowy ołówek i blankiety mandatów, ale przecież nie wypada pisać ani na receptach, ani mandatach, że ktoś umarł. Recepty, jak i mandaty zresztą były niewielkie, a protokół wymagał dużej kartki i powinien być w dwóch egzemplarzach spisany. Wysłano drugiego z urzędników, młodszego, żeby poszedł do urzędu i przyniósł.

W porę wdowa umarła, bo za kilkanaście dni przybyła do nas wojna. Dziwiono się, że to już. Szła, to mogłaby dalej iść, tym bardziej że nie dała znać, że już jest tak blisko. Pojawił się najpierw na niebie samolot, no, to wiadomo, samolot prędko leci, a piechota może jeszcze iść a iść, nim dojdzie. Nie zrzucił nawet jednej bomby. Zrobił jedno, drugie koło, zniżył się, a my, dzieci, zaczęliśmy mu nawet kiwać, aż przybiegł sąsiad z kijem i przepędził nas wszystkich do domów, tak że i samolot zaraz odleciał, jakby i on się przeląkł tego kija.

Nastała cisza, ojciec powiedział:

– O, to poczekamy jeszcze. Nie tak prędko będą. Może gdzieś tam biją się dopiero z naszymi. – I siedliśmy do obiadu. Zjedliśmy zupę, matka zaczęła nakładać drugie, gdy nagle szyby zadrżały, a za chwilę i talerze na stole.

– Matko Boska, a cóż to się dzieje? Wyjdź no, zobacz.

Ojciec niezadowolony, bo już miał drugie na talerzu, podszedł do okna, a tam niczym góra żelaza przetaczał się czołg, wolniutko, można by rzec, noga za nogą.

– A cóż by? Już są.

W wieżyczce tak do pół pasa stał żołnierz i uśmiechał się na obie strony, jakby wszystkich witał. Uśmiechał się i do naszego okna. Matka wywaliła mu język, a ojciec zaklął.

– Nie przy dziecku – zezłościła się. – Czasem człowiek musi zakląć, ale to na osobności albo w myślach.

– A ty myślisz, że on nie słyszał jeszcze gorszych przekleństw? Posłuchaj, jak klną na ulicach, starsi, młodsi, a i dzieci.

– Żebyś mi nie słuchał, synku. Zatykaj sobie uszy.

– Zatykam, mama.

– I nie baw się z takimi.

– To z kim się będzie bawił? Nie ma innych.

Przejechał drugi czołg, po nim następny i następny. Drugie stygło, a ojciec stał w oknie i liczył.

– I jak tu nie kląć – powiedział. – Siódmy już.

– O, siadaj, jedz. Przez ten czas przejadą.

– Kiedy odechciało mi się.

Po czołgach zaczęły toczyć się armaty, każdą ciągnęły cztery konie, niektóre, większe, sześć.

– Ależ to mają konie, konie. Kopyta niczym bochny, grzywy jak u lwów. A lśnią, muszą być olejem smarowane. Nie ma dzisiaj słonka, żeby tak od słonka. – Ojciec wpadł omalże w zachwyt, lecz zaraz się skarcił. – Dobrze, że się schowało. O, mądre słonko. U nas nie ma takich koni. U nas konie chabety. Nie dałyby rady takim armatom. Ale nie ma u nas i takich armat.

Po armatach zaczęli iść żołnierze. Szli nie marszowym krokiem ani w szeregach, lecz swobodnie, ławą, bez trzymania kroku. Szli i szli, rozmawiali, śmiali się, szumiało od ich nabijanych gwoździami butów. Niektórzy pospuszczali hełmy na tył głowy, niektórzy mieli przytroczone do pasów, plecaki pokryte jakimiś skórami z włosiem, na plecakach zwinięte w rulony koce. Twarze pogodne, niemal radosne, jakby z wojny wracali, a nie szli dopiero na nią.

– Ciekaw jestem, ilu z nich nie wróci? – Słowa ojca zabrzmiały jakby z troską.

– Nie masz się o kogo martwić? Siadaj, jedz, bo już ci całkiem wystygło.

– Bo czy oni chociaż wiedzą, gdzie idą?

– Wiedzą, wiedzą, nie bój się. Nie wiedzieliby, toby nie szli.

– O, chyba generał? – ojciec niemal tchem wyrzucił.

Na słowo generał rzuciła się do okna i matka. Nie zdążyła, przejechał, trąbiąc niemiłosiernie, aż żołnierze odskakiwali, robiąc mu miejsce. Po generale dwa ciężarowe samochody, nakryte plandekami. Ojciec próbował zgadywać, że może z amunicją, może z prowiantem, a jeden może z łóżkiem dla generała. A na końcu dwie polowe kuchnie, każdą ciągnęła para koni, takich samych jak przy armatach. Kucharze byli w hełmach tylko na mundury mieli założone białe kitle. Siedzieli na zydlach, a jeden z nich otworzył akurat pokrywę kotła i wielką warząchwią zamieszał. Ojcu zaleciało grochówką.

– Czujesz, chyba grochówkę gotują?

– Czuję, co ugotowałam. Nie muszę czyjegoś wąchać.

– Mogłabyś kiedyś i ty ugotować grochówki.

– Jeszcze czego. Lekarz ci przepisał, co ci wolno jeść. Nie ma tam grochówki.

– Ten jeden raz, to co tam. Jak jeszcze dodać konserwę wojskową, palce lizać.

– Skąd wiesz? Nie byłeś w wojsku.

– Mówili ci, co byli. I najlepiej w menażce smakuje.

– To idź, niech ci dadzą menażkę. I nie zawracaj mi głowy.

– Trzeba by im coś za to zanieść. O, jak to pachnie. – Aż siąkał nosem. – Jajka by pewnie wzięli. Tak z dziesięć. Masz jajka.

– Nie mam kur, żebym miała jajka.

– Byłaś w zeszłym tygodniu na targu.

– To kupiłam na placek. Ty wiesz, ile już chcą za jajka? Ale z tego nieszczęścia upiekę wam topielca. Może to już ostatni topielec.

Nie odciągnęła jednak matka tym topielcem ojca od grochówki. Wojsko już dawno przeszło, a on wspominał:

– O, jak to pachnie. Ile oni do takiego kotła musieli wrzucić konserw?

Chyba matka coś przeczuwała, jak ta wojna może się potoczyć, tylko z jakichś powodów nie chciała dzielić się z ojcem, skrywając te przeczucia. Gdyby był chory na serce, sądziłbym, że bała się o jego serce. Ale cierpiał tylko na wątrobę. W zakładach mieli lekarza i co jakiś czas urzędnicy przechodzili badania, robotnicy rzadziej, chyba że się któryś na coś skarżył. Ojciec na nic się nie skarżył, nawet na tę wątrobę, mówił, że matka mu wmawia. Był silny, potrafił unieść z ziemi pół metra cementu i zarzucić sobie na ramię. Trzymał się prosto, krok miał tylko trochę leniwy, ale nawet głowa go nigdy nie bolała, a matkę dość często. Gdyby nie oczy, poszedłby do wojska, był w wieku poborowym, gdy stanął przed komisją niedługi czas po ślubie z matką. Komisja jednak uznała, że nie nadaje się do służby ze względu na wzrok, jakkolwiek zdjął przedtem okulary i nie przyznał się. Ale któregoś rzędu liter nie potrafił odczytać. Matka mówiła, że gdy jeszcze chodził z gitarą i grał pod oknami razem z kolegami, nie miał okularów. Zaczęły mu się oczy podobno psuć, kiedy się pobrali. Po latach jednak i przez całe już życie zapuszczał sobie z rana i wieczorem jakieś kropelki do oczu i coraz częściej zmieniał szkła na grubsze. Czytać czytał długo bez okularów, tyle że coraz bliżej podsuwał sobie pod oczy książkę czy gazetę. Jadł tak samo bez okularów, chociaż na starość bardziej smakiem poznawał, co je, niż wzrokiem.

Matce chyba podobał się w tych okularach, i nie tylko za młodu. Byli już siwi, pochyleni, powłóczyli nogami, a kiedyś, oczekując ode mnie potwierdzenia, powiedziała:

– Dobrze mu w tych okularach, prawda? Wygląda, jak powinien wyglądać urzędnik.

Potwierdziłem, jakkolwiek od kilku lat nie był już ojciec urzędnikiem, był na emeryturze. Zastanawiałem się nieraz i przedtem, i dawniej, czy matka nie chroni go w ten sposób przed swoją wyobraźnią, która podpowiadała jej, że w ojcu kryje się jakiś lęk, chociaż mógł być to jej lęk o niego. Bo matka wszystkim się przejmowała, najmniej sobą. Wystarczyło jej drobne zdarzenie, jak choćby to ze szczurem. Zobaczył ojciec kiedyś szczura na podwórzu i przybiegł przerażony:

– Wyobraź sobie szczur! Szczur!

Przejęła się tym tak, że talerz jej wypadł z ręki, jakby nie wiadomo co się stało, chociaż ona na przykład bała się pająków i błagała ojca, gdy się z niej śmiał:

– Złap go! Wyrzuć! Niedobrze mi się robi. Tylko nie zabijaj, bo może być jakieś nieszczęście.

I dopiero gdy zebrała szczątki po tym talerzu, niby się zdziwiła, a w tym jej zdziwieniu jakby pocieszenie zabrzmiało:

– Skąd by u nas szczur? Nigdy szczurów u nas nie było.

A były. Nieraz widziałem, jak przebiegał przez podwórze.

– Nie mów tylko ojcu – przykazywała mi, gdy jej doniosłem, że widziałem szczura.

W czasie wojny wystarczyło, że przechodził drogą żandarm, a już kazała się ojcu schować i wypychała go na strych, gdzie miał kryjówkę. Jaka to zresztą była kryjówka. Stary parawan stojący w najciemniejszym rogu. Któregoś razu pod dom wujcia, który stał pusty od śmierci wdowy, zajechał motocykl z przyczepą, w przyczepie cywil w skórzanym płaszczu i kapeluszu, a na siodełkach dwóch w hełmach i z bronią na piersiach. Zaczęli walić w okna, drzwi, krzyczeli, żeby wychodzić. Matka wypchnęła ojca na strych, a sama do nich wyszła. Podeszła do tego cywila:

– Panowie, tam nikt nie mieszka. Pomarli.

– Co znaczy pomarli? – cywil ze złością do matki, a mówił po polsku.

– Nie żyją.

– Jak to nie żyją? Mamy go na liście. – I wyciągnął z kieszeni płaszcza złożoną w czworo kartkę, rozwinął, przesylabizował nazwisko, imię wujcia, aż mu chrzęściło w ustach. – Nazwisko się zgadza?

– Zgadza się – potwierdziła matka.

Rzucił wzrokiem na numer domu.

– Numer ten sam. To musi być on.

– Zrobił coś złego? – spytała matka nieśmiało.

Bluznął na nią przekleństwem.

– Was się wszystkich powinno powystrzelać.

To, że wujciu nie żyje, nie miało dla nich znaczenia. Wyważyli drzwi, przetrząsnęli cały dom od piwnicy po strych. W piwnicy nawet węgiel przesypali w drugi kąt. Na strychu stał kufer, wypatroszyli do dna. W pokoju, w kuchni powywalali wszystko na podłogę, podeptali buciorami, wyrzucili siennik z łóżka, wytrząchnęli z niego słomę, poduszki, pierzynę porozpruwali bagnetami. Wyglądało to bardziej na zemstę niż rewizję. I za co? Czyżby za to, że umknął im wujciu, umierając? Czyżby aż tak był groźny dla nich?

– I pomyśleć – powiedziała matka – że się nic nie wiedziało. – Może za to, że w tamtą wojnę walczył przeciw nim? – powiedział ojciec.

Tylko że wujciu tyle lat już przecież nie żył. Czyżby zabrał do grobu jakąś tajemnicę, która dopiero teraz, gdy przyszła druga wojna, została odkryta? I jakaż by to mogła być tajemnica, że trzeba było nowej wojny? Nikt by się po wujciu nie spodziewał, że skrywa w sobie jakąś tajemnicę. Tajemnice zwykle dręczą, a wujcia tylko wojna dręczyła i dlatego ciągle o niej opowiadał, jakby się chciał wyspowiadać z niej. Co prawda, niewiele mu to pomogło, zapadał się w tej wojnie coraz głębiej i do końca żył w niej jak w osobnym świecie. A może tajemnica wujcia kryła się w tych opowieściach, tylko nie rozumieliśmy?

Rozbebeszyli cały dom, aresztowali byłego posterunkowego, który uczestniczył w komisji po śmierci wdowy, lekarza, który stwierdził zgon, i tego urzędnika, który napisał w imieniu komisji protokół.

– Czasem dobrze mieć zły wzrok – stwierdziła matka, gdy już odjechali. – Wzięliby cię do wojska i mogłoby być to samo. Zresztą mężczyźni w okularach bardziej mi się podobają niż w mundurach.

– Szkoda, szkoda – ojciec nie mógł sobie jednak darować, że nie jest żołnierzem. – Może bym się dosłużył jakiegoś stopnia? Teraz by się przydało.

– Na co by się przydało? – Matkę aż poniosło.

– Jak to na co? Wiadomo na co – odpowiedział hardo, choć zwykle miękł pod jej słowami

– Gdybym chciała wyjść za wojskowego, to zalecał się do mnie taki jeden z dwoma gwiazdkami.

Te dwie gwiazdki musiały mocno bodnąć ojca, bo potem nie odzywał się do matki przez kilka dni.

Mam również nie najlepszy wzrok, lecz okulary zacząłem nosić dopiero w średnim wieku. Na studiach, w czasie ćwiczeń w ramach przysposobienia wojskowego byłem w czołówce, jeśli chodzi o strzelanie do tarczy i na każdą regulaminową odległość, nigdy niżej. Nie tęskniłem jednak do wojska. Mimo to współczułem ojcu, gdy jeszcze na starość skarżył się, że nie został żołnierzem. W dzieciństwie byłem zawsze po jego stronie, nie matki. Złość mnie nieraz brała na to wojsko, że go nie wzięli, i wyobrażałem sobie niekiedy ojca jako generała. A gdy leżałem już w łóżku i nic nie mąciło wyobraźni, widziałem go na pięknym białym koniu, ze złotą szablą przy boku, złoty sznur mu zwisa z ramienia, złote medale błyszczą się na jego piersiach, bo akurat słońce tylko jemu przyświeca, pagony na ramionach złote, przy lśniących oficerkach złote ostrogi, a za nim ciągnie nieskończona armia. Idą i idą, że końca nie widać, jakby szły wszystkie armie świata i nawet kuchni polowych wciąż nie widać, mimo że tam się gotuje dla ojca grochówka. Aż znużony ich marszem, nie mogąc się doczekać końca, zasypiałem.

Żałuję, że mu nigdy tego nie powiedziałem. A tyle miałem okazji, gdy przyjeżdżałem do nich. Nie dlatego, że nie pamiętałem. Tylko wydawało mi się, że pogrzebałbym swoje dzieciństwo, gdyby ojciec się roześmiał, bo w najśmielszych marzeniach nie wyobrażał sobie, że mógłby zostać generałem. Kto wie, czy nawet nie bałby się takiego awansu. Patrzyłem w te jego coraz grubsze okulary i jego oczy wydawały mi się coraz bardziej dalekie za każdym razem. Po nikim tak człowiek nie widzi dokładnie starości, jak po starzejących się ojcu, matce. To starość, która nas boli, z którą współcierpimy, na którą jesteśmy skazani, aby się w niej przeglądać i odnajdywać siebie. Może to dzięki ich starości przyzwyczajamy się i do własnej i z większym zrozumieniem ją znosimy.

Miałem nieraz wrażenie, że jego oczy jakby zachodziły za te okulary, niczym słońce za horyzont, i coraz mniejszy skrawek ich widzę. Nawiedzała mnie nawet myśl, że kiedyś przestanie całkiem widzieć, bo przecież nie ma takich okularów, żeby i z tamtej strony dało się widzieć. W tych resztkach jego wzroku, miałem wrażenie, czają się jakieś słowa, które chciałby mi na koniec powiedzieć. Niestety, nigdy ich nie powiedział. A może to nie były słowa? Chociaż nie pamiętam, abym kiedykolwiek widział łzy u ojca. Jakby generałowi nie wypadało płakać, bo co by pomyśleli żołnierze, gdyby zobaczyli łzy u generała? Chcieliby dalej walczyć?

Nawet na pogrzebie matki, gdy staliśmy przy jej grobie, w pewnej chwili zdjął tylko okulary i przetarł je chusteczką, lecz oczy miał suche, więc może to była mgła? Po czym nałożył je z powrotem, rozejrzał się po zgromadzonych ludziach, komuś tam kiwnął głową, bo może się go nie spodziewał. A kiedy wracaliśmy z pogrzebu, powiedział:

– Widziałeś, ilu było ludzi? Nie myślałem, że i on przyjdzie.

– Kto?

– Nowy dyrektor zakładów. Nie za niego przecież pracowałem, a przyszedł. Może on coś poradzi.

– Co ma poradzić?

– Zakłady na progu bankructwa. Dziwię się, że się zgodził zostać dyrektorem. Przed nim już kilku było i żaden nie poradził. Zakłady stały na czarnej porzeczce. Ludzie hektarami sadzili czarną porzeczkę. Dostarczano im nawet sadzonek. Namawiano, kontraktowano. I dobrze płacono. Na czarnej porzeczce można było się dorobić. Nawet w ogródkach przy domach sadzili. Wycinali sady, jabłonie, śliwki, gruszki, a sadzili czarną porzeczkę. Wyszedłeś w pola, to nie poznawałeś dawnych pól, wszędzie czarna porzeczka. I gdy porzeczka dojrzała, ludzie zrywają, zawożą, a tu nie przyjmują czarnej porzeczki. Przyjmują tylko czerwoną, na czarną nie ma zbytu. A czerwoną mało kto sadził. Zatrzymano przerób, zaczęto zwalniać ludzi. Przedtem w sezonie nawet z daleka przywozili, odwozili. I tobie nie było trudno załatwić robotę. Poszedłem do dyrektora, spytał:

– Co umie?

– Nic nie umie. Będzie zdawał na studia i chciałby trochę zarobić.

– Dobra, niech przyjdzie.

Nawet etatowych zwalniano, zasłużonych zwalniano. Co trochę przychodził nowy dyrektor. Zmieniano kierowników, brygadierów przesuwano na zwyczajnych robotników, na taśmy, na myjnie, niektórych do sprzątania. Cięto premie, wyrównania, trzynastki, co tylko dało się ciąć. Ludzie płakali, złorzeczyli, skarżyli się, że ziemia umarła. I zaczęli wycinać te porzeczki. Też mieliśmy za domem w ogródku ze dwadzieścia krzaków, chyba pamiętasz. Wszystkie wyciąłem. Matka nie dawała mi, że chociaż rok, dwa poczekajmy, może się coś zmieni. Chyba teraz nowe nasadzę.

Zamilkł. I szliśmy tak w milczeniu jakiś czas, gdy nagle powiedział, bardziej do siebie niż do mnie:

– I jak tu będzie teraz bez niej? Oby nie za długo. Martwiłem się o niego, jak sobie sam poradzi. Zwłaszcza że gdy żyła matka, w najprostszych sprawach się do niej zwracał i dzięki niej nigdy nie czuł się bezradny. Pamiętam, przyjechałem kiedyś, przywitałem się z nim, z matką, matka obierała kartofle, a on jakby nie wiedział, czy mnie poprowadzić do pokoju, czy zostać tu, w kuchni. Aż mu matka powiedziała:

– Przynieś mu krzesełko. Chciałabym i ja posłuchać.

Przyniósł krzesełko, potem wziął mnie jak w dzieciństwie za rękę, uznał jednak, że za daleko od matki, więc podsunął bliżej niej.

– Siądź tu – powiedział. – Dobrze tak będzie? – spytał matki. – To na ile przyjechałeś? No, to opowiadaj. Pewnie dużo masz do opowiadania. Musisz opowiedzieć wszystko, co u ciebie. Choć nawet gdy się wszystko opowie, zawsze coś zostanie nie opowiedziane.

– Ale może najpierw co u was?

– Co u nas? No, co u nas... – I zwrócił się do matki: – Powiedz mu, co u nas.

– A cóż by u nas? Starość – powiedziała matka. – O, musiał znowu zmienić okulary na grubsze. Nie same szkła, ale i oprawki, bo się w tamtych nie mieściły. Inne kropelki lekarz mu przepisał. Dobrze mu w tych okularach, prawda? Kiedy umarł, czas mi zaczął jakby szybciej płynąć, tak że z przerażeniem któregoś dnia stwierdziłem, że zrównałem się z nim wiekiem. To przedziwne uczucie odkryć, że się jest w wieku swojego ojca czy matki. Człowiek nieomal broni się, żeby nie uwierzyć w to odkrycie. Chciałby wciąż być od nich młodszy. Wydaje mu się, że złamana została naturalna reguła życia, że się jest zawsze młodszym od swoich rodziców i będzie się zawsze młodszym aż do swojej śmierci. I jak w dzieciństwie wydaje mu się, że oni są wciąż jego tarczą, za którą się chowa, mimo że ich już nie ma.

Musiało minąć znów te kilkanaście lat, gdy przekroczyłem granicę z przepowiedni Cyganki, według której powinienem umrzeć zeszłego roku. Może by mi ją trochę przesunęła, gdybym dał sobie z kart powróżyć. Pokazując mi na dłoni najdłuższą linię, powiedziała:

– Tu się kończy twoje życie. O, daleko, daleko jeszcze. Gdybyś dał sobie z kart powróżyć, byłoby jeszcze dalej. Karty więcej wiedzą niż te linie na twojej ręce.

I nawet wyciągnęła karty. Na szczęście w tym momencie niemowlęciu wysunął się sutek z buzi i rozpłakało się. Zanim je przeniosła do drugiej piersi, mnie już nie było. Biegłem przez tę dawną dziką, zieloną dolinę do Ucha Igielnego. Stał już na brzegu tych spadzistych schodów, stukał laską w schodek poniżej, sprawdzając, o ile głębiej musi teraz zstąpić niż poprzednim razem. Widocznie stwierdził, że jest dużo głębiej, bo podobnie sprawdził i następny schodek, i następny. Jak można być takim starym, pomyślałem, a nawet zezłościło mnie to. W jego wieku już mało co ze świata zostaje, więc gdzie on idzie, po co? Gdybym wiedział, że go tu spotkam, wolałbym już czekać na nią tam, na ławce w parku. Cyganka by w końcu odeszła, widząc, że się nie dam namówić na powróżenie z kart. Zwłaszcza że gdy miał już ostatni schodek do mnie, przystanął i powiedział:

– Naprawdę żal mi pana, gdy pomyślę, że ta pańska młodość przeoblecze się kiedyś w moją starość.

Gdy nie mogę na przykład zawiązać sobie sznurówek na stojąco, ponieważ kręgosłup mi nie pozwala pochylić się aż do podłogi, przypominają mi się jego słowa. Podobnie ze spodniami. Siedząc, wciągam nogawki i dopiero podnosząc się, resztę do pasa. I pomyśleć, że w młodości stojąc na jednej nodze, to na lewej, to na prawej, na przemian, wciągałem skarpetki, spodnie, podnosząc nogę z butem pod ręce, zawiązywałem sznurówki. Kiedyś na plaży, na piasku, zacząłem się właśnie w ten sposób ubierać, gdy nagle usłyszałem pełen zdziwienia głos żony przyjaciela:

– Bocian! Bocian! Spójrz! Na jednej nodze się ubiera!

Przyjaciel, który ubierał się na kocu, zerwał się.

– Poczekaj! Przytrzymam cię! Niesłychane! Żeby nawet i buty! I nie zachwieje się.

Zastanawiam się jednak, czy w pewnym wieku nie traci się prawa do porównania z własną młodością. Czy z odległości tych kilkudziesięciu lat człowiek ma prawo powiedzieć, że jest ten sam, którym był? Weźmy chociażby włosy, tu porównania wypadają najgorzej – od bujnych czupryn po całkowite łysiny. Gdy chodziłem do liceum, obowiązywała norma długości włosów. To nie to, co dzisiaj, że jak kto chce, na pałę, na jeża czy spadające aż na kark, na plecy, na ramiona, czy spięte z tyłu w dziewczęcy kok, a nawet malowane na czerwono, zielono i na inne kolory. Nie zawsze młodość była tak wolna. Raz na jakiś czas wychowawca przechodził między rzędami ławek i zgarniał nam włosy z czoła na twarz. Jeśli sięgały poza koniec nosa, wysyłał do fryzjera. Niestosowanie się do polecenia groziło obniżeniem stopnia ze sprawowania. W przypadku gdy ktoś był oporny, wysyłał przed oblicze dyrektora. Nie wiem, czy to było ogólne zalecenie, czy pomysł wychowawcy. Na szczęście dyrektor nie wymierzał kary, lecz łagodnie tłumaczył, że to wymagania przede wszystkim ze względu na higienę, i zalecał nie tylko częste strzyżenie, lecz i częste mycie głowy, ponieważ istnieje obawa przed wszawicą, wojna wciąż daje znać o sobie i będzie długo jeszcze dawała. Z wojny nie wychodzi się wraz z jej końcem. I żebym okazał wyrozumienie dla wychowawcy, ponieważ przez całą wojnę musiał się ukrywać. Dyrektor był dusza człowiek, łagodny, spokojny, nie miał dzieci, toteż uczniów traktował z pobłażaniem. Nim doszedłem do matury, zdjęto go ze stanowiska, podobno właśnie za to, że nie umiał w karby wziąć młodzieży, jakkolwiek różnie mówiono. Chyba ze trzy razy stawałem przed jego obliczem, tak że znał mnie.

– Co, znowu włosy? Bunt? Na pierwszym planie powinna być nauka, bunty potem.

Chyba mnie najczęściej to spotykało z całej klasy, ponieważ w długich włosach podobałem się i jej. Gdy kiedyś poddałem się wychowawcy i ostrzygłem się, powiedziała:

– Wolę cię w długich włosach.

Wpadłem więc na pomysł i skróciłem sobie nożyczkami tylko te z przodu do końca nosa, jak nakazywała norma, z tyłu pozostawiając długie aż poza kark. Wychowawca nie dał się jednak oszukać. Zgarnął mi całą czuprynę od karku na twarz i okazało się, że mam aż za brodę. Warknął:

– Na jeża. I nie pokazuj mi się przedtem w szkole.

Z włosami miałem zresztą i na studiach przygodę. Zakład fryzjerski mieścił się kilka kroków od uniwersytetu i chodziłem zawsze do tego samego fryzjera, gdy uznałem, że wypada się już ostrzyc, tak że w końcu się do niego przywiązałem. Miał na imię Stanisław i niefortunnie przyszedłem się kiedyś ostrzyc w jego imieniny. Wydał mi się nazbyt uprzejmy wobec mnie.

– Witam, witam łaskawego pana. – Podskoczył, ledwo mnie w drzwiach ujrzał, szeroko uśmiechnięty, choć wzrok miał jakby z lekka zamglony. – Zarośliśmy? No, nic, zaraz zrobimy porządek. To zaszczyt dla mnie, że łaskawy pan znów do mnie. Przepraszam, że łaskawy pan musiał czekać, aż wrócę z urlopu.

Nigdy nie zwracał się do mnie per łaskawy pan, mimo że gdy kiedyś zachorował, nie strzygłem się u nikogo innego, tylko czekałem, aż wyzdrowieje. To prawda, zarosłem aż za kark, bo włosy miałem wciąż bujne, ale przecież nie to go natchnęło do tego łaskawego pana.

– Zapraszam łaskawego pana. – Podsunął krzesło bliżej lustra. Usiadłem, wtedy spojrzał na mnie w tym lustrze, uśmiechając się. Odwzajemniłem mu się również uśmiechem. Zdziwiło mnie jednak, że wciąż patrzy na mnie w tym lustrze i uśmiecha się, zamiast zacząć mnie strzyc. Jego zamglony wzrok niemal kurczowo trzymał się tego lustra, jakby nie mógł się rozstać z własnym uśmiechem. Gdy wreszcie oderwał się ode mnie, miałem wrażenie, że lekko zachwiało nim jakby z nadmiaru werwy po urlopie. A może to lustro zakłóciło jego ruch, a skazany byłem na widzenie go tylko w tym lustrze. Za chwilę się w nim pojawił z białym płótnem w ręku i zaczął mnie nim owijać. Nagle zerwał je ze mnie.

– Weźmiemy większe i świeżutkie.

Zasłaniałem go trochę sobą, tak że usłyszałem tylko trzask szuflady i jednocześnie jakby wyrzut:

– O, psiakość, co ta podłoga taka dzisiaj śliska? Za dużo pasty nakładzione.

Może wydawać się dziwne, że niczego jeszcze się nie domyśliłem, przeoczyłem też, że dzisiaj Stanisława, lecz chodziłem do niego od kilku już lat, a przywiązanie pozwala czasem i czegoś nie dostrzec. Gdy nawet zdarzało się, że strzygł jakiegoś klienta, a czekali w kolejce i następni, nie dawałem się namówić do innego fryzjera, który był akurat wolny. Niemalże przyjacielska więź zadzierzgnęła się między nami przez to ciągłe strzyżenie się tylko u niego. Nawet te same słowa, jakie powtarzał zwykle na wstępie, wiązały mnie z nim:

– Tak samo?

– Tak samo.

– Baczki teraz trochę dłuższe modne.

– Proszę dłuższe.

I już wprawiał grzebień i nożyczki w ruch, rozpoczynając niemal taniec wokół mojej głowy. I niemal z żalem przyjmowałem, gdy mi oznajmiał:

– To już. Dziękuję. Główka jak z żurnala.

Zwłaszcza że gdy strzygł, zawsze coś ciekawego opowiadał. I to, sądzę, przyciągało do niego i innych klientów. A nie stwierdziłem, żeby każdemu to samo, gdyż po mnie w kolejce do niego czekało zwykle tych dwóch, trzech klientów, którzy słyszeli, co mnie opowiadał. Miał niebywałą fantazję i prawdopodobnie większość tych opowieści była wytworem jego wyobraźni. Czy mógł najwyżej gdzieś coś usłyszeć, czy gdzieś przeczytać, potrafił z tego zrobić opowieść na całe strzyżenie, łącznie nieraz z goleniem. A gdy nie starczyło strzyżenia, golenia i klient dopominał się, co dalej, odpowiadał:

– Dalej, to jak pan przyjdzie następnym razem.

Miał wyjątkowy dar, opowiadał barwnie, soczyście, obrazowo. Namawiałem go nawet, żeby spisał to wszystko, co klientom opowiada.

– A kto by to czytał, panie? Szkoda byłoby mu czasu na czytanie. Każdy zagoniony. A wysłuchać musi, gdy go strzygę. Nieraz by się nie ogolił, a każe się jeszcze ogolić. Fryzjera by czytał, co pan? Opowiadam, bo należy to do mojego fryzjerstwa jak grzebień, nożyczki, brzytew. Czy to lustro, krzesło, na którym pan siedzi. Tak nie mam pamięci do zapamiętywania. Co opowiadałem wczoraj, dzisiaj już nie pamiętam. Przeżyłem dużo więcej lat niż pan, a swoje życie bym na pół strony zmieścił, jak nie przymierzając załącznik do życia. A wezmę czyjąś głowę w ręce i od razu mam co opowiadać. Coś jest takiego w ludzkich głowach, nie sądzi pan? Może opowiadam to, co te głowy pamiętają, o czym myślą, marzą? Raz tylko czułem, że z tej głowy lepiej nic nie wydostawać. W czasie wojny strzygłem jednego gestapowca. W czarnym mundurze, z trupią główką na czapce, na rękawie czerwona opaska z tym ich połamanym krzyżem. A musisz pan wiedzieć, że tacy byli najgorsi. Pietra miałem, powiem panu. Niezadowolony będzie, to może zastrzelić. A co pan myśli. Strzelali za nic. Skończyłem.

– *Danke schön, Herr Offizier* – mówię.

A ten ani słowa, tylko przygląda się sobie w lustrze, kręci w tę i w drugą stronę głową, a ja struchlały za nim stoję i przestaję się już czuć, że to ja. I nagle jakby z tego lustra mówi, a znałem trochę niemiecki:

– Nie przypuszczałbym, że Polska ma takich fryzjerów. – Zerwał się: – *Heil Hitler!* – I wyszedł.

Zmieniłem zakład, przeszedłem do innego na drugim końcu miasta, bo a nuż znów przyjdzie. Z takim spotka się pan raz i nie wiadomo, czy to nie ostatni raz. I nic mu nie opowiadałem, czyste fryzjerstwo. Gdybym może lepiej znał niemiecki, to języki można jakoś pogodzić, gorzej ludzi z ludźmi. O, miałem tu różnych i nieraz dziwnych klientów, przed wojną, w wojnę, po wojnie, a i teraz ich nie brakuje. Przyszedł raz do mnie klient, starszy jegomość, nie powiem, elegancki, była zima, pelisa, bobrowy kołnierz. Nim siadł na krzesełku, wręczył mi wizytówkę, zerknąłem, hrabia. No, jak hrabia, to trzeba jak z jajkiem. Mówi, że nie jest w stanie usiedzieć w bezruchu całego strzyżenia. Był już u różnych fryzjerów, nawet na poduszkach go sadzali. Aż wreszcie ktoś mu doradził mnie.

– Pan Stanisław, nieprawdaż?

– W rzeczy samej Stanisław, panie hrabio.

– Podobno opowiada pan tak ciekawe rzeczy, że da się wytrzymać strzyżenie z goleniem, a nawet z myciem głowy. Proszę więc o pełny serwis, a potem zrobić mi jeszcze fale.

Wszyscy nosili wtedy włosy na gładko, brylantyną pociągane, jakby przyklejone do czaszki, taka była moda, widział pan może na filmach, pocztówkach z tamtych czasów, a ten jakby pod prąd.

– Tak jest, panie hrabio, strzyżenie, golenie, mycie głowy, fale. Tylko co mu opowiedzieć, zastanawiam się. No, nic, zacznijmy strzyc. Niełatwo coś odpowiedniego znaleźć dla hrabiego. Stukam, pukam, namawiam moją głowę, ale wie pan, fryzjerska głowa jak każda zapchana różnym śmieciem, a tu trzeba wygrzebać coś drogocennego, nie ma pan przecież na co dzień do czynienia z hrabiami.

– Dlaczego pan nie opowiada – upomina mnie. – Słucham.

– Już, panie hrabio, znalazłem właśnie coś odpowiedniego.

– Słucham, słucham.

– Było małżeństwo, mąż i żona.

Znałem taką historię z życia wprost wziętą. Ale może za banalna dla hrabiego. Powie mi, pospolita. Niech pan opowie coś lepszego. Bo musi pan szanowny wiedzieć, że prawdy nie powinno się podawać na tacy. Trzeba ją zawsze doprawić.

Żeby tak rzec, trochę soli, trochę pieprzu. Prawda musi smakować. Z prawdą jak ze złotem, ile musi przejść zabiegów, nim stanie się biżuterią. I zależy, kto tę biżuterię wykonuje. Mistrz czy patałach. To samo z diamentem, nim zamieni się w brylant. To i z małżeństwem może być i tak, i siak. Mogą dożyć razem do śmierci. A mogą się rozstać zaraz po ślubie. I co w tym ciekawego? Nic. Toteż nie szło mi to małżeństwo, mimo że, jak powiadam, prosto z życia wziąłem. Czy może to, że hrabia, tak mnie sparaliżowało. Dociągnąłem ledwo do tego, że on z biedy, ona z biedy, bo tak w istocie było. Z początku nawet się uśmiechał, jak spojrzałem w lustro. Aż tu nagle widzę, że zaczyna się krzywić, marszczy czoło, brwi, zaciska oczy, wargi, a miał wąsiki, myślę, czyżby jakiś atak nadchodził, może na coś choruje? I wreszcie z wyrzutem do mnie:

– Pańskie strzyżenie mnie boli. Nie mogę dłużej. Ma pan tępe nożyczki.

A nożyczki co dopiero ostrzone. U fryzjera tępe nożyczki, wyobraża pan sobie. Jakbym w policzek dostał. Nie umiał słuchać, ot co. Albo może miał jakieś kłopoty ze swoim małżeństwem? Może popełnił mezalians i ożenił się z własną służącą! Zerwał się. Nie, nie mogę już dłużej wytrzymać. Zawiodłem się na panu. Muszę poszukać innego fryzjera. A właśnie przyszło mi do głowy, że ona nosiła sztuczną biżuterię. Niestety umarła, a on z tej rozpaczy popadł w jeszcze większą biedę. I pewnego razu, zamiast trzymać ku pamięci po niej choćby kolię sztuczną, bo sztuczną, ale pamięć jest cenniejsza, niż gdyby ta kolia była prawdziwa, pamięć nie ma ceny, mam po swojej żonie kameę, psi grosz za nią zapłaciłem, jeszcze byliśmy narzeczeństwem i na imieniny jej kupiłem, powiesiłem ją sobie nad łóżkiem na ścianie i przed zaśnięciem zawsze sobie na nią patrzę, jest dla mnie najcenniejszą pamiątką, pamiątce nie zagląda się jak koniowi w zęby, nie wiem, czy pan wie, że po powstaniu styczniowym kobiety nosiły u nas na znak żałoby krzyżyki z żeliwa, a dzisiaj ze złota nie byłyby tyle warte, a ten z tą kolią poszedł do jubilera. Jubiler wymieniając, ile może dać, widzi, że ten blednie. Domyśla się pan dlaczego?

– Panie Stanisławie, znam to.

– A skąd? Nie opowiadałem tego jeszcze nikomu.

– Był taki francuski pisarz, nazywał się Maupassant. Napisał opowiadanie...

– Nie znam francuskiego. Nie czytałem.

Czułem jednak, że go to dotknęło, bo przestał się do mnie odzywać, a nawet w lustrze na mnie nie spojrzał. Postanowiłem jednak poddać się tej jego opowieści, żeby go udobruchać, i spytałem:

– No, i co ten mąż?

Oczy mu się z lekka w lustrze zabełtały, nawet jakby się uśmiechnął.

– Nie chciał pan szanowny wysłuchać do końca, a to dopiero teraz robi się ciekawe. Co mąż? Mąż wyciągnął pistolet i chciał ją zastrzelić.

– Ale przecież ona umarła.

– O, nie, nie była taka głupia. Przyznała mu się, że to od kochanków. Chcesz, strzelaj, ale więcej już nic nie przyniosę.

A moglibyśmy sprzedawać. Pomyśl, jakby nam się życie polepszyło. Zmienilibyśmy mieszkanie na kilkupokojowe. Wyłożylibyśmy dywanami. Kupilibyśmy meble stylowe, obrazów, żeby na każdej ścianie wisiały. Nie musiałbyś chodzić do pracy, bo co tam ta twoja praca. Wystarczyłoby, że ja pracuję. Schował ten pistolet, przytulił jej głowę, ależ ty masz głowę. Musi pan szanowny wiedzieć, że prawda, jak nie trafi do serca, nie trafi i do rozumu. Zresztą rozum do prawdy ma się jak pięść do nosa. Zauważył pan chyba, że prawda zanika. Toteż coraz więcej ludzi lubi mnie słuchać. Pan szanowny właśnie do tych należy, ponadto umie pan słuchać. A to sztuka umieć słuchać.

Rzeczywiście słuchałem go zawsze z przyjemnością, niezależnie, czy wierzyłem w to, co opowiadał. Jeśli nawet opowieść była kiczowata, działała na mnie uspokajająco. Lubimy bajki nie tylko w dzieciństwie. Bajki to odtrutka na trudną nieraz do zniesienia codzienność. Z bajek układamy sobie świat. Ileż to podawanych do wierzenia prawd jest bajkami. I jeszcze ten jego głaskający niemal po głowie, ciepły, życzliwy głos doprowadzał mnie nieraz do bezczucia, że nie wiadomo, kiedy ogarniała mnie senność i mimochcąc zamykałem oczy.

Tak było i wtedy, w dniu jego imienin. Nagle szarpnął moją głowę do tyłu, wyrywając mnie z tej senności. I z przerażeniem zobaczyłem w lustrze, że jestem ostrzyżony tylko po lewej stronie głowy, prawą mam nietkniętą. Spojrzał i on za moim wzrokiem w lustro.

– O, łaskawy pan trochę przysnął. A ciekawym, co się panu łaskawemu śniło? – A oczy jakby kołysały mu się w oczodołach zamglone. W tym momencie zachwiało nim i przytrzymując się mojej głowy, bełkotliwym głosem wydusił: – Mnie się raz tak śniło...

– Panie Stanisławie, pan mnie ostrzygł tylko z lewej strony. A co z prawą?

– Pan łaskawy będzie spokojny. Przejdziemy i na prawą. Jeszcze tylko tu, nad uchem. – I dalej mnie strzyże po tej lewej stronie, nie tylko nad uchem. – A śniło mi się, nie wiem, czy to wtedy, że jestem w kinie, wyświetlają jakiś sensacyjny film, a ja na ekranie gonię jakiegoś bandytę...

– Panie Stanisławie, proszę przejść na prawo.

– Pan łaskawy nie zauważył, że już jestem po prawej. Proszę spojrzeć w lustro. – I uśmiechnął się do mnie w tym lustrze jakimś wykrzywionym uśmiechem. Po czym wziął brzytwę, żeby zgolić mi odrosty na karku, co oznaczało koniec strzyżenia. Już poczułem tę brzytwę nad kołnierzem marynarki, gdy nagle zachwiał się, złapał się mojej głowy i byłby się zwalił, gdyby nie podskoczył jeden z fryzjerów, który nie miał akurat klienta, wyrwał mu tę brzytwę z ręki, zawołał drugiego, który był na zapleczu, chwycili go pod ręce i wynieśli. Po czym jeden z nich wrócił, przeprosił mnie.

– Ja szanownego pana dokończę. Dzisiaj będzie gratis.

Niestety, nie dało się całkiem wyrównać prawej strony do lewej, tak że czułem się trochę jak kaleka z tymi nierównymi włosami. Nie chodziłem już więcej do tego zakładu, znalazłem sobie innego fryzjera, chociaż nie było to już to. Ale kiedyś przechodząc obok, zaszedłem, żeby spytać, co z panem Stanisławem. Może nawet go spotkam, pomyślałem, jakkolwiek byłem już ostrzyżony. Nie zastałem go, a obaj fryzjerzy powitali mnie jak syna marnotrawnego.

– O, pan szanowny wrócił do nas. Cieszymy się. Witamy.

Nie mieli akurat klientów, więc spytałem:

– A pan Stanisław gdzie?

– Nie pracuje już.

– Dlaczego? Co się stało?

Spojrzeli porozumiewawczo na siebie i jeden do drugiego powiedział:

– Panu chyba możemy powiedzieć. Najogólniej mówiąc, jest w zakładzie zamkniętym.

– To znaczy?

– Psychiczny. Pan szanowny nie zauważył, gdy pana wtedy strzygł?

– Bał się przejść z lewej strony na prawą, kiedy pan go prosił.

– A wypił niewiele, tyle co z okazji imienin.

– Radziliśmy my mu, żeby nie wychodził, położył się, odpoczął. Ale że to pan szanowny był z nim umówiony, nie dał sobie przetłumaczyć.

– Parę razy już uciekał i zachodził tutaj, że może pan szanowny przyjdzie się strzyc.

– Miesiąc temu będzie, zamykaliśmy już zakład. Przyszedł i że musi poczekać na pana, bo pewnie pan odtamtąd zarósł. Ale zakład już zamknięty, Stasiu.

– To prześpię się tu, u was, bo może na jutro się z nim umówiłem. Dni mi się już mylą.

– Mamy na zapleczu wersalkę, poszedł, położył się. Rano przychodzimy do zakładu, a on siedzi przed lustrem i strzyże się. Z lewej strony wtedy pana ostrzygł?

– Z lewej.

– To teraz strzygł się z prawej.

– Co ty, Stasiu, wyprawiasz? Zostaw. Któryś z nas cię ostrzyże.

– A nie, nie. Przyjdzie, to niech zobaczy, że i z prawej go ostrzygłem.

Rozdział 6

Tak się mówi, ostatnia. Lecz nie było jeszcze ostatniej. Do ostatniej świat dopiero zmierza. Ostatnia będzie równoznaczna z jego końcem, jeśli słowo „ostatnia" ma odzyskać właściwe znaczenie. Toteż dopóki jedynie słyszymy o wojnach, że toczą się tu, tam czy gdzie indziej, możemy spać spokojnie. Podobnie jak z artyleryjskim pociskiem, jeśli słyszymy, że leci, nie uderzy w nas. Raz tak usłyszałem jęczący gwizd, przykuliłem się odruchowo, jak się okazało, niepotrzebnie, gdyż przeleciał i rozerwał się gdzieś za mną, mnie tylko na chwilę ogłuszyło. To wszystko.

Na razie nie u nas się toczą, lecz co będzie w przyszłości, skoro muszą się toczyć, nie wiadomo. Świat skurczył się niemal do podwórka i dalej się kurczy. Tym bardziej więc trudno sobie wyobrazić świat bez wojen. Kto wie, czy wojny nie są jedyną dostępną terapią na nasze namiętności, nienawiści, jedynym zadośćuczynieniem za wszystkie nasze klęski, niepowodzenia, niespełnienia? Nie całkiem one leczą, lecz dopóki nie wynajdziemy skuteczniejszych sposobów, przynajmniej w niektórych z nas może potrząsną sumieniami.

Na szczęście życie człowieka obliczone jest najwyżej na dwie, trzy wojny, a to i tak za wiele jak na jego pamięć, toteż nieraz mu się mieszają, która była którą. Nie mówiąc, ile z tej pamięci wycieknie po drodze. Spyta ktoś, po jakiej drodze? No, przecież mówi się, że życie jest drogą. W jakim kierunku ta droga prowadzi, nie radziłbym sobie wyobrażać, gdyż wszystkie kierunki prowadzą do śmierci. Czy gdzieś dalej, nie wiem?

Z tą pamięcią bywają zresztą dziwne przypadki. Przeżyłem dotąd jedną wojnę, a pamiętam kilka. Pamięć jest bowiem funkcją zbiorowego obowiązku, a zbiorowy obowiązek nakazuje nam pamiętać dużo więcej, niż przeżyliśmy. Zbiorowy obowiązek określa nawet normę naszej pamięci, stosowną do czasu, w którym żyjemy. Na ile moja pamięć mieści się w tej normie, nie umiem powiedzieć. Zwłaszcza że żyłem w różnych czasach, więc podlegałem różnym normom. A normy ugniatają ludzką pamięć niczym ciasto, tak że chcąc, nie chcąc przystosowujemy pamięć do norm, jakie nam te lub inne czasy wyznaczają.

Nadchodził front, pierwsze pociski zaczęły już do nas dolatywać. Tu się rozerwał, tam się rozerwał, choć nie zrobiły jeszcze większych szkód, u kogoś uderzył w furmankę stojącą na podwórzu, u kogoś rozerwał się w ogrodzie. Matka jednak uznała, że powinniśmy się gdzieś przenieść, bo nasz dom nie będzie bezpieczny, gdy front się zbliży i zaczną raz po raz walić. I przenieśliśmy się do sutereny w kamienicy sąsiada, kilka domów dalej. Kamienica była piętrowa, niedawno zbudowana, kryta blachą, nie dachówką, jak nasz dom, mury solidne, grube, a suterena obszerna. Nie chciałem się przenosić, groziłem, że ucieknę, lecz zaciągnęli mnie niemal siłą oboje z ojcem.

– Tu nie zginiemy – tłumaczyła mi matka. – A w naszym domu może różnie być.

Nienawidziłem sąsiada, nie mogłem mu darować, że zabijał konie. Bił świnie, cielęta, krowy, robił wyroby, przez całą wojnę, czym się dało handlował. Mówiono, że posterunek żandarmerii ma w kieszeni, nieraz widziano, jak szli do niego, można by pomyśleć, że idą go aresztować, a wychodzili objuczeni. Raz wysłała mnie matka do niego po kawałek mięsa z kością na rosół. Nie było go w domu, była tylko żona.

– No, nie wiem, czy ma dzisiaj wołowe – powiedziała. – Idź za chlewy, tam jest. Spytasz go.

Poszedłem, a tam stały dwa konie i on z jakimś drugim zawiązywali tym koniom oczy. Tamten już zawiązał swojemu i wziął spod ściany wielki młot kowalski. Przyłożył ten młot koniowi do łba, a koń, mimo że miał zawiązane oczy, zadygotał. A był to piękny kasztan. Sierść na nim aż lśniła, kopyta jak bochny, grzywa za szyję mu spadała, takiego konia trudno zapomnieć.

– Nie ma dzisiaj wołowego – powiedział sąsiad, zawiązawszy i swojemu koniowi oczy. Też był to dorodny koń, tylko kary i miał białą strzałkę na łbie. – Przyjdź pojutrze, będę bił na wołowe. Dzisiaj niech mamusia jarzynowej ugotuje – zaśmiał się.

W tym momencie tamten uniósł młot i z całej siły spuścił ten młot na łeb swojego konia. Koń zwalił się na przednie kolana, a ja wybuchłem płaczem i uciekłem. Świniom nie zawiązywano oczu, krowom nie zawiązywano, dlaczego koniom? A te zamiast wierzgać, stawać dęba, rżeć, poddawały się śmierci jakby osowiałe. Z tym płaczem pobiegłem do matki. Nie mogła mnie utulić. Tłumaczyła mi i tak, i siak, ale płacz nie chciał mnie opuścić. Nie uwierzyłem jej nawet, gdy zaczęła mnie pocieszać, że te wszystkie zabijane konie są chore na serce. Zdrowych by nie zabijali. Konie chore na serce? Koń z żadną chorobą mi się nie kojarzył. Mówi się przecież, zdrowy jak koń. – No, nic, ugotuję jarzynowej – powiedziała jakby z żalem, że nie przyniosłem tego wołowego z kością na rosół. – A ty nie płacz. Nad ludźmi czas płakać, nie nad końmi. Ja bym nie wzięła koniny do ust, chociaż dużo tańsza od wołowego. Razem z nami schroniło się do sutereny kilka rodzin. Niektóre z dziadkami, babkami, co powinno być im już wszystko jedno, czy zginą od kul, czy umrą w łóżkach, ale i z niemowlętami, które ssały jeszcze piersi matek. Gdy wybuchy pocisków zaczynały gęstnieć, wszyscy rzucali się do modlitw: odmawiali litanie, śpiewali nabożne pieśni, a niemowlęta przeważnie się darły. Była jedna świeca, gromnica, wokół niej klękali. Ktoś zapalał i z książeczki do nabożeństwa prowadził litanię albo kierował pieśniami, bo fałszowali, mylili się, albo jedni drugich wyprzedzali. Mimo tej gromnicy po kątach zalegała ciemność, ciemniejsza nawet, niż kiedy gromnica się nie paliła.

Był pośród nas nauczyciel od polskiego z tutejszej szkoły. Uczył mnie. Młody, lubił żartować, pokątnie dawał nam zakazane książki do czytania, przeważnie historyczne. Pamiętam *Krzyżaków*. I była również młoda nauczycielka od gimnastyki.

Gdy inni się modlili, śpiewali, nauczyciel z nauczycielką zaszywali się w najciemniejszy kąt sutereny.

– A ci znowu gżą się. Przez nich Bóg nas wszystkich pokarze. Nie doczekamy końca wojny.

Co jedliśmy? Nocami szły kobiety do swoich domów i przynosiły, co tam miały w spiżarniach, czasem coś ugotowały. Nocami nie tak często walili, z rzadka jakiś pocisk gdzieś się rozerwał. Nocami można było wyjść na dwór, nawdychać się świeżego powietrza, rozprostować kości, załatwić potrzeby. Kanonada zaczynała się zwykle o świcie, czasem przed wschodem słońca. Widocznie żołnierze też musieli odetchnąć. Mleko przywoził nam mleczarz w bańkach, z odległych wiosek, gdzie kule jeszcze nie sięgały. Jak mówił, nie bał się, bo wierzył w przeznaczenie, według niego nie w wojnę mu śmierć wybrało, bo jakby miał zginąć, toby nieraz już zginął, w tamtą czy w poprzednią. Zresztą opłaciło mu się to przeznaczenie, jako że brał za litr mleka trzy razy tyle co przedtem. Czasami więcej, zależało od dnia, czy był spokojniejszy, czy groźniejszy.

Któregoś wieczora gospodarz złapał za rękę gospodynię, która akurat klęczała, modląc się wraz z innymi przy palącej się świecy.

– Chodź, pójdziemy się przespać do domu.

– Chcecie zginąć? – ktoś ich ostrzegł spośród modlących.

– To przyjemnie zginiemy.

Nadszedł świt, a tu cisza, wzeszło słońce i dalej cisza. Strach ludzi ogarnął, co to może znaczyć, czy to nie przysłowiowa cisza przed burzą. Siedzieliśmy tak pościnani aż do południa. A koło południa wpadł do sutereny gospodarz.

– No, co nie wychodzita?! Wojna się skończyła! Wyskoczyłem pierwszy na dwór, wybiegłem na drogę. Była pusta, żywej duszy. Nagle zobaczyłem trzech żołnierzy. Szli gęsiego, tuż przy domach, jakby tych domów się trzymali. Jeden za drugim w odległości kilku kroków, pochyleni, rozglądali się na boki, w rękach tak samo pochylone karabiny, gotowe do strzału. Zamiauczał gdzieś kot, przywarli do ziemi, a kot wyszedł sobie z któregoś podwórka i stanął na środku drogi. Roześmiali się, a ten pierwszy zobaczył mnie i rzucił:

– Czto, malczyk? Giermańca niet?

Gdy podeszli wszyscy trzej, spytałem, czy napiliby się mleka. Kiwnęli hełmami. Nie spytałem, czy są głodni, czy może jabłek by sobie urwali. Stała jabłonka tuż za kamienicą, obrodzona jak nigdy. Nie, tylko czy napiliby się mleka. Skąd mi to mleko przyszło do głowy, do dziś nie umiem sobie wytłumaczyć. Zaprowadziłem ich do sutereny.

– Mleka! – zawołałem, jakbym był jednym z nich.

Gospodyni złapała jakieś garnuszki i chciała im w te garnuszki ponalewać, lecz gospodarz ją powstrzymał.

– Co ty im w garnuszki? To żołnierze. Przynieś garnce.

Przyniosła, ponalewała, w taki garniec wchodziło ze dwa litry. Odstawili karabiny, zdjęli hełmy i powsadzali w te garnce głowy. Pili tak zachłannie, łapczywie, jakby to picie mleka było nie tylko gaszeniem pragnienia, ale i ulgą od dawna niezaznaną w mozole wojny. A kto wie, czy to mleko nie oddalało ich od śmierci, czyhającej na każdym kroku. Nie wyjęli głów z garnców, dopóki nie wypili do dna.

– Spasiba – powiedział najstarszy rangą.

Po czym wyciągnęli woreczki z machorką, urwali po kawałku gazety, uwili sobie skręty i zakurzyli. Gdy odchodzili, któryś z nich rzucił:

– Ostawajties' z Bogom.

W niedługi czas po nich zaczęły jechać czołgi. Powychodziliśmy wszyscy z sutereny i kiwaliśmy im aż do ostatniego, a oni kiwali nam. Po tych czołgach wróciliśmy do domów. Nasz dom, na szczęście, ocalał, tylko szyby powylatywały we wszystkich oknach. Wszędzie było pełno potrzaskanego szkła, na parapetach, na podłodze, na stole, łóżkach, nawet krzesłach. Trzeszczało przy każdym kroku. Inne domy wyglądały znacznie gorzej, pozrywane dachy, poobalane ściany albo całkiem w ruinie, kilka spłonęło.

Ledwo weszliśmy w próg, matka przeżegnała się, a ojciec powiedział:

– No, to żyjemy. – I zaraz kazał uszyć matce biało-czerwoną chorągiew.

– Może najpierw obiad zrobię? Tak długo nie jedliśmy gotowanego. O, raz-dwa bym kartofle obrała.

– Nie, chorągiew.

– Co ci się w głowie pomieszało? – zezłościła się. – Z czego ci zrobię? Może jest gdzieś kawałek słoniny, bo z czym te kartofle zjemy?

– Nie, chorągiew. – Zgarnął szkła z krzesełka, usiadł, zamyślił się, a po chwili jakby sam do siebie powiedział: – Inaczej nie uwierzę.

– W co masz uwierzyć? – zaniepokoiła się matka.

– Żeśmy przeżyli.

– O, siedzisz na krzesełku w swoim domu, nie wystarczy ci?

Zaczęła jednak szukać. Myślałem, że może tego kawałka słoniny, gdy nieoczekiwanie powiedziała:

– I z czego tu uszyć? Z czego. Białe to bym może z prześcieradła ucięła. Ale czerwone, nie mam pojęcia.

– Co oni tak pili to mleko? – spytał ojciec. – Jacyś dziwni żołnierze.

– Żołnierze wszystko wypiją. Nie służyłeś w wojsku, to co ty wiesz o żołnierzach. Nie mówił tu kiedyś ten, co nawracał nas na swoją wiarę. Na początku wojny, pamiętasz? Dopadli żołnierze strumyka, pokładli się na brzegu, kule nad nimi świstały, a oni głowy w rzece i pili. Z kilometr ich leżało. Niektórzy już nie wstali.

– To byli nasi.

– Nasi nie nasi, wszyscy żołnierze tacy sami. Weź no, zamieć chociaż te szkła, a otrzeźwiejesz. O, już wiem, z czego zrobię czerwone. Z wsypy. – Złapała z łóżka poduszkę. – Chodź na dwór, przesypiemy pióra do worka. Worek powinien być w sieni.

No, i gdy matka uszyła tę chorągiew, ojcu przeszły wątpliwości, czy żyjemy. Przysposobił drzewce do tej chorągwi z tyczki do fasoli. Sadziła matka w ogródku za domem i trochę fasoli między innymi. Nie wiem, dlaczego na tę fasolę mówiło się „jaś", w każdym razie rosła na wysokich tyczkach. Poszedł do drewutni, wyniósł zwój drutu i drabinę, a matce kazał wyjść na drogę. Oparł o dach tę drabinę z drugiej strony domu i zaczął się wspinać. Doszedł na sam szczyt, przystawił drzewce do komina i owinął drutem.

Patrzyłem z podwórka, jak ojciec wychodzi na dach, a potem przybiegłem do matki na drogę. Matka śledziła każdy jego ruch na tym dachu z narastającym przerażeniem, aż w końcu krzyknęła:

– Na miłość Boską, chcesz mnie wdową zostawić?! Złaź! Bym wiedziała, że ją tam zawiesisz, nie uszyłabym! Złaź!! Co ci do głowy strzeliło?!

Wybiegli sąsiedzi z najbliższych domów, zwabieni krzykami matki, pozadzierali głowy z ciekawości, spadnie czy nie spadnie? Któryś z sąsiadów zawołał z dołu do ojca:

– Wpierw trza było dachówki powstawiać! Natłukło i wam! Wpadniecie jeszcze w jakąś dziurę!

Matce dodało to jakby chęci do spazmowania:

– Matko Święta! Matko Święta! Poduszkę zmarnowałam! Prześcieradło zmarnowałam! Złaź!

Jak większość domów i nasz był kryty dachówką. A dachówka to trzęsawisko pod nogami. Dasz krok, a tu dachówka uciekła i dziura pod stopami. Byle silniejszy wiatr, nie mówiąc huragan, a dachówki same lecą. A ile grad nieraz natłukł. Teraz też w dachu było sporo dziur po kulach, odłamkach. Ale ojciec był młody, udało mu się jakoś je omijać. Tak że gdy wyłonił się zza szczytu dachu z tą chorągwią, a byłem wtedy już przy matce, aż podskoczyłem z radości, za co matka trzepnęła mnie po głowie.

– Widać, będziesz taki jak on.

Chyba komuś ten sukces ojca nie po myśli był, może liczył, że ojciec spadnie, bo nagle rzucił ze złością:

– Urzędnik, psia mać. Urzędnikom tak się nieraz miesza od papierów. Zamiast dachówek, chorągiew.

– A wy co? – rzuciła się matka jak oparzona na niego. – Wara od mojego męża. – I z tą samą wściekłością ku ojcu: – Złaź! Jak do ciebie mówić?!

Ale ojciec jakby nie słyszał nawoływań matki. Trzymał się jedną ręką brzegu komina i okręcał go drutem, mocując chorągiew. Nikt ze stojących na drodze ludzi nie opuścił choćby na chwilę głowy, wszyscy mieli zadarte, jakby tę chorągiew wciągał na maszt ku ich chwale, że żyją. Ktoś nawet z troską w głosie powiedział:

– Tylko jak oni będą schodzić? Schodzić gorzej niż wchodzić. Kiedyś tak…

Ale ktoś mu nie dał dokończyć:

– Nie gadajcie, patrzcie.

Nigdy nie byłem tak dumny z ojca jak wtedy. Uwiązawszy tę chorągiew, oparł się o komin i tak stał, a chorągiew łopotała nad jego głową. Wiał leciutki wiatr, którego tu, na dole, prawie się nie czuło, tam, w górze jednak, jak to zwykle w górze, zawiewał silniejszymi podmuchami, a każdy podmuch okręcał ojcu tą chorągwią głowę. Nie uwalniał się od niej, czekał, aż następny podmuch sam go odsłoni. Z tą chorągwią nad głową, trzymając się jedną ręką komina, wyglądał jak pomnik ojca zwycięzcy. A nasz dom z tym kominem, miałem wrażenie, że to cokół, wzniesiony dla stojącego na szczycie ojca. Z wielu pomników, które w życiu widziałem, jeden tylko mógł się równać z nim, Statua Wolności. Nawet matka jakby nie śmiała już krzyczeć na niego, złaź! Tylko zaczęła go prosić:

– Zejdź. No, zejdź już. Nastałeś się dosyć.

Byłem chyba na trzecim roku studiów i przyjechałem na wakacje do rodziców. I jak w każde wakacje chciałem, żeby mi ojciec załatwił robotę w zakładach, bo nie wyobrażałem sobie spędzania wakacji na bezczynności. Matka omal się oburzyła:

– No, wiesz co? Nawet ci nie wypada teraz robotnikiem być. – I do ojca: – Nie dam ci załatwiać!

– A jak chce?

– To chyba że gdzieś w biurze.

– W biurze, na sezon, co ty? Sezonowa robota tylko na produkcji. Truskawki walą, zaraz będą i porzeczki.

Upiekła matka topielca, jeszcze miała trochę rodzynków. I przy tym topielcu i herbacie, a była niedziela, wspomniałem, jak ojciec stał wtedy na dachu i przywiązywał chorągiew do komina. I że tam ten dawny lęk o niego czasem i teraz mnie draśnie, a tyle lat minęło. Nie pamiętam, czy ojciec chciał coś powiedzieć, czy nie, lecz uprzedziła go matka:

– Co ty wygadujesz? Gdzie on by ci na dach wyszedł? Dachówek tu kiedyś burza natłukła, to musiałam nająć dekarza.

– To nie wtedy najęłaś – odezwał się jak zawsze spokojnym, beznamiętnym głosem. – A burza była innym razem. Spałaś wtedy jak zabita. Walnął piorun w jesiona przy spółdzielni, rozłupał go na pół, toś się tylko obróciła na drugi bok. O, nałamało wtedy drzew, nazrywało dachów, pioruny biły jeden za drugim. Na szczęście z naszego dachu nie zerwało ani jednej dachówki. Ranoś się obudziła, to nie mogłaś się nadziwić, że burza w nocy była. A wtedy tę chorągiew...

– Jaką chorągiew?

– Uszyłaś z prześcieradła i wsypy.

– Nie pamiętam.

– To może nie pamiętasz, że i młody wtedy byłem? Nie był stary i teraz. Zauważyłem jedynie, że miał grubsze okulary niż poprzednim razem. Jego starość późno rzuciła mi się w oczy. Na dobrą sprawę, kiedy i ja już przestałem być młody.

Nigdy go o to nie pytałem, choć może powinienem, bo któż by mi mógł bardziej szczerze odpowiedzieć niż ojciec, czy wyobraźnią sięga już po kres swojego życia. No, tak, tylko gdyby wyobraźnia była nawet skłonna do tego, po co miałby przygniatać się tym, co będzie? Młodości tak przecież niedługo. Poza młodością cała reszta jest przymuszaniem się do życia, w najlepszym razie przyzwyczajeniem. Gdyby nie młodość, czym byśmy tę resztę karmili? Położyć tę całą resztę, choćby najdłuższą, na jednej szalce, a na drugiej nie tak wiele lat naszej młodości, młodość by z pewnością przeważyła. W najgorszym razie szalki by się zrównały. Być może to cały sens istnienia, przynajmniej według mnie. Dlatego nie śmiałem go nigdy o to zapytać, gdyż nie wypadałoby mi nie zgodzić się z ojcem.

Na dobrą sprawę, że jest już stary, dostrzegłem, gdy umarła matka. Nie rozpaczał, nie płakał, nie żalił się, z dnia na dzień po prostu osiwiał. Z chłodnym spokojem przyjął jej śmierć. Nie chciał, żeby go pocieszać. Słowa cedził krótkie i konieczne. Tyle że na kilka dni przed pogrzebem, z siwizną aby na skroniach i pasemkami tu i tam, na pogrzebie był już całkiem siwy. Byłem akurat po habilitacji. Nie chciał, abym go wziął do siebie.

– Masz swoje życie i swoje kłopoty – powiedział. – Po co ci jeszcze moje.

Zostałem kilka dni u niego, niewiele wspominaliśmy przez ten czas, jakby wspomnienia raniły, nie pocieszały. Miałem jednakże wrażenie, że bezradny w najprostszych sprawach, pyta w myślach matkę o to czy o tamto. Ile soli do zupy wsypać, czy herbata musi długo naciągać, czy kromki takie czy grubsze pokrajać, czy wystarczy kołnierzyk u koszuli na jedną stronę tylko wyprasować, żelazko na jaką temperaturę nastawić. Zmywanie naczyń też mu nie szło, stłukł talerz, wypadł mu przy wycieraniu z rąk. Chciałem to czy tamto za niego zrobić, nie pozwolił mi, jakby musiał zrezygnować z tych pytań do matki. Poszedł do sklepu, to nakupował, jakby matka mu to wszystko na kartce spisała. Raz kupił seler naciowy, pytam go:

– Na co ci ten seler? Co będziesz z niego robił?

– Ano, nie wiem, kupowało się nieraz, to kupiłem.

Na moje nalegania, że przecież nie może zostać sam, odpowiedział:

– Nie jestem sam.

Dało mi to na długo do myślenia. Być samemu, a czuć się samotnym to może zupełnie co innego? Przecież bywa, że człowiek ma żonę, dzieci, wnuki, przyjaciół, a czuje się samotny. Może samotność sami sobie zadajemy jako niezgodę na świat, w którym przyszło nam żyć? Może jej źródło kryje się w naszej bezbronności wobec tego świata? A może i wobec naszego losu, na który nie mamy wpływu?

Nie pamiętam, czy to było wcześniej, czy w tym ostatnim roku. A taki rok nie składa się z dni, tygodni, miesięcy, jakby można sądzić. Taki rok nigdy sam z siebie się nie kończy. Napełnia się bez mała całym naszym życiem i każe nam je od początku przeżywać. Nie ma zrozumienia, że jesteśmy już zmęczeni, że nażyliśmy się dosyć. Pomyślałem więc, niech on to ciągnie. Młody jest, podoła, ma całe życie przed sobą. Stał właśnie w Uchu Igielnym i jak zawsze czekał na nią. Nie poznał mnie, a może nie chciał, nie ma to znaczenia. Posądzanie mnie jednak, że miałem jakiś udział w jego śmierci, jest bezzasadne, wręcz niesprawiedliwe. Oczywiście, nie chcę powiedzieć, że nie mam wyrzutów sumienia. Nie mogę się ich pozbyć do dziś. Ale czy człowieka nie dręczą wyrzuty sumienia choćby z powodu, że świat jest taki, nie inny? Jakkolwiek sądzi, że nie ma w tym jego udziału. Nieprawda, że winni są tylko inni. Przypisywanie sobie cnoty niewinności to brak zrozumienia dla naszych związków ze światem.

Stało się więc, co się miało stać. Tak że musiałem wziąć jego życie na siebie. Cóż, nikt nie żyje tylko własnym życiem. Można by nawet powiedzieć, że powtarzamy to, co inni już przeżyli, począwszy od swojego urodzenia po śmierć. Może dzięki tej powtarzalności udaje nam się przetrwać. Bo trudno sobie wyobrazić, że to od nas zaczynałby się świat. Za nami nic, a przed nami co? Nawet zbuntować się za to, że żyjemy, nie byłoby przeciw komu. Szlibyśmy w przyszłość po omacku, pełni lęków, trwogi, nie wiedząc, gdzie idziemy. A tak przynajmniej idziemy już po jakichś śladach, nieważne w jakim kierunku. Ślady są ważniejsze od wszelkich kierunków.

Ja miałem przez niego te ślady wyznaczone. I szedłem po nich, można by powiedzieć, stopa w stopę. Mógłbym w ciemno iść, a ślady jego by mnie same prowadziły. Chociaż zastanawiam się, czy to on znaczył te ślady, po których szedłem, czy ja, po których on, niczym wyżeł za zwierzyną, podążał za moją młodością. Gdy dostałem się na studia, postanowiłem się choć trochę uwolnić od niego. Dlatego nie złożyłem podania o akademik. Inna sprawa, że nie byłbym już w stanie mieszkać w wieloosobowym pokoju, mieszkałem, to wiem, jaka to udręka, a jednocześnie nie stać mnie było na wynajęcie jakiegoś samodzielnego kąta w mieście, nie chciałem też obciążać rodziców, choć zapewne by mi pomogli. Miałem trochę zaoszczędzonych pieniędzy z pracy w zakładach, ale musiałem sobie kupić parę rzeczy na zimę, kurtkę, buty, skarpety, do tego trochę książek, kilka podręczników, no, i musiało mi przecież starczyć na jedzenie. Wywiesiłem na uczelni ogłoszenie, że szukam kwatery w zamian za korepetycje, lecz nikt się nie zgłaszał.

Dzień spędzałem przeważnie w bibliotekach, a na noc szedłem spać na dworzec kolejowy. Na dworcu był i bufet, i klozet z umywalkami, więc od biedy można się było i umyć, i coś zjeść. Gorzej ze spaniem. Prawie noc w noc pojawiał się patrol milicyjny i wszystkich śpiących zrywali z ławek, i legitymowali, wypytując, co się tutaj robi, gdyż ostatni pociąg już odszedł. Tłumaczyłem się zwykle, że spóźniłem się na ten ostatni i czekam na następny, który będzie dopiero rano. Musiałem się nauczyć wszystkich pociągów na pamięć. Niektóre godziny odjazdów do dziś pamiętam. Ostatni odchodził o dwudziestej drugiej trzydzieści, a ranny o szóstej siedemnaście. Wiadomo, jak pociągi wtedy chodziły. Czekanie przez całą noc na połączenie nie było czymś wyjątkowym. Zwłaszcza gdy ten przychodzący spóźnił się, tamten odchodzący o dwudziestej drugiej trzydzieści najczęściej nie czekał, a następny był dopiero rano. Spóźniały się nagminnie, gdyż musiały po drodze przepuszczać pospieszne czy towarowe tranzyty z jakimś ważnym ładunkiem. Sieć kolejowa była jednotorowa, więc i tak chwała kolejarzom, że jakoś to wszystko wiązali.

Na szczęście gdy milicja wkraczała na dworzec, przez poczekalnię szedł sygnał, że idą, budzić się. Można by powiedzieć, że działał jak gdyby łańcuch sygnalizacyjny przeciągnięty przez poczekalnię, a opracowany przez tych, którzy nocowali tu na stałe. Zawsze ktoś z nich nie spał, czatując przy wejściowych drzwiach, każdej nocy kto inny. Z tym że stali lokatorzy poczekalni znani byli milicji i ich na ogół nie legitymowano. Natomiast każdy nowy był od razu podejrzany, tak że niekoniecznie musiał spać, mógł siedzieć zwyczajnie na ławce i nawet czytać książkę czy gazetę. Właśnie mnie się którejś nocy coś takiego przydarzyło.

– Student? – zdziwił się jeden z nich, otwierając moją legitymację, a dwóch ich było. Zaświecił mi latarką w twarz, po czym skierował tę latarkę na legitymację. I tak parę razy na przemian w twarz i na legitymację, w twarz i na legitymację, jakby porównując, czy moja twarz z tą w legitymacji zgadzają się. Widocznie nie był do końca przekonany, bo zwrócił się do tego drugiego: – Popatrz no ty. Bo coś jakby.

I teraz już obaj, każdy swoją latarką, rzucali raz po raz strumienie światła na przemian w moją twarz i w tę na legitymacji, próbując uchwycić podobieństwo między mną a mną. Oślepili mnie, że coraz mniej ich widziałem. W końcu ten drugi, jak gdyby życzliwszy, rzekł:

– Można by go zabrać, ale tam już pełno.

– Zmieściłby się, tylko trzeba by pisać protokół.

– Chce ci się? Daj no tę legitymację. Przypatrzę się dokładniej. – I znów zaczął świecić na zdjęcie w legitymacji i na moją twarz. – Na zdjęciu jeszcze gówniarz, to trochę jakby niepodobny.

– Możeście komu ukradli tę legitymację, co?

– Nie miałem innego zdjęcia i to dałem. Przysięgam panom.

– Trzeba by dać do zbadania.

– Do zbadania to musieliby wysłać do laboratorium. Może niewyspany i dlatego jakby niepodobny, on, nie on, dlatego trudno ustalić, on, nie on.

W tej samej chwili zadudnił megafon, że pociąg w kierunku takim a takim odjeżdża z toru przy peronie takim a takim.

– Panowie, to mój pociąg – wykrztusiłem błagalnie. – Puśćcie mnie.

Jakby z oporem oddali mi legitymację, a któryś pogroził mi palcem.

– Jeszcze się spotkamy, ptaszku.

Wskoczyłem, gdy pociąg już ruszał. Dojechałem do następnej stacji i wróciłem piechotą. Odtamtąd już nie chodziłem spać na dworzec. Przez parę nocy przespałem się w sali wykładowej, wciśnięty pod ławkę, tak że woźny mnie nie zauważył, gdy sprawdzał na koniec dnia, czy ktoś nie został. Raz u jednego, poznanego co dopiero, kolegi w akademiku „na waleta", raz u drugiego, ze dwie noce na klatkach schodowych w jakichś kamienicach. Nie zamykano jeszcze wtedy drzwi do kamienic. Nie gorzej się spało niż w poczekalni dworcowej. Nie zaglądała tu przynajmniej milicja. Bo w poczekalni czasem nie było wolnej ławki, żeby można się wyciągnąć, a czasem i kawałka wolnego miejsca na żadnej ławce. I trzeba było w kucki gdzieś pod ścianą. Albo przysiadł się ktoś, często pijany, i zaczynał gaworzyć od rzeczy. I już nie było spania.

Raz tak przysiadł się do mnie jeden ze stałych bywalców, który miał tu swoją ławkę. Mogli na innych się gnieść, ta zawsze wolna czekała na niego. Bali się go, kawał chłopa był. Kiedyś zadźgał podobno tu kogoś nożem, ale nie znaleźli świadków, że to on. Jeśli ktoś siadł przypadkiem na tej jego ławce, zwalał go niczym tobół, gdy przyszedł.

– Kolega nie śpi? – Zrzucił mi nogi. – To opowiem koledze swoje życie. Kolega młody, skąd może wiedzieć, co to życie. Z gazet, książek? Życie człowiek nosi w sobie. Nie opowie, to go nie ma. – No, i już nie było mowy o spaniu.

Z coraz mniejszą nadzieją rzucałem co dzień wzrokiem na tablicę ogłoszeń na uniwersytecie, czy ktoś nie dopisał się do mojej kwatery w zamian za korepetycje. Ale mijał czas i nic. Aż któregoś dnia patrzę, a na drzewie przed wejściem na dziedziniec przylepiona jest karteczka, a na niej kulfoniasty, odręczny napis: „Jeśli ktoś nie ma gdzie spać, odstąpię mu połowę swojego łóżka za pomoc w nauce". I podany adres.

Był to uczeń technikum samochodowego, tępy jak stołowa noga. Poza przedmiotami zawodowymi, z którymi jako tako mu szło, wszystkie pozostałe musiałem regularnie z nim odrabiać, bo ciągle zbierał dwóje, rzadko kiedy dostateczny z minusem. Widząc, ile mi to czasu zajmuje, dzielił się ze mną nie tylko łóżkiem, także jedzeniem. Był ze wsi i co dwa tygodnie, niekiedy częściej, dostawał z domu wałówkę: jajka, masło, smalec ze skwarkami, czasem kiełbasę czy boczek, czasem powidła, miód i zawsze bochen czarnego chleba ze znakiem krzyża. A w każdej takiej wałówce list od matki, który kończył się zwykle jak gdyby zaklęciem: „Ucz się, synu, ucz. Bo tu u nas mówią, że będą ziemię odbierać. Aż się boję myśleć, co z tobą wtedy będzie. Modlę się, żeby Bóg miał cię w swojej opiece, bo nas widać już opuścił. Miej litość nad nami, Panie Boże. Matka".

Dukał ten list półgłosem, bo nie umiał czytać w myślach. Aż się nieraz spocił, złoszcząc się na matkę, że pisze jak kura pazurem, nie dość że kulfonami, to jeszcze słów nie rozdziela, jakby od początku do końca listu ciurkiem płynęło jedno słowo.

– Nie ma się nawet gdzie zatrzymać. Pomógłbyś mi – nieraz mnie prosił. A zdarzało się, że i wygadywał na matkę: – Lepiej, żeby nie umiała pisać, nie musiałbym czytać. – I kiedyś mi zdradził, że jak zaczął chodzić do technikum, matka poszła na kurs dla analfabetów, żeby móc pisać listy do niego.

Żal mi go było, ale jeszcze bardziej tej jego matki. I nie szczędziłem ani czasu, ani wysiłku w udzielaniu mu korepetycji. Bywało, że dopiero nad ranem szliśmy spać. Ja mogłem przynajmniej dłużej pospać, on musiał zdążyć do szkoły. Łóżko, na którym spaliśmy, było żelazne, na sprężynach i nie na tyle szerokie, żeby wygodnie się ułożyć, nie dotykając ciałami. Poza tym sprężyny były pośrodku już tak wyciągnięte, żeśmy zsuwali się na siebie. Toteż gdy się on przekręcił na drugi bok, musiałem się i ja przekręcić. A zardzewiałe sprężyny przy każdym takim przekręcaniu się trzeszczały niemiłosiernie pod nami, że zawsze się budziłem i już nie mogłem zasnąć, dopóki on nie wstał. On natomiast gdy się przekręcał, nie przerywał sobie nawet oddechu. I myślę, że gdy mu się coś śniło, śniło mu się to samo dalej na drugim boku. Sen miał tak twardy, że nastawiony budzik dzwonił i dzwonił, a on się nawet nie poruszył. Gdybym go nie zbudził, że czas mu już do szkoły, spałby dalej.

Nie zmieściłoby się jednak drugie łóżko ani choćby szersze od tego, na którymśmy spali. Pokój trudno byłoby nazwać pokojem. Kto wie, czy nie była to niegdyś służbówka dla służącej, a może łazienka kogoś bogatego, kto zajmował całe piętro w kamienicy. Albo nawet cała kamienica należała do niego, tylko że po wojnie już do niej nie wrócił i zasiedlono ją licznymi, przeważnie biednymi rodzinami. I u jednej z tych rodzin wynajmował tę klitkę. Prócz łóżka stał tu jeszcze wąski stół, a przy nim dwa zdezelowane krzesła, które chwiały się na wszystkie strony, gdy się siadło. Przechodząc do łóżka, ocierał się człowiek o ścianę, albo musiał bokiem przechodzić, tak było ciasno. Nie było też osobnego wejścia, tylko przez kuchnię, a drzwi otwierały się nieledwie do połowy. Na szczęście byliśmy obaj chudzi, gospodyni była kruszyna, a jej dwaj synowie też jakoś się przeciskali, gdy któryś do nas zaszedł. Zresztą nawet na ulicach nieczęsto się wtedy spotykało grubych.

Jedno okno było i akurat łóżko przy nim stało, a nie dość, że od północnej strony, to tak wąziutkie, że nawet w słoneczne dni niewiele światła wpadało, tak że uczyliśmy się przy zapalonej lampie wiszącej nad stołem. W dzień czterdziestowatowej, a na noc, gdy wszyscy u gospodyni już spali, a myśmy się dalej uczyli, wychodził na stół i zmieniał żarówkę na setkę, którą, gdyśmy szli spać, zmieniał znów na czterdziestkę. Ponieważ płacił osobno za prąd, tak się umówił z gospodynią, że będzie świecił czterdziestką, a ona już tam jakoś to obliczała, ile wypada każdego miesiąca na niego.

Licznik był jeden na całe piętro. Wisiał na klatce schodowej, a mieszkań na piętrze było sześć, trzy po jednej stronie klatki, trzy po drugiej. Nie wiem, jak się te wszystkie rodziny rozliczały między sobą z prądu, czy od metra powierzchni, czy od liczby osób. W każdym razie gdy przychodził inkasent obliczyć zużycie, wszystkich jakby wymiotło z wszystkich sześciu mieszkań. Dzwonków było po trzy dla każdej strony, z imionami, nazwiskami mieszkańców przy każdym, dzwonił więc po kolei, nikt mu jednak nie otworzył. Stukał, pukał, bez odzewu, jakby nie miał właśnie szczęścia trafić na kogoś obecnego. Szarpał za klamki, walił nawet pięścią, znając mieszkańców piętra, że go oszukują, a zapewne siedzą i wstrzymują oddechy, dopóki nie odejdzie. Przykładał nawet ucho do drzwi, czy go jakiś szmer nie dojdzie. W końcu bezradny zostawiał rachunek, wciskając go za licznik, z dopiskiem pilne, bo kara grozi. Uparty był, ale trudno się dziwić, miał prowizję od zapłaconego od ręki rachunku. Wściekł się, to nieraz i wyzywał mieszkańców od najgorszych, że wpuszczono hołotę do takiej porządnej kamienicy, w psich budach powinno to mieszkać, a jeszcze im prąd dali do świecenia.

– W ciemnościach siedźta, takie owakie! Albo świeczkami se świećta! – słychać go było jeszcze na podwórzu.

Nic to jednak w porównaniu z kłótniami, które wybuchały po jego odejściu, gdy można było być pewnym, że chodzi już po następnej ulicy. Pierwszy, kto się dorwał do rachunku, wywoływał wszystkich z mieszkań. Raz byłem świadkiem takiej awantury. Wróciłem właśnie z zajęć, a tu rejwach na naszym piętrze. Ktoś niemal skamlał:

– Ja mam płacić?! Ja mam płacić?! A za co?! Późno przychodzę i od razu kładę się spać!

– Pokaż no pan. – Ktoś mu wyrwał ten rachunek z ręki. – Kto tyle wypalił?! Kto tyle wypalił, do jasnej cholery! Bo ja nie! U mnie wszystkie żarówki dwudziestki piątki!

Ktoś wyrwał i jemu ten rachunek z ręki.

– O, nie, jebana! Grosza nie zapłacę! Niech tak skonam! W zeszłym miesiącu połowa tego było.

– To ile tam jest? – ktoś się dopytywał. A ze wszystkich mieszkań już powychodzili.

– Może licznik zepsuty? Zgłosić, niech wymienią.

– Co zepsuty. Grzeją tu grzałkami wodę na herbatę, to ile naciągnie.

– A pan masz piecyk elektryczny i nogi grzejesz, bo panu marzną. Nie słyszałem, jak pan się skarżył do sąsiadki?

– Ja nogi?! Ja nogi?! Ty chamie! Ja okna otwieram, bo mi jest gorąco! To ta pani ciągle pierze klientom i prasuje. – Wskazał na naszą gospodynię, która struchlała nie odezwała się ni słowem. – Ona tak naciąga.

– A tamci spod trójki siedzą całymi nocami i zabawki jakieś robią – ktoś próbował wziąć gospodynię w obronę, bo po tej samej stronie klatki mieszkał.

Ktoś się w końcu wściekł i niemal ryknął:

– A niech was wszystkich! Płacić po równo, jak była umowa!

– Jaka umowa? Umowa musi być na piśmie. Masz pan pismo? Nie masz.

Wcisnął się wreszcie w tę męską zajadłość jakiś piskliwy głos kobiecy:

– Musi się wtrącić jakaś siła wyższa, bo nigdy nie będzie sprawiedliwie. Ja mam po równo? A ja prawie nie świecę. Z wieczora zawsze się modlę. Modlitwa po ciemku najprędzej trafia do Boga. I potrzebuję tyle światła, żeby się umyć i rozebrać.

– Sprawiedliwie, droga pani, jest po równo, musi pani wiedzieć. I nie trzeba siły wyższej. Za taką sprawiedliwość krew przelewaliśmy.

Ktoś się aż zapienił z powodu tej przelewanej krwi:

– Pan przelewał krew, donosząc na innych! Myśli pan, że nie wiemy?

Tamten słowem się już nie odezwał.

– Po równo, to trzeba by sprawdzić w meldunku, ile w jakim mieszkaniu mieszka. U tego pana – jakaś kobieta wskazała kogoś – cała zgraja mieszka, że niby rodzina. I tylko piją, w karty grają. Nie słyszę? Słyszę. Kto ma dzisiaj taką rodzinę. A ja jestem wdowa i tylko z córką.

– Do pani córki też się złażą co noc. Jeszcze jeden nie zejdzie, a już drugi stuka. Też słyszę.

Może by coś odszczeknęła, bo pyskata była, gdyby któryś z mężczyzn nie zarechotał:

– Na córunię lepiej nie patrzyć, bo opadnie. To i nie muszą świecić.

Poruszyło to kobietę do żywego, zapiszczała, na ile głos jej pozwolił:

– A wy psiekrwie! Wyrodki! Zboczeńce! Nawet wdowieństwa nie uszanują! A nieboszczyk mój nie chlał z wami?! Przez to umarł. Mój Jezu! Mój Jezu!

Nie wiem, jak po takich kłótniach dochodzili do zgody. W każdym razie kiedy tam mieszkałem, nie zdarzyło się, aby kiedykolwiek wyłączono prąd, prócz przypadków, gdy wyłączyli na całej ulicy czy na kilku, kilkunastu sąsiednich. Musieli więc płacić rachunki i w terminie, czy po równo, trudno mi powiedzieć. Może komuś coś opuścili, może ktoś coś wytargował.

Po przeciwnej stronie klatki mieszkał jakiś tajemniczy lokator, o którym różnie mówiono, lecz nie dałoby się z tego prawdy wycisnąć. Jedni udawali, że dużo wiedzą, drudzy, że jeszcze więcej. Ale ich prawdy mogłyby wywołać nie mniej burzliwą awanturę niż te rachunki za prąd. Do awantur nigdy nie dał się wciągnąć. Wyszedł, spytał się, ile na niego przypada, wyciągał od razu portfel, odliczał pieniądze, płacił i znikał.

Kiedyś się jednak zdenerwował, gdy kłótnia ocierała się już o bijatykę, wyskoczył, oświadczając, że w tym miesiącu on zapłaci cały rachunek, bo jeszcze milicję ściągną. Nigdzie nie pracował, w każdym razie nikt nie widział, aby z rana wychodził do pracy. Nosił się elegancko, zawsze marynarka, krawat, czasem muszka. Mieszkał z jakąś panią, równie elegancką, ładną i dużo młodszą. Co dzień wychodzili razem na obiad do restauracji, on trzymał ją pod rękę, ona przytulała się do niego, wdzięczyła. Zajmowali największe mieszkanie na naszym piętrze, trzy pokoje, kuchnia, łazienka, a byli tylko we dwoje. Nikt nie mógł zrozumieć, że im nikogo nie dokwaterowali. Na ścianach wisiały podobno obrazy, i to w złoconych ramach, a na podłodze w tym największym pokoju rozesłany był perski dywan. Meble też mieli nie takie zwykłe, jak wszyscy, lecz pogięte, powykręcane, rzeźbione, a krzesła nawet wyściełane. Mówiono, że to ona na niego pracuje, jedni, że śpiewa w jakimś lokalu, a drudzy, że jest kurwą, tylko nie taką zwyczajną jak te, co wystają wieczorami na ulicach, czy jak córka wdowy. Jeden raz kosztuje u niej tyle, co by taka córka wdowy za miesiąc nie zarobiła, gdyby nawet popyt miała przez dwadzieścia cztery godziny na dobę. A inni łączyli jedno z drugim, że i śpiewa, i kurwi się. Każdego dnia wychodziła zaraz po zmierzchu, a wracała, kiedy wszyscy już spali. My uczyliśmy się nieraz do bladego świtu, ale też nie widzieliśmy, kiedy wracała. Tajemnica się wydała, gdy ona któregoś dnia odeszła od niego, a niecały miesiąc po tym i on zniknął.

Zachodził często do naszej gospodyni, przynosząc rzeczy do prania i prasowania. Uprzejmy, pogodny, życzliwy, zawsze pytał gospodynię, czy mógłby jej w czymś pomóc, a płacił z naddatkiem, całując w podzięce jej spracowaną, chudą, pomarszczoną rękę. Bo ciężko pracowała, żeby utrzymać swoich dwóch synów bęcwałów. Młodszy spał zwykle do południa, po czym ubierał się i wychodził, oświadczając matce, że idzie załatwić jakieś interesy, a nieraz go spotykałem, jak szwendał się po mieście. Zobaczywszy mnie, albo zawracał, albo przechodził na drugą stronę ulicy. Starszy natomiast gdzieś pracował, mimo to stale był bez pieniędzy i pożyczał od matki, że po pierwszym odda. Za nic mieli, że matka ciągle nad balią. Umęczona, spocona, rozchełstana, niemal drobina przy tej balii, kołysała się w przód, w tył, jakby sił już nie miała, a prała tylko samym uporem. Jeszcze musiała gotować obiad, że może któryś wpadnie, a oni wpadali albo nie. Raz nie zdążyła i wpadł młodszy, powsiadł na matkę jak na burego osła, dlaczego nie ma obiadu. Musiała mu dać parę złotych, żeby zjadł w barze mlecznym.

Przez całą kuchnię, która była dość duża, jak to w przedwojennych kamienicach, biegły przewieszone równolegle sznury, do których musiała się wspinać na taborku, gdy rozwieszała pranie. Kiedyś spadła i nie dawała rady sama wstać. Na szczęście zaszedłem po coś do kuchni i podniosłem ją. Piórko, gdy brałem ją z podłogi. Nie więcej niż czterdzieści kilo wagi. Chciałem ją na łóżko do pokoju zanieść, nie zgodziła się, że musi pranie do końca rozwiesić. Roztarła sobie stłuczone miejsca i znów wyszła na taboret. Zdjąłem ją z tego taborka.

– Niech mi pani podaje po jednej sztuce, ja będę rozwieszał. – Rozpłakała się.

Kiedykolwiek zaszło się do kuchni, a myliśmy się w kuchni rano, wieczorem, czy zagotować wody na herbatę, podgrzać coś do jedzenia, pożyczyć jakieś naczynie, talerz, nóż, widelec, musiało się w pół zgiętym niemal pływać między tym schnącym na sznurach praniem. A i tak nieraz zawadziło się głową o prześcieradło, kopertę, obrus, koszulę, kalesony, halkę, majtki, gdy się człowiek musiał akurat wyprostować. Czasem miałem wrażenie, że pływam pod żaglami, chociaż nigdy nie marzyło mi się, żeby gdzieś popłynąć. Nawet raz mi się przyśniło, że jestem na pełnym morzu, a łódź moją popychają te prześcieradła, koperty, obrusy, koszule, kalesony, halki, majtki, w które dmie wiatr.

Prócz prania wynajmowała się gospodyni również do sprzątania. Dwa razy w tygodniu wychodziła na cały dzień. Nigdy nie wspomniała do kogo, skoro jednak na cały dzień, można było się domyślać, że sprząta jakieś wielkie mieszkanie, a może i dom. Musiały to być jakieś ważne osoby, tym bardziej że wracała zawsze z prezentami. Na jej powroty czatował już w tym dniu młodszy syn. Poszedł się poszwendać po mieście aby do południa, po czym wracał i już siedział w domu. Gdy matka wróciła, jakby z ciekawości tylko pytał:

– To co tam przyniosłaś?

Oddawała mu niemal bezwiednie torbę czy pakunek:

– A to zobacz, bo nawet nie wiem.

Rozpakowywał, wyrażając zadowolenie, gdy przyniosła na przykład wodę kolońską albo bombonierkę. Wodę kolońską zabierał, a bombonierkę otwierał i żarł, aż mu się uszy trzęsły, matki nawet nie częstując. Gdy jednak przyniosła coś, co uznał za bezpożyteczne, złościł się, wygadywał, trzaskał drzwiami i wychodził. Raz przyniosła mosiężnego konia ze skrzydłami.

– Po cholerę tego konia wzięłaś?! Jeszcze ze skrzydłami! Kto widział konia ze skrzydłami! Nikt tego nie kupi nawet za psie grosze! U jakiegoś wariata sprzątasz! Najmij się do kogoś innego!

– Ano, dali, to wzięłam – tłumaczyła się pokornie.

Innym razem tak samo się rzucał, gdy przyniosła książkę.

– Jeszcze ciul się podpisał, bo może by się sprzedało.

– Książki się wypierać nie śmiałam. Co miałam powiedzieć, że nie czytasz?

Widocznie udało mu się tę książkę dobrze sprzedać, bo wróciwszy następnego dnia wieczorem po całym dniu szwendania się po mieście, zawołał od drzwi:

– Bierz książki, matka! Tylko niech podpisują! – I ucałował pochyloną nad balią matkę w czoło. – Jakby co innego dawali, powiedz, że wolałabyś książkę.

Matka miała całe ręce po łokcie zanurzone w mydlinach, tak że go nawet ochlapała, gdy niepewny, czy słyszy, szurając rękami po tarce, krzyknął jej do ucha:

– Książkę!

Tak więc synowie ograbiali ją ze wszystkiego, z prezentów, z pieniędzy. A nigdy nie poskarżyła się na swój los.

Gdy nie miała już grosza, przychodziła do nas z prośbą, czy nie moglibyśmy jej za następny miesiąc choć połowę zapłacić. Nie wiedziała, że ja mieszkam tylko za korepetycje. Nie przyznawaliśmy się do tego. Nie wiem, jak to on z nią załatwił, że mnie przyjął na swoje łóżko. Może więcej jej zaczął płacić, bo przecież i myłem się, i gotowałem wodę na herbatę, i podgrzewałem sobie czasem coś do jedzenia, i pożyczałem a to kubek, a to nóż, widelec, talerz. Kiedyś napomknęła nieśmiało, że tanio bierze za ten pokój, inni biorą więcej. Może więc coś dołożył do tego, co dotychczas płacił, bo kiedy zbliżał się do matury, niecałe pół roku go dzieliło, oznajmił mi pewnego dnia, że musi kogoś trzeciego, od przedmiotów zawodowych, przyjąć na swoje łóżko. Nie najgorzej mu idą, ale chciałby cały materiał powtórzyć. I znalazł kogoś takiego, co skończył taką samą szkołę jak on, do tego pracował już w swoim zawodzie, w kilku fabrykach, to ma i praktykę.

No, i któregoś dnia zjawił ten od przedmiotów zawodowych. Wysoki jak tyka, w drzwiach musiał się pochylić, chudy, w plecach pochyły i gburowaty.

– Zbychu jestem – rzucił na powitanie. – To gdzie mam spać? Nie widzę drugiego łóżka.

– Na trzeciego z nami.

– Nie mówiłeś, że na trzeciego.

– Mówiłem. Powiedziałeś, niech będzie i na trzeciego, bo nie mam gdzie spać.

– Bo myślałem, że łóżko masz szerokie. Na filmie kiedyś leżały z gościem dwie dupy, on pośrodku, one po bokach, i nie spadali. A on był beczka, one też niczego sobie. – I zarechotał jakimś takim grzechoczącym głosem, jakby fasolą w przetaku poruszył. – Szkoda, że dalej nie pokazali. – I znów zaczął rechotać, jakby dalszy ciąg filmu zawładnął jego wyobraźnią. Nagle urwał, przetarł oczy, bo mu załzawiły od tego rechotania. – To ile ma być tej nauki, bo muszę szukać roboty. – Podszedł do łóżka, zatrząsł nim. Sprawdził siennik. – Zjebany. Trza by słomę wymienić. Mogę wam załatwić, specjalną do sienników. – Jaka to specjalna? – spytał mój uczeń. – Z wiochy jesteś, powinieneś wiedzieć. Cepami młócona, nie młocarnią. Ale to nie wchodzi już w naukę. A srać gdzie chodzita? – W podwórzu stoją dwa kible. – Niech będzie. Choć jestem przyzwyczajony do toalet. To właźta do łóżka, przymierzymy się. Wy głowy tam, ja w nogach. Poduszki mi nie trzeba, śpię na równo. Położyliśmy się, jak nam kazał, po czym on się wwalił między nas. Najpierw miał przy naszych głowach nogi, ale gdy wyciągnął się i zaczął te nogi prostować, dostał nie tylko do zagłówka, lecz między prętami jeszcze mu te nogi przeszły poza łóżko. – Chujowo – powiedział. – Ale nie da się żyć bez spania.

Młodość potrafi wiele znieść. Spać jednak we trzech na jednym łóżku, można przekląć i młodość. Nie przypuszczałem, że to spanie we trzech stanie się jednym ze słupów naszej wspólnej z moim uczniem pamięci. A to cenna taka wspólna pamięć, gdyż najtrudniej się na nią zdobyć. Miałem tego bolesną lekcję na uroczystości z okazji czterechsetlecia naszej szkoły, gdyśmy wspominali nasze wspólne zamieszkiwanie na stancji, a żadne zdarzenia nie chciały nam się z sobą zgodzić.

Gdyśmy zwrócili mu uwagę, że nogi, które trzymał za naszymi głowami, śmierdzą, nie zaprzeczał.

– Położyłbym się równo z wami, ale za szeroki jestem w plecach, nie zmieścimy się. Nic, będę spał w skarpetkach. W skarpetkach śmierdziały jeszcze gorzej, bo skarpetki nie wiadomo, czy były kiedykolwiek prane, a dziury miały na piętach i w palcach, że nawet przez sen nos wykręcało.

– Śpij już lepiej bez skarpetek – poradziliśmy mu.

– A co was tak razi – obruszył się. – Miałbym żonę, toby mi prała, cerowała. Tylko bym wtedy nie spał tu z wami we trzech.

Ten smród jego nóg nie był jeszcze najgorszy. Najgorsze było to, że gdy zmieniał pozycję, przekręcając się na jeden, drugi bok czy na wznak, musiał wyciągać spomiędzy prętów zagłownika nogi, po czym ponownie je tam wsadzać w zmienionej pozycji. A przez sen trudno mu było nieraz tak od razu trafić, toteż grzebał tymi nogami po naszych głowach, że wybijał się człowiek z najgłębszego snu. Półprzytomny a wściekły brałem koc i poduszkę i przenosiłem się na stół. Stół był na spanie za krótki, na wznak nie dało się, nogi zwisały i cierpły, jedynie na jeden czy drugi bok, podkulając je, jakby wracało się do łona matki. W takich przypadkach młodość się przydawała.

I tak męcząc się, niewyspani, przesiąknięci tym smrodem, dotrwaliśmy do matury. A chociaż zdawał ją tylko jeden z nas, można by powiedzieć, że wszyscy trzej zdawaliśmy.

Gdy się zbliżała, naturalnie zacząłem szukać nowego mieszkania. Wywiesiłem znów kartkę na tablicy ogłoszeń na uczelni, że szukam mieszkania w zamian za korepetycje. Podałem, z jakich przedmiotów, podałem tym razem i adres.

Mijały tygodnie, matura coraz bliżej, a tu nikt się nie zgłasza. Inna sprawa, że z klas maturalnych za późno, żeby ktoś potrzebował korepetycji, a z innych klas dopiero po wakacjach. Ale po powrocie od rodziców z wakacji muszę przecież gdzieś mieszkać. Niepokój mnie coraz większy dręczył i pytam kiedyś Zbycha:

— Gdzie pójdziesz mieszkać, jak ten nasz zda maturę?

— Może nie zda — jakby nadzieją zabrzmiało w jego głosie. — Dobrze byłoby i ten rok jeszcze. — Rozwiała się jednak ta nadzieja, gdy się przez moment zastanowił. — Choć teraz i głąba przepuszczą, jak posmaruje.

— I co wtedy zrobisz?

— Chyba wrócę do więzienia. Byłby i dach nad głową, i osobne łóżko, i wikt, opierunek. Do tego parę złotych, jak cię wezmą do warsztatów. Fachowiec i w więzieniu nie zginie.

— Powiedziałeś, wrócisz?

— A jak mam mówić? Siedziałeś już, to wracasz.

— Za co siedziałeś?

— Za nic. Inni kradli, a mnie wsadzili. Wychodził samochód z taśmy, to prawie każdy nie miał tego czy tamtego. Zdarzało się, że chłodnicy czy któregoś z tłumików. Dużo by mówić. Nawet popielniczki kradli, żarówki, klamki, dywaniki pod nogi. Co się tylko dało, kradli. W takim samochodzie, o, jest co ukraść. Miałem trochę szczęścia w więzieniu. Zepsuł się naczelnikowi samochód, naprawiali, naprawiali i dopiero ja mu naprawiłem. I zwolnili mnie wcześniej za dobre sprawowanie. Choć jak pomyślę, to nie wiem, czy to było szczęście. Może trzeba było coś pokombinować, żeby dołożyli.

Na samochody już nie chcieli mnie przyjąć. Poszedłem na budowę, ale tam też kradli. I znów mnie wsadzili. Raz cię wsadzą, to potem jak w dym do ciebie, gdzie tylko co zginie. Masz na całe życie patent. A ty gdzie, jak on zda?

– Wywiesiłem ogłoszenie na uczelni, że szukam mieszkania za korepetycje. Ale nikt się nie zgłasza.

– Wywieś na przystankach autobusowych, tramwajowych. Ludzie czekają nieraz i czekają, aż przyjdzie, to z nudów czytają. Albo przyjdzie przepełniony, że za Boga nie wsiądziesz, to co masz robić? Czytasz do następnego, aż przyjdzie. Choćby rozkład jazdy, jak nie masz książki czy gazety. Książka czy gazeta kosztują, a rozkład jazdy za darmo. Siedziałem z takim jednym, znał na pamięć rozkłady jazdy autobusów, tramwajów, pociągów. I od rana chodził po celi i w kółko powtarzał: ósma dwadzieścia trzy, dwunasta pięćdziesiąt osiem, szesnasta jedenaście i tak dalej, starczyły mu na kilka dni, potem od początku powtarzał. Pytam go, co tak mielesz te godziny? Powtarzam sobie rozkłady jazdy, prędzej czas mi schodzi. A miał dożywocie. Zamordował żonę i jej kochanka. Gdyby tak ci się udało znów jakiegoś głąba, moglibyśmy we dwóch. Niechby i na jednym łóżku, to nie to, co we trzech. Jakby nie był z zawodówki, tobym mógł go życia uczyć, znaczy praktyki, gwoździa wbić, żarówkę wkręcić, jak się posłużyć młotkiem, obcęgami, śrubokrętem, zmierzyć coś. Mało jest takich, co mają dwie lewe ręce, a nie mańkuci?

Jak mi radził, tak zrobiłem. Wywiesiłem ogłoszenia na kilku przystankach. Już myślałem, że nic z tego. Ten kończył zdawanie matury i zapowiedział, że niedługo będzie się wyprowadzał, a ja miałem jeszcze trzy egzaminy do zdania przed wakacjami. Zbycha ciągle gdzieś nosiło, wracał zły, jakby przetrącony, ale gdy się dowiedział, że ten głąb nasz zdał kolejny egzamin, wybuchał całą złością, którą z sobą przyniósł: – I skąd, kurwa, ma być sprawiedliwość?! Nic dziwnego, że potem niewinnych wsadzają.

Minęło wiele lat. Byłem już profesorem, gdy pewnego dnia na adres uczelni przyszedł do mnie list. Ręce mi z lekka drżały, czy to nie jakieś wezwanie, gdy otwierałem kopertę. Nie było jednak zwrotnego adresu, na szczęście, a cały list był odręcznie napisany, co się już prawie nie zdarzało. Mimo to gdy zacząłem ten list czytać, przemknęła mi myśl, że może to jakiś świadek tamtego zdarzenia na schodach sprzed lat, gdy byłem młody, chce mi teraz, jak to nieraz bywa, przy końcu życia, wyznać, że widział nas wtedy w Uchu Igielnym i prawda wyglądała inaczej, niż przedstawiłem to w czasie przesłuchania. Rozumie, że musiałem się bronić, gdyż każdy w mojej sytuacji by się bronił. A on nie chciał donosić, bo nikogo w życiu nie wydał. I być może prędzej bym uwierzył w list tego spóźnionego świadka, niż w to, co było w tym liście.

„Szanowny Panie Profesorze,
po tylu latach z pewnością Pan mnie nie pamięta. I nie dziwię się, bo dlaczego miałby Pan mnie pamiętać? Takich jak ja, którym dawał Pan korepetycje, przez te kilkadziesiąt lat, jakie odtamtąd upłynęły, miał Pan zapewne wielu. Zastanawiałem się, jak się Panu Profesorowi przypomnieć, i doszedłem do wniosku, że jedyne, co może Pan pamiętać, to że spaliśmy we trzech na jednym łóżku. Przepraszam za to przypomnienie,

ale czy mógłbym czymś innym zapaść w Pańską pamięć prócz tego łóżka? To była przecież udręka. A udręki nawet w młodości doznane, ba, również w dzieciństwie, od czasu do czasu w nas ożywają. Przyznam się Panu, choć może nie powinienem tak niemiłych spraw wywlekać, że jeszcze teraz budzę się czasem w nocy z obolałym ciałem jak wtedy co rano. Bywa też, że zaleci mnie i smród nóg naszego współtowarzysza niedoli, tego od przedmiotów zawodowych. Czy nie Zbychu mu było? A może Zyga, od Zygfryd? Nie, Zygfryd chyba nie. A przecie i jemu wiele zawdzięczam. Udzielił mi wielu praktycznych rad, których nie było w podręcznikach, a które w czasie egzaminów nieraz mnie uratowały. Czy wie Pan, co się z nim stało? Czy miał Pan z nim jakiś kontakt potem, gdyśmy się już rozstali? Pytam, bo mógłbym dzisiaj mu się odwdzięczyć, dać mu nawet jakąś pracę zgodną z jego wysoką fachowością, o czym mogłem się przekonać, gdy przerabiał ze mną cały materiał do matury, a bez pracy, bez mieszkania, bez środków do życia. Nie wiem, czy Pan Profesor wiedział, że wyszedł wtedy z więzienia, gdy go wynająłem jako korepetytora. Pytam również dlatego, że kiedy się człowiek z kimś rozstaje, zwłaszcza jeśli spał z nim w jednym łóżku, zawsze jest potem ciekaw, jak się potoczyły jego dalsze losy. A przynajmniej czy żyje.

Nie uczyłem się dobrze, ale dzięki Panu Profesorowi i jemu zdałem jakoś maturę. A co może Pana zdziwić, ukończyłem potem politechnikę, modny wówczas wydział budowy okrętów. Nie wierzyłem, że się dostanę, odradzano mi. Nawet moja matka, nieboszczka już, niestety, radziła mi, żebym poszedł na coś łatwiejszego, bo nikt ze wsi nie budował jeszcze okrętów. Ale pomyślałem, spróbuję, czasem trzeba przeskoczyć samego siebie, bo inaczej spadnie się jeszcze niżej. No, i udało się. Potem jednak zaczęto powstrzymywać moje ambicje. Awanse mnie omijały, nagrody mnie omijały, więc skorzystałem z okazji, jaka się pojawiła, i zaciągnąłem się na okręt handlowy, najpierw naszej bandery, potem przeniosłem się pod obcą. Przewoziliśmy towary z Europy do Azji, z Azji do Ameryki, z Ameryki do Afryki. Najdłużej pływałem po Pacyfiku, załoga była międzynarodowa i różnych zawodów, wielu z wyższym wykształceniem, lecz byłem jedyny inżynier po budowie okrętów, tak że dobrze zarabiałem, niewiele wydając. Wbrew udrękom matki rodzicom nie zabrali ziemi, więc namówiłem ich na założenie fermy kurzej. Nastał wtedy akurat dobry okres dla rolnictwa, a mięso kurze to najszybsze mięso do hodowli, więc zacząłem im wysyłać pieniądze. Kryła się w tym również myśl, że kiedy skończę z morzem, będę musiał przecież gdzieś wrócić, a rodzice nie są wieczni, tym bardziej gdy się zestarzeją, co wtedy? Niechby na początek nie była to przemysłowa ferma, wrócę, to ją rozwinę. Na morzu też nie da się za długo pracować, starość wcześniej przychodzi niż na lądzie. Chociaż nie wiem, czy w ten sposób nie dawała już znać o sobie tęsknota. Tęsknota w różny sposób może się objawiać, chyba Pan Profesor zgodzi się ze mną. Nawet poprzez wyobrażenie sobie ojczystego kraju jako kurzej fermy. Nieraz, patrząc na bezkres oceanu, widziałem tysiące, ba, miliony kur, jak się kłębią na jego powierzchni, a w poszumie fal słyszałem ich gdakanie. Już sobie obliczałem, ile mogę mieć dochodu z takiej fermy, co wybuduję za to na rodzinnej ziemi, ośrodek zdrowia, szpital, nową szkołę, dom kultury, remizę strażacką. Jeszcze tylko rok, dwa i koniec z morzem. Niestety, przyszedł pomór na kury i moje marzenia legły w gruzach. Matka z rozpaczy wkrótce zmarła. A kiedy wróciłem, ojciec dogorywał. Siadłem sobie na tym kurzym pobojowisku niczym Mariusz na ruinach Kartaginy. I zastanawiałem się, czy jak on rozpłakać się, czy powiedzieć sobie, nie dam się losowi. Zdziwi się Pan Profesor, że powołuję się na Senekę, ja, który ledwo zdał wtedy maturę. Ale pływając na statku, pobierałem ze wszystkich dziedzin naukę. Mógłbym powiedzieć, że czego nauczyłem się na morzach i oceanach, nie nauczyłbym się nigdy na lądzie. Znam cztery języki. A co się książek naczytałem przez te parę lat pływania, to bym przez całe życie tutaj nie przeczytał. Załoga niewielka, lecz kogóż tam nie było, wszystkie rasy i zawody, a każdy z innego kraju, niektórzy doświadczeni marynarze, pływali na niejednym już statku, pod różnymi banderami, ale byli i po wyższych studiach i do zawodu marynarza dopiero się przyuczali.

Gdy morze było spokojne, horyzontu nawet mgiełka nie zakłócała, a statek płynął po kursie, to chociażby z nudów człowiek się chętnie uczył, chętnie czytał, chętnie słuchał. Był na przykład taki jeden po filologii klasycznej. Nie wiem, jak się między nami znalazł, zdaje się, że jego wuj był kapitanem na innym statku, który z naszym statkiem spotykał się czasem w portach. Wykonywał najpodlejsze roboty, szorował pokład, kajuty, kible, a kiedyś mi mówi, że dopiero tu na morzu poczuł się wolny. Albo pomocnik kucharza, skończył prawo i jak mówił, uciekł na morze przed bezprawiem. I tak mógłbym Panu całą załogę przedstawić. Ale był taki jeden, co skoczył w morze i już nie wypłynął.

Zanudzam Pana. Przepraszam. Ale temu pobytowi na okręcie zawdzięczam to, że nie załamałem się po upadku tej kurzej fermy, z którą wiązałem tak wielkie nadzieje. Przywiozłem trochę pieniędzy, więc postanowiłem dokupić kilka hektarów ziemi, była za bezcen i leżała odłogiem, gdyż wieś nasza prawie wymarła, młodzi pouciekali w świat, a starzy już nie dawali rady na ziemi i schodzili w jej głąb. Zacząłem od truskawek, ryzykowna uprawa, ale założyłem tunele foliowe, które widziałem w innych krajach i wyhodowałem dorodne, wczesne truskawki. Potem dokupiłem znów kilka hektarów, doszedł tytoń, chmiel. Coraz bardziej nabierałem przekonania, że uprawa ziemi ma przyszłość. Świat jest wciąż głodny, a będzie jeszcze głodniejszy, bo przybywa ludzi. Dzisiaj mam dwa tysiące hektarów, część wziąłem w dzierżawę. Odkupiłem walący się dwór, odrestaurowałem, dobudowałem w tym samym stylu dwa skrzydła. Park był wyrąbany, nasadziłem nowy. Według mnie, te wszystkie dwory, pałace, które teraz się odradzają, często z ruin, nigdy przedtem tak nie wyglądały, ponieważ prawie wszystkie tego rodzaju posiadłości były zadłużone, często podupadłe. I pomyśleć, że potomkowie chłopów pańszczyźnianych restytuują dzisiaj feudalizm. Czyżby historia zawróciła? Czy może toczy się po spirali? Pytam Pana, Profesorze, czy nie zechciałby się Pan podzielić ze mną swoją wiedzą? Czy zdaniem Pana nie istnieje coś takiego jak tęsknota za niewolą? Powie Pan, absurd. W takim razie, czy nie jest to dziedziczone przez podświadomość pokoleń pragnienie zemsty, które dopiero teraz się objawia? Zadośćuczynienie pokornych za wszystkie doznane przez wieki krzywdy, poniżenia, które spełnia się w ten jedynie możliwy bezkrwawy sposób bogacenia się, aby dawnym ciemięzcom dorównać? Te wszystkie myśli, być może, ignoranckie, przyszły mi do głowy po lekturze Pańskiej ostatniej książki. Przypadkowo na nią trafiłem. Dziękuję Panu. Tym bardziej że stała się ona powodem tego listu do Pana. Już za to samo dziękuję, że mogłem podzielić się z Panem moimi wątpliwościami. No, a przede wszystkim swoim życiem, bo nie mam nikogo, komu mógłbym zaufać. Jedyny syn wyfrunął w świat, a żona mnie odeszła. Była aktorką, pochodziła zresztą z sąsiedniej wsi. Obarczyła mnie winą, że złamałem jej karierę. Poszło o to, że chciała, abym wybudował jej teatr. Pytam się jej, i kto ci będzie chodził tutaj do teatru? Nająć do pracy nie ma kogo, muszę przywozić ludzi stąd i stamtąd. Chociaż nie wiem, czy nie miała racji. Może kiedyś będą i teatry na wsiach. Już dzisiaj ludzie zaczynają z miast uciekać. Miasta stają się nie do życia. A co będzie w przyszłości, można sobie wyobrazić. Ludzi coraz więcej, a wszyscy żyją osobno. Moim zdaniem jest jakaś granica, gdy się ją przekroczy, następuje rozpad.

Rozpisuję się, a jednocześnie zastanawiam, czy będzie Pan skłonny mi uwierzyć. Zbychu, czy jak mu tam było, nie uwierzył nawet w moje maturalne świadectwo, gdy mu je pokazałem. Spytał mi się, za ile kupiłeś? Więc i Pan może mieć wątpliwości, czy ten list pisze ów głąb, z którym miał Pan tyle kłopotów, a nie szczędził Pan ani wysiłków, ani czasu.

Przepraszam, że użyję porównania. Głos nasz po przejściowym okresie dzieciństwa dopiero po mutacji ujawnia się jako dojrzały głos. Podobnie i życie każdego człowieka przechodzi taką mutację, czyli kiedy coś zrozumiemy, kiedy coś zaczniemy czuć, kiedy odkryjemy, że nasz los nie jest tylko w naszych rękach. Co prawda, mimo naszych zabiegów, starań, nawet walki, nie wiemy, jaki jest sens naszego życia, chociaż ciągle o to pytamy. Odpowiedzi jednak udziela nam dopiero śmierć. Nie oczekuję, że Pan mi odpisze. Nie śmiałbym oczekiwać. Nie ukrywam jednak, że z prawdziwą radością powitałbym Pana Profesora w swoich progach. Na wszelki wypadek, jakkolwiek z nikłą nadzieją, podaję swój adres, telefon, e-mail. Gdyby Pan się kiedykolwiek zdecydował, naturalnie wysłałbym samochód. Z głębokim ukłonem, głęboką pamięcią i wdzięcznością". Tu następował podpis.

Wzruszył mnie ten list. Odżyły we mnie tamte lata, gdy spaliśmy na jednym łóżku we trzech. Ze Zbychem raz jeden jeszcze miałem kontakt, potem nie wiem, co się z nim stało, czy wrócił do więzienia tak, jak obiecywał? Przypomniało mi się nie tylko to łóżko, łóżko było bowiem nie do zapomnienia, przypomniała mi się również nasza ostatnia rozmowa przed wyprowadzeniem się z tej nory. Nie przyznałem się Zbychowi, on mi się również nie przyznawał, gdzie go tak ciągle nosiło, że szukam jakichś korepetycji już bez mieszkania, skoro w zamian za mieszkanie nie mam ofert. Potrzebne mi były na własne wydatki jakieś pieniądze. Rodzice przysyłali mi od czasu do czasu paczkę żywnościową, a w niej zawsze parę złotych. Wiedziałem jednak, że im ciężko, chociaż nigdy o tym nie wspomnieli. To, co zarobiłem w czasie wakacji, rozdzieliłem po równo na wszystkie miesiące, lecz cóż z tego, skoro byłem nieraz zmuszony pożyczyć sobie na ten miesiąc z następnego miesiąca, a w następnym znów z następnego, tak że w końcu nie miałem już z czego pożyczyć. Widząc mnie kiedyś zatroskanego, Zbychu jak z odkrytej karty odgadł, co mnie trapi.

– Co, pieniędzy nie masz? Ano, nie mam i ja, bobym ci pożyczył. Chciał ten dupek gospodyni, żebym sprzedał tego konia ze skrzydłami, dałby mi połowę, ale nikt nie chce tego kupić. Jedyna rada, znajdź sobie jakąś forsiastą dziewuchę. Mógłbyś nawet obiecać, że skończysz studia, to się z nią ożenisz. Potem się wyprzesz. Na studentów lecą. Studenci mają przyszłość. Nie to co ja, ani przyszłości, ani przeszłości. A jeszcze lepiej jakąś starszą, nie za starą, jakieś dwa razy, nie więcej. Żeby miała forsę albo biżuterię. Takiej nie musiałbyś obiecywać, że się z nią ożenisz. A wyszedłbyś lepiej niż na korepetycjach. Po tej wojnie, bracie, ile to bab spragnionych chłopa. Potraciły mężów, narzeczonych, na frontach, w obozach. Nie mają komu być wierne. A niechby, bo co to wierność, jak dupa kipi. Przez dupę świat kiedyś oszaleje. Nie powstrzyma go rozum. Bo co rozum? Co z tego, że ci mówią, kieruj się rozumem. Nie wiesz, gdzie będziesz spał i co ci rozum poradzi? A dupa owszem. W więzieniu naczytałem się książek, na wolności by mi się nie chciało. A tam się musi. Bo albo się czyta, albo dni liczy, ile ci zostało. Taki jeden liczył, liczył, a w końcu podciął sobie żyły. Ze wszystkich tylko *Ali Baba i czterdziestu rozbójni-ków* mi się podobała. Niby mówią, że książki dobre są na rozum. Ale nie wydaje mi się, żebym więcej rozumiał po wyj-ściu, niż kiedy mnie wsadzili. Co rozumiem, to i tak na to życie wystarczy.

Naturalnie mógłbym od razu podnieść słuchawkę i odpo-wiedzieć mu na ten list. Ale zacząłem się zastanawiać, czy nie lepiej byłoby jednak odpisać – list na list. List wymusza, żeby coś więcej powiedzieć i o sobie, zrewanżować się również ja-kimś wyznaniem, no, może nie tak długim jak jego, lecz i nie za krótkim, skoro on mi całe swoje życie opowiedział. W roz-mowie telefonicznej musiałbym się zdecydować, czy przyj-muję jego zaproszenie do przyjazdu w odwiedziny do niego. A tymczasem żeby podjąć taką decyzję, musiałbym najpierw przejrzeć dokładnie mój kalendarz, poszukać jakichś wolnych dni między różnymi zobowiązaniami, wykładami, naradami, spotkaniami, artykułami, które i tak ciągle były spóźnione, nie mówiąc już o konferencjach krajowych, zagranicznych. Słowem, oplątujący człowieka gąszcz. Najbliższe wakacje nie wchodziły w rachubę, ponieważ zarezerwowałem je na ur-lop, zaproszony przez przyjaciela historyka, zajmującego się tą samą co ja epoką, do jego renesansowej willi pod Floren-cją. Poza tym z odpisywaniem na listy, zwłaszcza odręcznie, miałem zawsze kłopoty. Kilka takich czekało w kolejce od miesięcy. Więc i ten, jakkolwiek postanowiłem, że wkrótce mu odpiszę, odłożyłem do niedzieli, potem znów do następ-nej. I tak mi schodziło. W końcu wstyd, a może i wyrzuty su-mienia zaczęły mi doskwierać i wyznaczyłem sobie najbliższą niedzielę, że jednak zadzwonię, podziękuję za zaproszenie i powiem, że przyjeżdżam. Kiedy? Jak tylko znajdę kilka wolnych dni w kalendarzu, ponownie zadzwonię. Tak, oczywiście, będę prosił o przysłanie samochodu. I któregoś dnia czytam gazetę i na stronie poświęconej nekrologom uderza mnie jak grom z jasnego nieba wspomnienie jego syna, zatytułowane „Ojciec". Okazało się, że zginął w wypadku drogowym. Jechał nocą, bez kierowcy, nie wiadomo, przysnął czy zasłabł. Była w tym wspomnieniu wzmianka o mnie, jak wiele mi zawdzięczał i że czekał na mój przyjazd.

Rozdział 7

Nawet nie rzucił na mnie wzrokiem. A powinien choćby spytać:

– Syn? Jedynak? Do której klasy chodzi? W obecności dzieci powinno się od dzieci zaczynać, gdy się przyjdzie do czyjegoś domu, bo to od razu wzbudza zaufanie, że się w dobrych zamiarach przyszło. Wujciu ledwo próg przekroczył, zawsze w pierwszych słowach pytał:

– Jak tam wnusiu mój?

I wujciu prawie rodzina, a ten nie wiadomo kto. Nie powiem, elegancki, w kapeluszu, w garniturze w prążki, kamizelka, krawat, rękawiczki, wiśniowe pantofle z białymi noskami, takimiż zapiętkami, w ręku również elegancka skórzana walizka. Nie zdejmując kapelusza, powiedział, jak należy, dzień dobry, rozejrzał się.

– Męża nie ma? – spytał.

– W biurze jest – odrzekła matka. – A o co chodzi?

– To dobrze trafiłem – powiedział. – Z kobietami łatwiej.

– No, no, nie pozwalaj pan sobie – obruszyła się matka.

– Źle mnie pani zrozumiała. Miałem na myśli, że z kobietami łatwiej się robi interesy.

– Jakie interesy? – Matkę te interesy jeszcze bardziej naburmuszyły.

Zdjął kapelusz, przepraszając, że dotąd nie zdjął, zadział go na oparciu krzesełka i zaczął wyjaśniać:

– Bo w przeciwieństwie do mężów, szanowna pani, kobiety to podpora rodzin, można by rzec, fundament. Już od czasów starożytnych są kapłankami domowego ogniska. Bez kobiet trudno wyobrazić sobie świat. Bez mężczyzn natomiast mógłby się świat obejść. Natura znalazłaby jakieś sposoby, aby kobiety wydawały potomstwo bez mężczyzn. Ale skoro jest, jak jest, trzeba to znosić. W czym innym zresztą kryje się istota rzeczy. Otóż kobiety posiadły dar niedostępny mężczyznom. Mężczyzna aby przynosi pensję, a kobiety wiedzą, na co tę pensję wydać. Mężczyzna nieraz część tej pensji przepije, nim odda ją żonie, a kobieta nawet z tej uszczuplonej pensji potrafi utrzymać dom. Wie, z czego zrezygnować, co przenieść na następny miesiąc, a co jest konieczne. Czy pani mąż gustuje w alkoholu? Przepraszam, że zadaję tak intymne pytanie, ale mam również środki przeciwalkoholowe.

– Czasem tam wypije kieliszek. Za pijaka bym nie wyszła.

– To się, droga pani, okazuje najczęściej po ślubie. Nieraz dopiero po dłuższym pożyciu.

– A gdzieżbym z pijakiem? Co pan takie rzeczy.

– Czyli rozumiem, że dysponuje pani całą pensją?

– Niewielką, ale nie narzekam.

– To jest pani w tym szczęśliwym położeniu, że może sobie na więcej pozwolić niż inne panie. Gratuluję. Nieczęsto spotyka się tak dobrane małżeństwa. Życzę wielu podobnie udanych lat.

– Dziękuję. – Matka, która na początku z niechęcią go słuchała, a nawet zdawało się, że jest bliska wskazania mu drzwi, teraz złagodniała i zaprosiła go, żeby siadł.

– Może później – powiedział. – W sklepie, za ladą, sprzedawca zawsze przyjmuje na stojąco klienta. Siedząc, nie jest w stanie zachęcić klienta do kupna. To nie tylko obowiązek w tym zawodzie. To objaw szacunku, dzięki któremu rodzi się wzajemna więź. I właśnie skoro nabraliśmy już wobec siebie ufności i nawiązali nić porozumienia, chciałbym panią zachęcić na początku do tego, co niezbędne dla zdrowia i urody. Przy czym do niczego nie namawiam. Nie na tym polega moja rola. Moją powinnością jest służyć pomocą kobietom. W tej walizce mam medykamenty, jakie by sobie pani w tym zakresie życzyła. Otworzyć?

Czy matce to jego tokowanie trafiało do przekonania, trudno mi powiedzieć. Bo jeśli chodzi o mnie, nic z tego nie rozumiałem. Może byłem za mały, a do tego zły, że wtargnął i porwał mi matkę, tak to odczułem. Zresztą czy reklama skierowana jest do rozumu? Gdyby rozum był jej celem, nikt by nic nie kupił. Niestety po reklamach najlepiej widać, jak nisko upadł rozum.

– Proszę, niech pan otworzy. – W oczach matki zamigotało podniecenie.

– A gdzie mógłbym ją położyć?

– O, proszę na stole. Tylko chwileczkę, uprzątnę.

Zabrała flakon z kwiatkami, zebrała serwetę, przetarła ściereczką blat, gdyż wydało jej się pod światło, że kurz jest.

Położył, otworzył i oczom naszym ukazało się mnóstwo rozmaitych buteleczek, pudełeczek, torebeczek, słoiczków, ułożonych w równych rzędach i umocowanych na wierzchu kartonem z powycinanymi kształtami, osobnymi na buteleczki, pudełeczka, torebeczki, słoiki. I wtedy dopiero i moją obecność jakby zauważył.

– Niestety, dla synka nie mam choćby cukierka. Następnym razem przyniosę czekoladę.

– I na co które jest? – nieledwie z trwogą w głosie spytała matka.

– A co by pani sobie życzyła?

I zaczął wyliczać po kolei, co na co, wskazując palcem, a czasem też coś wyjął, podstawiając matce pod oczy. To na zgagę, gdy się coś niewłaściwego zje. To na wzdęcia, na przykład po kapuście czy fasoli, gdy komuś nie lubuje. To na nereczki, przyspiesza siusianie. To słynne „kogutki" na bóle głowy, i nie tylko. Przystawił usta do ucha matki i coś jej szepnął. To na uspokojenie, dajmy na to po kłótni z mężem czy sąsiadami. Ale również gdy nie można znaleźć sobie miejsca, jeśli coś człowieka dręczy. To gdy z ust czuć. Cieszy się powodzeniem, zwłaszcza u panien i kawalerów. Cóż, z uzębieniem jest u nas nie najlepiej. To na puchnące nogi, kupują najczęściej sklepowe i wszyscy, których zawód wymaga stania. To na hemoroidy. Mąż w biurze pracuje? No, właśnie. Dolegliwość urzędników. To na odciski, to na wypryski, znikają po trzech smarowaniach. To na świerzb. Delikatnie wetrzeć i nie myć się. Dopiero na trzeci, czwarty dzień i po świerzbie. To na pięty, rozmiękczają się i robią się delikatne jak u dzidziusia. Tym smaruje się ręce, gdy spierzchną przy pracy. Pani ma piękne ręce, ale przecież musi pani zmywać, prać jak każda kobieta, zawsze potem posmarować. Tu mam krople do oczu, gdy ropieją. Wystarczy po kropelce, nie pomoże za jednym razem, to przez kilka dni. To na katar. Na kaszel. Na chrypkę. Kłucie w uchu. A tu cała gama na urodę. Krem na dzień, na noc, na szyję. Ten na zmarszczki pod oczy. U szanownej pani nie zauważyłem zmarszczek, lecz radziłbym zacząć wcześniej. Ten pod puder. Ten pod szminkę. Mam i pudry, i szminki. Pani kolor szminki byłby najwłaściwszy ten. Proszę spróbować.

I matka wyszła do pokoju, gdzie było duże lustro, i tam przed lustrem pociągnęła wargi i powróciła z uśmiechem na twarzy.

– Od pierwszego wejrzenia wiedziałem, że to będzie ten kolor dla pani. Mam i tusz do rzęs, i kredki do brwi. Róż do policzków. Puder jaki by pani sobie życzyła? Proszę pokazać, jakiego pani używa.

Matka przyniosła puderniczkę.

– Puderniczka ładna, srebrna, widzę. Musiała kosztować.

– Od męża w prezencie dostałam, jeszcze przed wojną. Kiedyś mu szczęście dopisało i wygrał w karty. – Matce oczy zaświeciły się z dumy.

– Ale puder nie ten, nie ten, droga pani. Tu mam kolor idealny do pani karnacji. Proszę spojrzeć i porównać.

Matka porównała oba pudry, ten, który miała w puderniczce, z tym, który według niego był odpowiedniejszy dla jej karnacji, i jakby z żalem w głosie powiedziała:

– Ileż to człowiekowi potrzeba.

Na to on, prawie pewny już, że matka kupi nie tylko ten puder, jeśli ją jeszcze bardziej zachęci, powiedział niemal natchniony:

– Kobiecie, szanowna pani, kobiecie, podkreślam z całą mocą. Kobieta jest kwiatem, mężczyzna w najlepszym razie łodygą.

Matka się uśmiechnęła.

– Ależ pan wymowny. To wezmę ten puder. Mój się mi już kończy. I może jeszcze coś. Mówi pan, że w tej szmince mi jest lepiej? To może i szminkę. Co pan jeszcze tu ma? – Pochyliła się nad walizką, jakby ta walizka dopiero teraz otworzyła jej oczy.

Na co on, widząc, że matka połknęła przynętę:

– Mam i coś specjalnego. Jedynie dla klientów, którzy budzą zaufanie. Coś dla obojga państwa. Pozwala w sytuacjach, żeby tak powiedzieć, uniknąć wzajemnych rozczarowań. – I to coś wyciągnął z walizki i podstawił matce pod oczy.

Matka, nie wiedząc, co to, poruszyła wargami, sylabizując z nalepki:

– Jo-him-bina. Na co to?

Spojrzał na mnie, po czym nachyliwszy się do ucha matki, coś jej szeptał i szeptał. Wydawało mi się, że za długo szepcze, chociaż mogło to trwać chwilkę. Złość mnie wzięła, że pewnie przeciwko ojcu szepcze, a może i knują coś oboje, korzystając, że ojca nie ma, siedzi w biurze i męczy się nad papierzyskami, a przyjdzie na obiad, to nie będzie obiadu, bo matka nie zdąży ugotować. Chciałem matkę złapać za rękę i odciągnąć od niego, gdy wtem zaśmiała się i sama odepchnęła go od swojego ucha.

– Idź pan. Taki elegancki, wymowny, a świnia. Nie spodziewałabym się.

Niezbity z tropu, włożył to coś z powrotem do walizki i z zawodowym spokojem wyjaśnił:

– Ludzie, szanowna pani, na różne dolegliwości cierpią. A to też jest cierpienie.

Ile ja mogłem mieć wtedy lat? W każdym razie nic mi ta johimbina nie powiedziała. I nawet słowa chyba bym nie potrafił powtórzyć. Nie mówiąc, że nie zaczepiło się i w mojej pamięci. Zły tylko byłem na matkę, że pozwoliła sobie coś szeptać do ucha, i to obcemu człowiekowi. Niejakie podejrzenie zrodziło się dopiero we mnie, gdy ojciec wrócił z pracy i matka mu pokazała, co kupiła.

– Gdzie? – rzucił niechętnie, bo głodny musiał być. Na szczęście zdążyła ugotować obiad.

– A chodził taki jeden. Miał pełną walizkę różności. Mogłabym całą pensję wydać, gdybym nie była oszczędna.

– I z czego byśmy żyli?

– Nie kupiłam wiele. To, to i to. – I każdą z kupionych rzeczy podstawiała mu niemal pod oczy, tłumacząc, że to się już skończyło, na dwa razy najwyżej jej zostało, to, że odpowiedniejsze dla jej cery, to, że zauważyła już zmarszczki u siebie. – Nie martw się, zaoszczędzę. A wymowny, mówię ci, jeszczem takiego nie widziała. Na co on mnie nie namawiał. Niejedno by się zresztą przydało, bo powinno być na wszelki wypadek w domu. Nawet próbował mnie namówić... – I pochyliła się ojcu do ucha, coś mu szepcząc.

Ojciec sczerwieniał, matka się zarumieniła. Oboje spojrzeli na mnie, jakby próbując odgadnąć, czy się nie domyśliłem, co matka ojcu szeptała do ucha. Ta czerwoność ich mogłaby nawet wzbudzić podejrzenie, że czują się winni wobec mnie. Ojcu, mimo że przyszedł głodny, odszedł apetyt. Zjadł tylko zupę, drugie, powiedział, że zje na kolację.

Wiem, że to niestosowne podejrzewać rodziców o cokolwiek. Nie było ich już na świecie, a czasem przyszło mi na myśl, czy matka zdradziła kiedyś ojca. To, że podobali jej się przystojni, w dodatku eleganccy, wymowni mężczyźni, o niczym jeszcze nie świadczyło. Zresztą nie ukrywała tego przed ojcem. Ale czy o każdym takim mu mówiła? Chodziłem już do szkoły powszechnej, do czwartej, a może do piątej klasy. I gdy wróciłem kiedyś po lekcjach do domu, nie zastałem matki, co się nigdy dotąd nie zdarzyło. Przybiegła wkrótce, zziajana szybkim chodem, rozczochrana, zawsze wiązała włosy wstążką z tyłu, spinając je w kok, potem ojciec kupił jej w prezencie srebrną klamrę, żeby zamiast tej wstążki, a tymczasem dopiero w domu wyjęła z torebki tę klamrę i spięła włosy.

– Daruj mi, moje dziecko, ale tak się zagadałam z tą, nie znasz jej – wymieniła jakieś nazwisko. – Przyjechała do siostry, jutro wyjeżdża, a nie widziałyśmy się kilka lat. Pewnie głodny jesteś, już szykuję. Szczęście, że ugotowałam obiad z rana. Przygrzać tylko i raz dwa będzie. – I pogłaskała mnie po głowie, pocałowała, przytuliła. – Mój synuś kochany. Nie masz za złe mamusi, prawda? A jak tam w szkole?

Podobnie czuła była dla ojca, kiedy wrócił z pracy. Ojciec się nawet trochę zdziwił:

– A cóż ty taka radosna jesteś?

Żadnego jednak podejrzenia to w nim nie wzbudziło, gdyż i jemu poprawiał się nastrój, kiedy matka była radosna. Choćby go w pracy spotkała przykrość, potrafił to łatwiej znieść, pocieszając się, że jakoś to będzie, nie ma się czym przejmować, nie takie przykrości już znosił. To matka bardziej się martwiła:

– I co będzie?

– A nic nie będzie. Dawaj obiad.

– To może ci dołożyć drugiego kotleta?

– A dołóż, dołóż, bo głodny jak wilk jestem.

Swoją radością wręcz pobudzała w ojcu apetyt. Tak że przykrość, której w pracy doznał, znikała, jakby ręką odjął. Czyżby tak łatwo umiał się przystosować do tego, co życie niesie, a nawet każdy dzień? Kiedyś w rozmowie, już nie pamiętam z kim, chyba nie z byle kim, bo poczęstował go kieliszkiem nalewki z suszonych śliwek, ni stąd, ni zowąd powiedział:

– Co by mówić, to człowiek widocznie jest z plasteliny, bo inaczej by tego wszystkiego nie zniósł.

Gdy po latach zastanawiałem się nad jego słowami, bo często przypominałem sobie, co kiedyś tam powiedział, zadawałem sobie pytanie, kim był, prócz tego że był moim ojcem, i zawsze skłonny byłem przyznać mu rację. Przystosowanie jest bowiem warunkiem istnienia. Jeśli człowieka nie stać na to, płaci najczęściej cenę, która jest ponad jego miarę. Muszę powiedzieć, że ojciec jest dla mnie bardziej tajemniczą postacią niż matka, trudniejszą do rozpoznania od niej. Bo nie sądzę, aby niczego nie podejrzewał w tych nagłych przypływach czułości matki, chociaż i jego wprawiały w dobry nastrój. Tylko jakie mamy prawo osądzać naszych ojców, matki? Ich tajemnice wraz z nimi umarły i nigdy nam ich nie ujawnią. Może na szczęście dla nas.

Wróciłem kiedyś wcześniej ze szkoły, nie poszedłem na gimnastykę, której nie lubiłem, a która była ostatnią lekcją, i doszła mnie z pokoju przez drzwi do kuchni rozmowa. Poznałem matki głos, ale drugi, męski głos wydał mi się obcy. W pierwszej chwili pomyślałem, może ojciec wrócił wcześniej z pracy. Nie, to nie był głos ojca. Ojciec miał głos mocny, a ten był jakby przyciszony. Nie wchodziłem więc. Czekałem, aż matka się domyśli, że wróciłem. Ale zamiast się domyśleć, raz i drugi zaśmiała się, a ten obcy głos jej zawtórował. Zrzuciłem nawet ze stołu na podłogę blaszany garnuszek, żeby się domyśliła, że jestem. Ale jeśli usłyszała, choć trudno było nie usłyszeć z przyległego pokoju, mimo zamkniętych drzwi, mogła pomyśleć, że kot coś przewrócił, goniąc za myszą. Mieliśmy kota, lecz nie był skłonny do łapania myszy, wolał, żeby mu coś w miseczce dać do jedzenia. Kiedyś mysz wpadła przez niedomknięte drzwi, a grzał się na parapecie w oknie, to nawet się nie ruszył. Ojciec zrzucił go na podłogę:

– Goń! No, goń, leniu! Widzisz ją?! Tam jest!

Złapał go, cisnął w stronę struchlałej w kącie myszy, ale tylko zamiauczał i wyszedł z domu. Musieliśmy ją sami gonić. Matka zamknęła drzwi, żeby nam nie uciekła, ojciec złapał miotłę, udało mu się gdzieś przy ścianie mysz przycisnąć tą miotłą. Matka zaczęła szukać pogrzebacza, bo gdzieś się zapodział, a ja pobiegłem do pokoju, złapałem gipsową figurę Matki Boskiej z Dzieciątkiem. Matka wyrwała mi ją.

– Coś zwariował?! – I z szuflady od stołu próbowała wyciągnąć tłuczek do mięsa, ale szuflada się zacięła, nie chciała dalej puścić.

– Bijcie! Bo mi ucieknie! – przynaglał ojciec. – Ledwo ją trzymam.

Chwyciła więc matka polano spod kuchni. Pochyliliśmy się nad miotłą, gotowi do mordu, ojciec szybkim ruchem podniósł miotłę, lecz myszy nie było.

Doszedł mnie z pokoju odgłos odsuwanych krzeseł, po czym kroki zbliżające się do drzwi. Wpatrując się z napięciem w klamkę, kiedy się poruszy, usłyszałem głos mężczyzny:

– Żona z dzieckiem wyjeżdża do kuzynki nad morze. Sam będę.

Na co matka:

– Ale ja nie będę sama. I muszę być przykładną żoną, matką. Syn niedługo wróci ze szkoły, mąż z pracy.

Na co on:

– Idą wakacje. Syna można by gdzieś wysłać na kolonie. A mężowi mógłbym zlecić dobrze płatne nadgodziny.

W tym momencie klamka zazgrzytała i matka stanęła w drzwiach jak wryta.

– To tyś nie w szkole?

– Głowa mnie rozbolała i pan mnie zwolnił z gimnastyki. Z wyraźną ulgą przyjęła wiadomość o bolącej mnie głowie i od razu się rozczuliła.

– Bardzo cię boli? Zaraz ci zrobię kompres z kapusty. Muszę tylko przynieść kapustę. Przepraszam pana.

Mężczyzna był kierownikiem biura, w którym pracował ojciec. Znałem go. Jakby wcale nie zaskoczony moim widokiem, rzucił mi:

– Cześć. Jak tam? Odwiedź mnie kiedyś, jak będziesz u ojca. Poczęstuję cię sokiem z pomarańczy. Do widzenia. – I wyszedł.

Dziwne są zbiegi okoliczności, nieraz nie do wytłumaczenia. Można by sądzić, że człowiek sam je sobie układa, chociaż nie wie, w jakim celu. Zapomniał ojciec z rana wziąć jakichś ważnych papierów, które wczoraj przyniósł do domu, żeby nad nimi popracować, i musiał w godzinach pracy przyjść po nie. Tak był szukaniem ich pochłonięty, że nie zdziwił się, że jestem już w domu, że matka ładniej ubrana niż na co dzień, świeżutka bluzka, ładna spódnica, pantofle na wysokim obcasie, bez zapaski, którą od rana już zawiązywała, bo najpierw śniadanie, potem brała się do obiadu, jakby nie pamiętał, gdzie te papiery położył. W końcu zwrócił się do matki:

– Nie wiesz, gdzie je położyłem?

Poszła matka do pokoju, chociaż szukał i w pokoju.

– Masz. Jak ty patrzyłeś? Na oczach leżały.

I może z wdzięczności, chcąc się jej odpłacić, jakby przypomniał sobie, że spotkał po drodze swojego kierownika.

– Nawet go zapraszałem do nas, że wrócimy razem.

– I po co? – matka gwałtownie się sprzeciwiła. – Jeszcze mi twojego kierownika tu potrzeba. Obiad muszę szykować. Zacisnąłem zęby, żeby nie powiedzieć: był tu.

Po wyjściu ojca przypomniała sobie, że boli mnie głowa. Poszła, przyniosła kapustę, odcięła kilka liści, wyjęła z bieliźniarki świeżą ścierkę do wycierania naczyń, utłukła każdy liść trzonkiem od noża i kiedy zaczęła mi obkładać głowę, powiedziałem:

– Nie boli mnie już, mama.

Jakby w nią nagle diabeł wstąpił.

– A dajże i ty mi spokój! Już nie wiem, jak z wami postępować. – Pobiegła do pokoju, rzuciła się na łóżko i nie wstała aż do zmierzchu.

Nie było tego dnia obiadu. Ojciec, wróciwszy z pracy, przyjął to ze zrozumieniem.

– Tak co dzień gotować i gotować, może się odechcieć. I nie tylko obiady. Śniadania, kolacje, to i siebie samego może się odechcieć.

Nie pamiętam, cośmy wtedy jedli. Chyba poszedł do sklepu, kupił chleba i mleka. A może poszliśmy do restauracji. Chociaż nie wydaje mi się, abyśmy mogli pójść bez matki.

Nie znosił pisania listów, mówił, że w biurze dosyć się napisze, wystarczy mu pisania. W przeciwieństwie do matki, która by co dzień do kogoś pisała. I pisała za niego i za siebie.

Na Boże Narodzenie czy Wielkanoc kupowała stos kartek. Nieraz ciasto jej się przypaliło, a ona pisała.

– I do kogo tak piszesz? – pytał, gdy widział ją siedzącą przy stole nad tymi kartkami. – Nie wystarczyłoby, żebyś pomyślała o nich?

Po śmierci matki, gdy go kiedyś odwiedziłem, zaczął mi się żalić, że najgorzej mu idzie z tymi listami, kartkami, nie może już sobie poradzić, żyła matka, to ona pisała, a teraz spadło to na niego, bo ktoś musi pisać.

– O, umiała pisać. Ja tak nie potrafię. Ona jak ci napisała list, to na trzy, cztery strony, aż się nieraz jej pytałem, skąd ty to wszystko bierzesz, nic się takiego u nas nie zdarzyło, żeby było o czym pisać, choćby kartkę. Niewiele jest miejsca w takiej kartce. A ona i z boku, i nad adresem jeszcze coś dopisała. Ja najchętniej bym napisał, u mnie nic nowego, a co u ciebie. I wystarczyłoby. Na szczęście teraz możesz kupić kartkę już z życzeniami, to aby się podpiszesz. Szkoda, że listów takich nie drukują, byłaby ulga.

Toteż nie mogłem zrozumieć, gdy po jego śmierci nie znalazłem w domu żadnych kopert, papieru ani żadnych listów, kartek, świadczących, żeby ktoś do niego pisał. Może palił? Niewykluczone. Bo nie znalazłem żadnych śladów, żeby i on do kogoś pisał w odpowiedzi. Nie miałby nie tylko na czym, lecz i czym. Był kałamarz, nie było w nim jednak atramentu, zajrzałem, wyschnięty do dna, wsadziłem nawet palec, ledwo mi się koniec zabrudził jakimiś zwietrzałymi drobinami, jakby ostatni raz maczała w nim obsadkę jeszcze matka. Nie było zresztą i tej obsadki, nie było choćby ołówka czy wiecznego pióra, które mu kiedyś podarowałem, nie było długopisu, niczego nie było, co potrzebne do pisania. A wynajęta przeze mnie kobieta, która od pewnego czasu opiekowała się nim, zapewniała mnie, że musiałaby widzieć, gdyby pisał, bo więcej u niego przebywała niż u siebie w domu.

– Chciałam kiedyś zapisać, co im kupić, to musiałam przynieść swojego pisaka. By mi powiedzieli, że chcą pisać, bym kupiła im przecie kopertę, papier, jakieś coś do pisania, znaczki. Na Boże Narodzenie, Wielkanoc bym i kartki kupiła. I na pocztę bym zaniosła. Swoje do córki za granicę każden raz nosiłam. Chodziłam płacić im rachunki, to bym i list, kartkę. Nie byli niedołężni. Zrobili wszystko koło siebie. Umyli się, ogolili, zmienili bieliznę, nie musiałam im przypominać. Pamiętali dzień, godzinę, kiedy mają do doktora. Pamiętali, żeby proszki wziąć. Chodzili sami do apteki z receptami.

I rzeczywiście, kiedy tylko przyjechałem do niego, zapowiadając się naturalnie przez telefon, bo od jakiegoś czasu, jeszcze matka żyła, mieli telefon, był zawsze przygotowany, herbata, kupione ciasto, ugotowany obiad. I rozmawiając, nie budził podejrzeń, że coś z nim nie tak. Odpowiadał na moje pytania jakby nigdy nic.

– Kwiatki masz ładne, widzę. Paprocie chyba nigdy takie bujne nie były.

– Podlewam, przecinam, podsypuję.

– I dracena jak to urosła.

– Przesadziłem ją w większy wazon.

– Araukaria nieduża była, a teraz prawie drzewko.

– Ano czas płynie.

Mnie niewiele już pytał, dużo mniej niż kiedyś i za każdym moim pobytem jakby mniej, co uświadomiłem sobie dopiero, gdy go już nie było, że coraz bardziej zbliżał się do milczenia, oddalając się od słów. Nigdy jednak jego pytanie nie przeczyło logice.

– To profesor już jesteś?

– Prawie.

– A kiedy będziesz?

– Nie wiem.

– To tak długo z tego średniowiecza się idzie?

– A skąd się długo nie idzie?

– Z dzisiejszych czasów byś tak długo nie szedł.

– Każdy czas jest dzisiejszy.

– Może. Nie szedłem, to nie powiem. A dałoby się w tym średniowieczu żyć?

– Gdyby się musiało.

– To tak jak dzisiaj. Tak jak dzisiaj.

– A jak tam ogródek? – Zboczyłem z tematu średniowiecza, bo za długo musiałbym mu wyjaśniać, jak się wówczas żyło. Jak się żyło, najtrudniejsze jest do wyjaśnienia nie tylko dziś czy wtedy, zawsze i wszędzie.

– Ogródek? – Jakby zastanowił się nad tym życiem przez moment. – A idź zobacz. Są grządki, ścieżki, co posiane, posadzone, rośnie. Dwie morele mam. Cztery krzaki czarnej porzeczki.

– Przecież wyciąłeś?

– Ale pamiętasz, jakie konfitury robiła matka z czarnej porzeczki? Nawet słoik nie został, bobyś mógł sobie wziąć.

Przepatrzyłem piwnicę. Nie ma. Po lewej stronie cała półka była zastawiona słoikami z czarnej porzeczki. Nie ma. Niżej stały ogórki. A na samym dole takie różne, nie powiem ci już co. A po drugiej stronie powidła. Z węgierek. Nie mieliśmy węgierek, ale przywoził nam tu jeden. A może były dwie, tylko się zestarzały i trzeba było wyciąć. Najsłodsze są, kiedy już przymrozki ścisną. Bez cukru robiła. Nikt nie wierzył, że bez cukru. Jest kilka słoików, oszczędzam. Może weźmiesz sobie jeden? Z białym serem, palce lizać.

Szedłem za jego trumną, a we mnie przesuwały się niczym na taśmie filmowej jakieś ułomki, cząstki, okruszyny wspomnień, przywoływanych przez wyobraźnię, która pod wpływem jego śmierci kształtowała je na nowo. Któż by bowiem pamiętał, zwłaszcza z odległości lat, jak naprawdę było. Przeszłość zawsze się podporządkowuje obecnie przeżywanej chwili. A obecną chwilę ustanawiał jego pogrzeb.

Próbowałem z tych wszystkich ułomków, cząstek, okruszyn ułożyć jakąś myśl, która by ogarniała ich życie, jakie ono było. Czy ojciec bezgranicznie ufał matce, a jedynie we mnie zrodziło się podejrzenie, że go zdradza? Czy nigdy nie naszły go wątpliwości? Czy może nie przykładał aż tak wielkiej do nich wagi, jeśli nawet je miał? Albo też zdawał sobie sprawę ze słabości, jakimi natura obdarzyła człowieka, a mądrość mu podpowiadała, że najważniejsza jest zdolność wybaczania. Ich charaktery były tak różne, odmienne, żeby nie powiedzieć, niezgodne, że mogłoby dziwić, jak przetrwali razem aż do śmierci. Ale kto wie, czy ta odmienność nie dawała im poczucia pełni. Jakkolwiek sądzi się powszechnie, chociaż moim zdaniem, błędnie, że to zgodność charakterów decyduje o trwałości związku.

Ogarnęły mnie nawet wyrzuty sumienia, że w dzieciństwie chciałem ich życie zawłaszczyć dla siebie. Ale cóż, dzieci są zaborcze. Chciałyby ojca i matkę mieć jedynie dla siebie i nie tylko z nikim się nimi nie dzielić, lecz nie pozwolić im choćby na chwilę osobności. Może przejawia się w tym nieuświadomione jeszcze przeczucie, że kiedyś nas opuszczą i już od dzieciństwa nie pozwalamy im umrzeć. Toteż podejrzenia, które wówczas we mnie się zrodziły, były niczym innym jak objawem tej zaborczości.

Gdy wszedł i spytał, męża nie ma, już mnie coś tknęło. Jego kwieciste zachęty, aby matka coś kupiła, kazały mi nie spuszczać go z oka. A gdy otworzył tę walizkę pełną różności, poczułem coś takiego, jakby z każdym pudełeczkiem, torebeczką, buteleczką, słoiczkiem matka odchodziła ode mnie. Nie wiedziałem, co to johimbina, nigdy tego słowa nie słyszałem, i może bym jej darował, gdy go spytała, i na co to jest? A on się nachylił i coś jej szeptał i szeptał do ucha, i to szeptanie wydało mi się podejrzane, że oboje coś knują przeciw ojcu, i tracę matkę, a ojciec żonę. Bo to, że matka, śmiejąc się, odepchnęła go i powiedziała, świnia, nie było w stanie zmienić mojego przekonania, że co innego jej pokazywał, a do czego innego ją namawiał.

Żal mi się robiło mojego dzieciństwa, gdy się dowiedziałem, co to jest johimbina. A dowiedziałem się, kiedy nasz głąb, któremuśmy ze Zbychem udzielali korepetycji w zamian za spanie we trzech na jednym łóżku, zdawał maturę.

Martwiliśmy się, że gdy zda, będziemy się musieli wyprowadzić, a nie mamy gdzie. Rozwiesiłem, co prawda, ogłoszenia na przystankach tramwajowych, autobusowych, jak mi Zbychu radził, ale nikt się dotąd nie zgłosił. Straciłem już nadzieję na jakiś odzew, aż tu pewnego dnia zapukała gospodyni i wychylając głowę zza drzwi, rzuciła:

– Ktoś do panów.

Wszedł jakiś nieznajomy jegomość, na oko gdzieś koło siedemdziesiątki, dobrze ubrany, zadbany, rozejrzał się po tej naszej norze, spytał, czy może usiąść, i zaczął nam się na przemian przyglądać, mnie, Zbychowi, mnie, Zbychowi, po czym kierując we mnie wskazujący palec:

– To zapewne pan, domyślam się, szuka mieszkania.

Następnie powiedział, że przeczytał ogłoszenie na przystanku autobusowym, wymienił nawet, przy której ulicy, i w tej sprawie właśnie przyszedł, lecz nie jest zainteresowany korepetycjami.

– Daruje pan – prychnął drwiąco. – W moim wieku korepetycje? I z czego? Chyba że z umierania. Ale to bym do księdza się zwrócił, nie do pana. Pan za młody na takie korepetycje. A i mnie się nie spieszy umierać. Powiem nawet, ciągnie mnie dużo silniej do życia teraz niż kiedyś. – I westchnął: – O, pożyłoby się. Kiedyś nie było na to czasu. Inne sprawy były ważniejsze, lecz niestety, życie nie czeka. Mam trzy pokoje z kuchnią, mógłbym panu jeden odstąpić.

– Ale ja nie mam pieniędzy, dlatego napisałem, że za korepetycje.

– A czy ja mówię o pieniądzach? – żachnął się. – Wystarczy mi pańska młodość. Nie, proszę się za dużo nie domyślać. Och, nie wie pan, jak trudno się znosi samotność. W młodości jakoś łatwiej było. Miało się rzesze znajomych. Teraz garstka została. Nie tylko poumierali, powynosili się gdzieś, pozmieniali miasta, powyjeżdżali za granicę i tam już zostali. W pewnym wieku gdy się człowiek rozejrzy, nie chce uwierzyć, że tyle wyrw wokół niego powstało. Nie ożeniłem się, nie mam dzieci, ale takie życie wybrałem. Nikt mi przynajmniej nie wąchał koszuli, nie wypatrywał szminki na kołnierzyku, nie wypytywał, gdzie byłem, nie łapał mnie za słowo. Nie zniósłbym tego. Miałem obowiązki jedynie wobec siebie. Niestety, okazało się, że to nie wolność, lecz samotność. Przepraszam, rozgadałem się. – Wyciągnął wizytówkę i położył ją na stole. – Tu ma pan moją wizytówkę, jest na niej i telefon. Jeśli przyjmie pan moją propozycję, w co nie wątpię, proszę mi dać znać.

Wtedy Zbychu zwrócił się do niego:

– To może i dla mnie znalazłoby się miejsce u szanownego pana?

– Niestety, mam tylko jedno wolne łóżko.

– Moglibyśmy we dwóch spać. Tu, na tym jednym, spaliśmy we trzech.

– Coś podobnego! – wyrzucił z oburzeniem, jakby nie mógł sobie wyobrazić nie tyle spania we trzech, co choćby we dwóch u niego.

– I dlaczego miałbym pana wziąć? Pan jest studentem. – Wskazał głową na mnie. – A pan?

– Szanowny pan mówił, że chciałby pożyć, to mógłbym szanownemu panu niedrogo dostarczać johimbinę. Znam takiego, co za pół ceny.

– Bezczelność! – Zerwał się. – Jak pan śmie!? – A w drzwiach jeszcze spytał, czy mam dużo rzeczy do zabrania, to mógłbym na jego koszt wziąć taksówkę.

Pokój nie był duży, lecz urządzony jakby w przewidywaniu, że ktoś w nim zamieszka. A może już mieszkał, o czym na pierwsze wejrzenie świadczył choćby fotel, który wymagał nowego pokrycia, tak był wytarty. Później zauważyłem jeszcze, że materac w łóżku odwrócony jest na drugą stronę. Gdy go podniosłem, zaglądając pod spód, nabrałem podejrzenia, że ten spód musiał być kiedyś wierzchem, bo skąd by te wgłębienia, jakby wyciśnięte przez śpiące ciała. I wiele drobiazgów rzuciło mi się w oczy. Moja dociekliwość brała się stąd, że nauczony byłem przez matkę, która nieraz powtarzała:

– Już nigdzie ci tak nie będzie jak w domu u ojca i matki. Ani się nie wyśpisz, ani nie zjesz, a nawet ściany będą ci nieprzyjazne.

Wszystko to jednak nie miało znaczenia wobec łóżka. Takiego łóżka dotąd nie widziałem. Zmieściłoby się na nim najgrubsze małżeństwo. A tak jak my we trzech w tamtym mieszkaniu, to Zbychu nie musiałby spać w nogach i nie zsuwalibyśmy się na siebie, nie gnietli, że nas ciała bolały. Wysoki zagłówek, ozdobiony pośrodku ciemniejszą intarsją w postaci rozgwiazdy, zwieńczony ażurowym łukiem, na tym łuku w najwyższym miejscu rzeźbiona figura mężczyzny i kobiety w uścisku. Czereśniowy fornir w kolorze złotawordzawym.

Ile razy kładłem się spać, zaczynało mnie to łóżko dręczyć, skąd ma takie łóżko? W sklepie przecież nie mógł takiego kupić. Musiało być robione na zamówienie. Stolarza, który podjąłby się takiego zamówienia, trzeba by ze świecą szukać. Stolarzy zresztą wyparły już prawie całkiem meble przemysłowe. Odziedziczył czy co? Właśnie to „co" najbardziej zakłócało mój spokój, gdy leżąc już, nie mogłem się opędzić od myśli, na czyim ja łóżku leżę. I na czyim materacu? Materac był używany, to już stwierdziłem, ale łóżko wyglądało, jakby nie tak dawno zostało wykonane. Ani śladu, żeby fornir gdzieś się wybrzuszył czy ukruszył się jakiś kawałek, jak to na starych meblach. O, moglibyśmy spać z powodzeniem we trzech. Ta myśl, jakby tchnąca cieniem tęsknoty, wzbudziła we mnie jednocześnie strach. Bo niechby się tak nagle zjawił Zbychu?

Okazuje się, że myśli mają również swoje złe godziny, gdyż pewnego dnia zjawił się. Gospodarz gdzieś wyjechał, nie mówiąc mi gdzie, oznajmił jedynie, że do jutra samego mnie zostawia i żebym nie wpuszczał nikogo. Wróciłem z uniwersytetu, ledwo zamknąłem drzwi za sobą, a tu ktoś stuka w okno w moim pokoju. Patrzę, Zbychu. Daje mi na migi jakieś znaki. Wysoki, nie musiał się nawet wspinać na palce, po szyję był w oknie, gdyż mieszkanie było na parterze. Stuka i woła:

– Otwórz okno!

Otworzyłem.

– Co chcesz?

– Wpuść mnie.

– Nie, Zbychu. Sąsiadka cię zobaczy i będę miał nieprzyjemności.

– Tędy wejdę, przez okno. Prześpię się i pójdę. Dwie noce nie spałem. Tego twojego nie ma, wyjechał, wiem. Skąd miał mój adres? Wizytówkę od razu wziąłem ze stołu, tak że nie mógł przeczytać. Musiał mnie wypatrzyć na uniwersytecie i potem szedł za mną. Ale przecież wsiadłem do autobusu, a w autobusie go nie dostrzegłem. Inna sprawa, że tłok był niemiłosierny, ale jak by się ukrył nawet w tłoku, skoro wystawał ponad wszystkich? Widocznie nie znałem jego możliwości, mimo żeśmy na jednym łóżku spali. Podobnie zaskoczył mnie tą johimbiną. Wdrapał się, przelazł.

– O, cholera, to ty w raju mieszkasz. – Zaczął się rozglądać po pokoju. Na ścianie wisiała reprodukcja aktu Modiglianiego, w szerokiej złotej ramie. – I gołą babę, widzę, masz. Żyć, nie umierać. – Wbił się w nią wzrokiem. – Ciekawym, ile by za taką ramę dali? Moglibyśmy się pół na pół podzielić. Ty byś mi tylko otworzył okno na noc. Nie musiałbyś się budzić. Ja jak motyl, buty bym zdjął przed oknem i w samych skarpetkach. Noce gorące, to ludzie śpią przy otwartych oknach. Ja w parku na ławce czasem się prześpię, a zimniej, to chodzę na działki. Zawsze jakiś wolny domek się znajdzie, niektóre nawet otwarte, czasem i z jedzenia coś się znajdzie.

– To nie wróciłeś do więzienia?

– Rozmyśliłem się. No, to prześpię się. Możesz się uczyć. O, i łóżko masz pierwsza klasa. Materac, kołderka. Nie bujaj, że to wszystko za darmo. Korepetycji mu nie dajesz, to coś mu musisz dawać.

Wyciągnął się, nakrył i za chwilę już chrapał. Czułem się bezsilny. To, że spaliśmy we trzech na jednym łóżku, jakoś mnie z nim związało, nie mógłbym mu ot tak powiedzieć, wynoś się. Zbudził się gdzieś po trzech godzinach, zmierzch już zapadł. Przeciągnął się, aż kości w nim zatrzeszczały.

– To już świt się zaczyna?

– Nie, dopiero zmierzch.

– No, i widzisz, co to przespać się na takim łóżku. Niedługo spałem, a myślałem, że całą noc. – Zerwał się. – Przyjdę jeszcze kiedyś. Mógłbym przynieść jakieś proszki do spania, to byś wsypał mu na kolację do herbaty. I znów bym się przespał. Zastukałbym w szybę jak teraz, otworzyłbyś mi okno, nie usłyszałby po proszkach. I pomyśl o tej ramie. Cześć.

Ale już nigdy nie przyszedł, nie dał znaku życia. Tak że dotąd nie wiem, co się z nim stało. Odwiedziłem kiedyś gospodynię z poprzedniego mieszkania, czy do nich nie zachodził. Nie zachodził. Tylko jej młodszy syn, który sprzedawał wszystko, co matka dostała w prezencie od kogoś, gdzie sprzątała, powiedział mi, że widział go kiedyś na ulicy, ale wsiadł do autobusu, nim ten go dogonił, bo winien był mu pieniądze za tego konia ze skrzydłami.

W pokoju miałem jeszcze biurko, na nim lampę, przeginającą się, odginającą, niżej, wyżej, tak że można ją było dowolnie regulować, oddalać, przybliżać światło w zależności od tego, czy się chciało mieć światło pod oczami, czy nad głową. Przy biurku wyściełane krzesło z wysokim oparciem, że można było głowę na nim oprzeć, zamknąć oczy, wyłączyć się choćby na chwilę z myślenia czy nawet zdrzemnąć. Była i szafa, dwudrzwiowa, jakby wykonana przez tego samego stolarza, pokryta takim samym czereśniowym fornirem, w kolorze złotordzawym, co łóżko, z ażurowym zwieńczeniem w kształcie spłaszczonego niczym łuk półkola. Podzielona była wewnątrz na część do wieszania ubrań i po drugiej stronie półki. Nie miałem za wiele rzeczy jak na taką szafę. Marynarkę, swetr, parę koszul, podkoszulków, majtki, skarpetki i prochowiec, który mi przysłali w prezencie wakacyjni lokatorzy matki, wraz z kawą dla niej i potrzebnymi dodatkami do topielca. W poprzednim miejscu swoje rzeczy trzymaliśmy w szafie u gospodyni. Do wszystkich pokojów, kuchni, łazienki, toalety wchodziło się osobno z przedpokoju.

Najważniejszym meblem było jednak łóżko. To łóżko mnie wyleczyło z obolałych boków po spaniu we trzech. Z początku bałem się położyć na jednym czy drugim boku. Wydawało mi się, że ledwo dotknę materaca, całe ciało mnie rozboli. I spałem tylko na wznak lub na brzuchu, a przekręcałem się z brzucha na wznak i odwrotnie, unosząc się na rękach, toteż za każdą taką zmianą pozycji budziłem się. Mordęga to była, nie spanie. Z czasem ta obolałość z nocy na noc zmniejszała się, aż w końcu mnie opuściła. Nigdy jednak nie udało mi się tego spania we trzech zapomnieć.

Już tego samego dnia wieczorem, gdy się sprowadziłem, rozgościłem, zapukał do mnie gospodarz.

– Gdyby pan miał jakieś potrzeby, proszę mówić, nie krępować się. Musimy się przecież zżyć z sobą. I za dziesięć minut zapraszam na kolację. Do tego największego pokoju naprzeciw.

Przy kolacji, jak dla mnie wystawnej, była szynka, masło, sałatka jarzynowa, bułki, herbata w filiżankach, na deser pączki nadziewane konfiturą z róży, oznajmił, że kolacje i śniadania będziemy robili sobie sami. On przeważnie na śniadania jada jajka na miękko, biały ser z powidłami, a może ja bym wolał jajecznicę? Powiedziałem, że mogę i na miękko, jakkolwiek mówiąc prawdę, wolałbym jajecznicę. Pieczywo, biały ser, jajka, masło i inne wiktuały kupuje niedaleko w prywatnym zaprzyjaźnionym sklepiku. Zamówił już dwie butelki mleka u mleczarza. Z wieczora trzeba mu tylko wystawić dwie puste butelki, żeby rano nas nie budził. Obiady natomiast, jak dotąd, przynosić będzie sąsiadka z drugiej klatki schodowej. Gotuje smacznie i zdrowo. Nigdy po jej obiadach nie ma wzdęć, biegunek czy obstrukcji. Nie jest wegetarianinem, lecz nie przepada za mięsem. Uwielbia pierogi z serem, z truskawkami, jagodami, oczywiście, gdy są już truskawki i jagody, bo ser zawsze jest, kaszę gryczaną z sadzonymi jajkami i zsiadłym mlekiem. A z zup pomidorową, ogórkową i krupnik.

– A pan jaką najbardziej lubi?

– Tak samo pomidorową, ogórkową i krupnik. – Chociaż nie cierpiałem krupniku.

– O, to widzę, że w smakach już jesteśmy zgodni. Proszę nie jeść obiadów w akademickiej stołówce. Obiad tutaj będzie zawsze czekał na pana. Niezależnie o jakiej porze pan wróci z uczelni. Jest kuchnia, będzie pan mógł sobie przygrzać, gdy wystygnie.

Któregoś dnia po obiedzie, gdy zabrałem się już do nauki, zapukał do moich drzwi:

– Czy można? Nie przeszkadzam? Na chwilkę tylko. Chciałem zobaczyć, jak się pan urządził. I powiedzieć, że raz na tydzień, w piątki, przychodzi sprzątaczka. Gdy będzie u pana sprzątała, proszę się przenieść do salonu. To ten największy pokój, więc mówimy salon. Śmieszne, lecz cóż zrobić, przyzwyczajenie z młodości. Aha – wychodząc z mojego pokoju, jakby sobie nagle przypomniał, w jakim celu przyszedł. – Zapomniałem pana uprzedzić, że dziś wieczorem przyjdzie do mnie kilku przyjaciół na brydża. Pan gra w brydża? A nie chciałby się pan nauczyć? Szkoda. Mądra gra i fascynująca. Tak, rozumiem, ma pan egzamin. Nauka to nie żarty. Z góry zatem przepraszam, że może być co nieco głośno.

To co nieco głośno zaniepokoiło mnie. Pomyślałem, że gdybym miał watę, powsadzałbym sobie kłębki w uszy. Tak robili koledzy w akademiku, gdzie w pokojach mieszkało po dziesięć, dwanaście osób, a nikt się z nikim nie liczył. Nie miałem jednak waty. Powiedzieć, co nieco głośno, to jakby nie wiedzieć, co to znaczy głośno. Jeszcze kart pewnie nie wzięli ze stołu, a głosy ich brzmiały, jakby skądś z daleka mówili do siebie, a nie siedzieli naprzeciwko, przy tym samym stole. W każdym razie niemal każde ich słowo do mnie dochodziło mimo zamkniętych drzwi. Jakoś to znosiłem. Głosy ich zaczęły się jednak podnosić wraz z kolejnymi rozdaniami. A przy którejś partii pojawiły się już wzajemne pretensje, chociaż brzmiały bardziej jak wymówki. Z czasem, gdy się coraz bardziej roznamiętniali, przeoblekały się w oburzenia, pokrzykiwania czy w kłótliwe spory, że któryś nie tak zagrał, jak by należało, nie to zrzucił, nie ten kolor licytował, a w ogóle powinien spasować, zamiast licytację podbijać. Głosy ich wydobywały się z głębokości gardeł czy nawet trzewi, charkliwe, rozjuszone, wściekłe. Raz po raz wybuchały, przypominając mi rozrywające się pociski. Któryś w pewnej chwili jakby trzasnął kartami w stół i ryknął:

– Nie gram z tym durniem!

Widocznie dał się udobruchać, bo gra potoczyła się dalej, wydawało się, że będzie spokojniejsza, niedługo to jednak trwało. Po następnym rozdaniu temperatura znów zaczęła rosnąć, zmierzając ku temu samemu, do kłótliwych pretensji, zajadłych sporów, grożąc w każdej chwili wybuchem, kto wie nawet, czy nie karczemną awanturą. Czekałem, że ta chwila jest tuż, tuż, gdy któryś któremu da w twarz. Zwłaszcza jeden z nich, o głosie piskliwym, świszczącym, niemal pomiatał pozostałymi, być może był najlepszym brydżystą w tym gronie, wyzywał partnerów od najgorszych, klnąc, na czym świat stoi. Albo też starał się w ten sposób nadać swojemu astmatycznemu głosowi władczą wysokość.

Nie dało mi się przy tym brydżu cokolwiek przeczytać. Nie tylko zdania uciekały przede mną, litery kłębiły się niczym mrówki w rozgrzebanym mrowisku. Przeczytałem jedną stronę, drugą i nie tylko nic mi nie weszło do głowy, ale nie mógłbym powiedzieć, o czym czytałem. Zacząłem od początku i to samo. Zostało mi w oczach jedynie to mrowisko liter. Wtem zadźwięczały kieliszki niesione na tacy i nadzieja we mnie wstąpiła. Ktoś jakby zamknął pierwszy punkt posiedzenia:

– To na dzisiaj koniec z brydżem.

A ktoś inny powitał te kieliszki:

– Hurra!

Rozlano, wzniesiono toast za gospodarza, prawdopodobnie i drugi, i trzeci, i zaczęło się coś jeszcze gorszego niż brydż. Brydż przynajmniej pochłaniał ich uwagę i nie pozwalał za dużo mówić, poza przerwami między kolejnymi rozdaniami. Teraz, zwolnieni z brydża, poczuli się swobodni i zaczęli jeden przez drugiego otwierać swoją pamięć. A każdy tej pamięci był jakby pełny po brzegi. Zastanawiałem się, czy wszyscy są mniej więcej w tym samym wieku, gdyż każdy z nich miał inną pamięć. Z początku wydawało mi się, że ich wspomnienia obejmują te same czasy, przedwojenne, wojenne, powojenne. Szybko się jednak okazało, gdy któryś nagle z wściekłością walnął pięścią w stół, domagając się potwierdzenia własnej pamięci, że ich czasy nie zgadzają się z sobą, jakby każdy żył w innych. Zaczęli jeden drugiemu zarzucać przeniewierstwa, kłamstwa, w najlepszym razie sklerozę. Miałem wrażenie, jakby to czasy z czasami tak się ścierały, napadały na siebie, wyzywały się, a bohaterowie byli tylko słuchaczami. Przy dobrej woli mógłby ktoś nawet usłyszeć szczęk broni, chociaż to kieliszki podzwaniały, gdy trącali się z rozpaczy, że bez nich dzieje się teraz historia, niesprawiedliwa jak zawsze, nie mówiąc, że ich wykluczyła, gdy się zestarzeli.

Zapewne nie zdawali sobie sprawy, że dopiero teraz, na starość, i to w ścisłym przyjacielskim gronie, bo cóż może grozić na starość prócz chorób, mogli się tak między sobą różnić, a nawet poszczuć na siebie czasy, chociaż były ich wspólne. W sile wieku, może i piastując jakieś stanowiska, musieli być prawdopodobnie jednomyślni. Tylko w ten jeden brydżowy wieczór mogli pozwolić sobie na różnicę poglądów. Jeśli nawet te stanowiska, które piastowali, nie były zbyt wysokie, dajmy na to, księgowych, planistów, kierowników socjalnych, i nie w żadnych zakładach o znaczeniu strategicznym, lecz powiedzmy, w wytwórni serów żółtych, to jednomyślność obowiązywała do samego dołu.

Tego jednakże nie byłem w stanie z ich kłótni się dowiedzieć, trzeba by ich bowiem widzieć, ich gesty, ich twarze, zapienione usta, ich oczy rzucające błyski niczym sztylety. Nieraz słowa potrzebują wsparcia, gdy się je zniewala gestami, twarzami, ustami, oczyma. A oni gardłowali jeden przez drugiego, przerywali sobie, nie kończyli, nie zaczynali, wszystko jakby kotłowało się w środku czegoś, co im tylko znane było. Skróty, sylaby, o, kurwa, o, Jezu, wystarczyły im za zdania. Trudno było się domyślić, kto był nad kim, kto pod kim. Na kierownika w swoich domysłach awansowałbym tego o piszczącym, świszczącym głosie, ale mogłem się mylić. On też mógł być zależny od kogoś, kto nie piastował żadnego stanowiska, ale był z nadania kogoś, kogo między nimi nie było. W każdym razie nie wykluczam, że w tej awanturze próbowali się wyzwolić z dawnych zależności. Tylko że to nie takie proste. Zarażona taką zależnością krew krąży w człowieku już do końca życia.

Wyszli dopiero o świcie. Tłukli się, szarpali przy tym wychodzeniu za klamki, jakby nie mogli do drzwi trafić. Któryś nawet wściekle rzucił, otwierając chyba trzecie drzwi, gdyż trzy razy trzasnął:

– Czy z tego twojego mieszkania nie ma wyjścia?

Któryś znowu uchylił drzwi do mnie, a ujrzawszy mnie nad książką, pod lampą, beknął:

– Przepraszam.

Zamiast jednak drzwi zamknąć za sobą, szerzej je otworzył, jakby nie był w stanie wycofać swojego ciała. I znów mnie przeprosił:

– Że tak powiem... przepraszam...

Po czym złapał się drugą ręką futryny, odbił się i trzasnął drzwiami, jakby tym razem jego ciało samo do tyłu go odbiło.

Przygotowywałem się do egzaminu, ostatni mi już został, i myśl, że wyjadę po nim na wakacje do ojca i matki, dodawała mi otuchy. Miałem nadzieję, że gospodarz to rozumie, gdyż wiedząc o tym, od dawna nikogo nie zapraszał do siebie. Umawiał się w kawiarni czy w restauracji, informując mnie, że wychodzi i nie wie, kiedy wróci, bo w większym towarzystwie, tak że muszę sam sobie zrobić kolację, tu jest chleb, tam ser, tam masło i tak dalej.

Któregoś jednak dnia przy obiedzie, gdyśmy już kończyli, jakby sobie dopiero przypomniał:

– Aha. – I przełknąwszy kęs, który miał w ustach: – Chciałem pana uprzedzić, że jutro będzie u mnie trochę większe towarzystwo. I może być co nieco głośniej, ponieważ będą i panie. Niemniej jednak będziemy starali się być ciszej, tak że, sądzę, będzie się pan mógł uczyć. A może miałby pan ochotę pobiesiadować z nami, to zapraszam. Nauka nauką, lecz warto od czasu do czasu się rozerwać. Nauce to nie zaszkodzi. Byłby pan mile widziany. Młodość zawsze jest mile widziana. Będzie szampan, kawior, dziś to rarytasy. Pił pan kiedyś szampana? No, właśnie. Kawioru też pan pewnie nie jadł.

Nie powiem, żebym chętnie nie spróbował i tego szampana, o którym nieraz matka wspominała, że przed wojną, i tego kawioru, o którym kiedyś słyszałem, że to najdroższy przysmak, jaki jest na świecie. Starałem się nawet sobie przypomnieć, gdzie to słyszałem, od kogo, kiedy. Ale ciekawy byłem również, jakie to mogą być panie. Zbychu nieraz przestrzegał mnie, że panie dzielą się na matki, wdowy, żony, narzeczone, panienki i kurwy. Kurwy to osobna płeć. Mają to samo, ale często są zarażone. I wyobrażałem sobie, że i tu takie będą. Ale szampan, kawior dla kurew? Widywałem często na ulicach, jak wystawały w bramach kamienic. Zwłaszcza kiedy wracałem późną porą do domu, wtedy wychodziły z bram i zaczepiały każdego, kto szedł. Stary, młody, bez różnicy im było. Wystarczyło jednak, że pojawiła się milicja, a nie wiadomo jakim sposobem dawano im znać i wtedy żadnej nie uświadczył w żadnej bramie. Gdzie znikały? Tego nie wiem. Czasem robiono na nie obławy, nie na wiele się to zdało. Za dwa, trzy dni znów wystawały w każdej bramie. Poza tym rezultaty tych obław były mizerne. Jedną, dwie najwyżej złapano, i to z tych początkujących, bez doświadczenia, że trzeba i z milicją żyć w zgodzie, czasem podzielić się zarobkiem, a czasem wejść do „suki" bez zatrzymywania, podobno zawsze wozili materac.

Młodszy syn gospodyni, który zwykle wracał do domu późnymi wieczorami lub w nocy, wiedział naprzód, kiedy będzie obława. I znał wszystkie ze wszystkich bram jak ulica długa. Laura, Seniorita, Dupajka, Flecistka, Markiza, Cyranka, Mięciuchna, więcej nie pamiętam. Mógłby za doradcę służyć, która w której bramie, ile bierze, z którą można się targować, a która złotówki nie opuści. Która lubi długo, a która byle jak, aby szybko. Która ma największy przerób, a która ledwo przędzie.

– Jakby któryś z was chciał, to mu za pół ceny załatwię. I z tą nie najgorszą.

Podejrzewaliśmy nawet, czy nie jest sutenerem, a przynajmniej w jakiejś zmowie z nimi, z milicją. Zbychu raz się zwrócił do niego, gdy ten nieopatrznie pochwalił się, a lubił się chwalić, jakie ma wpływy w tych bramach:

– Może byś mnie wziął do spółki?

– Nie mam żadnej spółki. Trzeba tylko wiedzieć, kto, co, kiedy, z kim, gdzie, a moja wiedza to nos. – Złapał się za nos i potargał nim. – Nie w głowie, tu.

– Ja mam nos i jakoś mi nie idzie.

– Widocznie za często smarkasz. Nos trzeba szanować.

Zdarzyło się i mnie raz, że wracając już nocą od kolegi, z którym czasami razem się uczyliśmy, zostałem nagle przed jedną z bram chwycony za ramię:

– Hej, chłoptysiu. Nie uciekaj. Z tobą za pół ceny. Chciałabym i ja zaznać kiedyś przyjemności. A wyglądasz mi na to, choć ciemno. Poszlibyśmy, o, tu zaraz.

Zrzuciłem jej rękę z ramienia, przyspieszyłem kroku, ale dognał mnie jeszcze jej wściekły warkot:

– Szlag by to jasny! Impotent, kurwa! A młody.

Pomyślałem nawet, czy to nie ten syn gospodyni, gdzie przedtem mieszkałem, doradzał, którą z której bramy zaprosić. A może sam je tu przyprowadzi. Zaczęli się schodzić. Na razie udawało mi się odróżnić głosy mężczyzn, kobiet. Zamieniłem się w słuch, lecz nie mogłem rozpoznać, czy młode, czy niemłode, zwłaszcza że ginęły pod rechotami mężczyzn. I nawet gdy doszły mnie śmiechy najwyraźniej kobiet, dalej nie byłem pewny, młode czy niemłode. Raz mi się tak wydawało, raz inaczej, chociaż wśród tych śmiechów, pisków zabrzmiał czasem jakby przepity alt, lecz mogła któraś mieć akurat chrypę.

Gospodarz zapukał po jakimś czasie do moich drzwi i aby wychylając głowę, powiedział:

– Będziemy otwierali szampana. Nie skusi się pan?

– Dziękuję. Muszę się uczyć.

– Rozumiem. – I wycofał się.

– Z hukiem! Z hukiem! – jakiś męski głos zawołał.

Rozległ się wybuch szampana, jakby pocisk tuż przed suterena się rozerwał. Z wszystkich piersi wydobył się chóralny zachwyt. A po chwili znów zapukał do mnie gospodarz, niosąc kielich pieniącego się jeszcze szampana.

– Proszę. To od pań. Z życzeniami owocnej nauki. – I postawił kielich na moim biurku.

– Nie nalegam, lecz gdyby chciał pan do nas dołączyć, bylibyśmy niezwykle radzi. Panie pragną pana zobaczyć.

No, tak, to pewnie te z bram, przemknęła mi myśl. Wtem męski niski głos wzniósł pieśń, a wszyscy się do niej włączyli:

Więc pijmy wino, szwoleżerowie,
Niech troski zginą w rozbitym szkle,
Gdy nas nie będzie, nikt się nie dowie,
Czy dobrze było nam, czy źle.
I od początku, więc pijmy wino... I znów, więc pijmy
wino...

Wydawało mi się, że ta pieśń nie będzie miała końca. Zatkałem sobie dłońmi uszy, opierając łokcie na biurku, że może ją w ten sposób przetrwam, chociaż lubiłem tę pieśń, śpiewał ją nieraz ojciec, gdy na swoje czy jego imieniny matka, przygotowawszy uroczystą kolację, poprosiła go o to, zwłaszcza gdy przyszło jej czy jego kilkoro przyjaciół. Lubiła się chwalić rzeczywiście niezłym głosem ojca. Za kawalerskich czasów śpiewał przecież i grał na gitarze, gdy chodzili we czterech, zarabiając w ten sposób. Dzięki temu śpiewaniu i graniu zakochała się w nim.

Rozległ się trzask rozbitego kielicha, pewnie rzuconego na podłogę, i jakiś kobiecy głos niemal histerycznie zawołał:

– Ja się rozbieram! Ja się rozbieram!

– Po szampanie za wcześnie – jakiś męski głos się sprzeciwił i zapewne zwracając się do gospodarza: – Daj no to, cośmy tam poprzynosili. Na szampanie zakończyliśmy część zapoznawczą.

– Jaką zapoznawczą?! – jakiś oburzony głos kobiecy. – Nie znasz mnie? Rozbiorę się, to ci się przedstawię, grzdylu.

– Co się pieklisz? Zawsze się tak na początku mówi. Musi być przecież część oficjalna i artystyczna. Nie jeździłaś z fabryki na wczasy? Wszyscy się znali, a nazywało się to wieczorek zapoznawczy.

Dużo głośniej zadzwoniły teraz kieliszki na tacy, dużo więcej musiało być niż podczas brydża. Ten sam głos powitał wchodzącego z tymi kieliszkami gospodarza:

– Nareszcie!

Robiło się coraz weselej i coraz głośniej. Ktoś ciągle wchodził do kuchni, do toalety, zostawiając za sobą otwarte drzwi do pokoju, gdzie biesiadowali. Wciskałem nos w książkę, próbując czytać nawet na głos. Niestety, nie byłem w stanie zapanować nad tym, co czytam. Słowa, mimo że zakotwiczone w druku, niczym statek w morskim dnie, trzęsły się, pląsały, jakby burza tak nimi miotała, że lada chwila mogły się z kotwicy zerwać.

Ani się uczyć, ani pójść spać, bo przy takim hałasie oka nie zmrużę. Wyjść z domu? Tylko że nie miałem gdzie pójść. Na dworzec? No, nie. A do tego czy innego kolegi, pewnie wszyscy już śpią. Pora była późna, właściwie już noc. Z bezradności, jaka mnie ogarnęła, wyobraziłem sobie, że idę od bramy do bramy i wychodzące z tych bram panie pytam, która ma mieszkanie, chciałbym, aby mnie przenocowała, za całą noc zapłacę, a niczego w zamian nie chcę, przespać się jedynie. Z jedną z nich uzgadniam cenę, a ona ją podbija i podbija, gdy bez pukania, otwierając drzwi na całą szerokość, wtacza się gospodarz. Chwieje się, wzrok zamglony, wspiera się rękami o moje biurko, jest w samym szlafroku, siwa owłosiona pierś ukazuje się spod szlafroka, gdy się pochyla nad biurkiem. Może bym nie spojrzał na jego nogi, lecz zachwiał się i podstawiłem mu krzesełko. Był w samych skarpetkach, podtrzymywanych na podwiązkach spiętych poniżej kolan. Na takich samych podwiązkach nosił skarpety mój ojciec, jeszcze od przedwojny. I nie dał się namówić na skarpety ze ściągaczami, gdy nastały.

– Człowiek zgubiłby się, gdyby wszystko zmienił – powtarzał.

– Ale będzie ci wygodniej – namawiała go matka.

– Wygodniej to mi będzie potem.

Co prawda, skarpety robiono z czystej bawełny i były tak marnej jakości, że po paru krokach skarpeta opadała. Niektórzy radzili sobie w ten sposób, że zwijali skarpetkę nad kostką w rulon, co wyglądało też fatalnie.

Nie siadł. Kiwał się nad moim biurkiem i z trudem już mówił:

– Przepraszam najmocniej, lecz panie pytają, czy nie zechciałby pan. Będziemy tańczyć, a brakuje nam jednego mężczyzny do pary. Miał być kolega, świetny tancerz, lecz się rozchorował. Mamy gramofon, mamy płyty, jakie by pan sobie życzył. Do wyboru, do koloru. Czyżby pan nie lubił tańczyć? Niemożliwe. My uwielbiamy. Jest wśród nas kolega, stracił nogę na wojnie. Jeśli sobie dobierze odpowiednią partnerkę, to nawet zatańczy... Jak to się nazywa, co wszyscy dzisiaj tańczą? No, mniejsza. Kulę odłoży i na jednej nodze. Niechżeż pan da się namówić. Szkoda. Wszyscy będą niepocieszeni.

Czekałem w napięciu ze zwieszoną nad książką głową, kiedy rozlegnie się muzyka i zaczną tańczyć. Nie próbowałem już nawet czytać, czekałem. I pewnie z tego czekania zaczął we mnie narastać jakiś mrowiący lęk, tym bardziej że tam nastała niezrozumiała cisza, jakby odstąpili od tańców z powodu braku jednego mężczyzny do pary. Nie uspokoiło mnie to. Przeciwnie. Ta cisza wydawała mi się złowieszcza, zapowiadająca wręcz coś trudnego do przewidzenia. I zapragnąłem, żeby to coś wreszcie nadeszło. Gdy człowiek spodziewa się nadejścia jakiegoś nieszczęścia, które zwleka, podobnie pragnie, aby wreszcie nadeszło. I miałem rację.

Znów pojawił się u mnie gospodarz. Z jedną ręką wyciągniętą przed siebie, jakby przytrzymywał się powietrza, a w drugiej niósł kieliszek z wódką. Gdzieś jedna trzecia wylała mu się już po drodze, gdyż kieliszek huśtał się w jego ręku, jakby tańczył:

– Pijemy właśnie pańskie zdrowie. Prosimy z nami wypić.

W tym momencie przez pootwierane drzwi doszedł mnie męski okrzyk:

– Niech żyje młodość! – A za nim chóralne: – Niech żyje młodość! – Chyba nawet dwukrotnie: – Niech żyje młodość! Niech żyje młodość!

– No, słyszy pan, jak wszyscy tęsknią za panem? – Nie było rady, wypiłem. – Może przynieść drugi?

– Nie, dziękuję.

– Chociaż na chwilę – czknął niemal błagalnym głosem. – Panie nie chcą uwierzyć, że ktoś młody u mnie mieszka. W naszym wieku tęskni się za młodością. Będzie i pan kiedyś tęsknił. Młodość jak słońce, które wychynęło zza chmur i za chwilę znów się skryje za nimi. Chwilo, trwaj, powiedział poeta. Nam życie tej chwili poskąpiło. Byliśmy młodzi, a musieliśmy być już starzy. Wojna nam młodość zabrała.

Nie wiedzieliśmy nawet, jak to jest być młodymi. A tuż po wojnie też nam życie nie sprzyjało. Zrozumiałby pan, gdyby pan z nami... Jak mam pana prosić? Zjadłby pan coś. Skosztował kawioru. Mamy jeszcze butelkę szampana. Specjalnie trzymamy...

Nie pozwolono mu skończyć, wdarł się w jego słowa jakby przepity, przepalony głos którejś z kobiet:

– Powiedz mu, że przyjdę do niego! Nie chcę za darmo! Dam mu pół emerytury!

– Cha! cha! cha! – zaśmiali się gromko. Rozległy się oklaski.

– Przepraszam – powiedział jakby zawstydzony. I opuścił mnie nieomal na palcach, przymykając za sobą delikatnie drzwi, na których być może za mocno się oparł, bo zaskrzypiały. – Przepraszam. Jutro naoliwię.

Wydało mi się, że poznaję ten jakby przepity, przepalony głos, który proponował mi pół emerytury. Podobnym głosem próbowała mnie kiedyś zatrzymać jedna z tych czekających na klientów w bramach kamienic, gdy wracałem prawie o północy do domu:

– Chłoptysiu! Zaczekaj! Nie pożałujesz!

Pomyślałem, że może to ta sama. Tylko byłaby już na emeryturze? Niewiele czasu od tamtej nocy upłynęło. Czyżby czas był aż tak względny? Czy po prostu mąciło mi się już wszystko w głowie. I czy za wystawanie w bramie dostaje się emeryturę? Jakby na przekór moim myślom rozległ się niemal dziewczęcy, skowronkowy głos którejś z kobiet:

– Zaśpiewajmy! Zaśpiewajmy!

I popłynęła pieśń, która była mi dobrze znana i którą najbardziej lubiłem ze wszystkich pieśni, jakie śpiewał ojciec:

Upływa szybko życie,
Jak potok płynie czas,
Za rok, za dzień, za chwilę
Razem nie będzie nas.
A nasze młode lata
Odpłyną szybko w dal,
A w sercach pozostanie
Tęsknota, smutek, żal.

Byłem dzieckiem, lecz obraz śpiewającego tę pieśń ojca zapadł tak głęboko we mnie, że bezwiednie, pod nosem, zacząłem razem z nimi ją nucić. Nie odziedziczyłem po ojcu głosu i unikałem śpiewania, bo kiedy tylko coś zanuciłem, matka mówiła, fałszujesz. Ze względu na ojca złościło mnie, że śpiewają tak nierówno, jakby każdy śpiewał osobno, w związku z czym nie mogli się zmieścić w tych samych słowach, nie mówiąc, że i melodia kulała, jakby dźwięki się potrącały. Niektórzy zresztą najwyraźniej fałszowali. Chociaż mogłem fałszować ja, tylko że siebie człowiek nigdy nie słyszy fałszywie. Oprzytomniałem z tej pamięci ojca, gdy zaczęli śpiewać od nowa. Skończyli i znów od nowa. Coraz bardziej ochrypli, lecz od nowa. Jakby ustawali, a od nowa. Niektórzy już zeszli do półgłosów, półszeptów, a od nowa. Kilka głosów wreszcie odpadło, zostały może trzy, cztery, wydawało się, że ta pieśń wkrótce zwiędnie i umrze, gdy ktoś zaintonował półbasem inną, która zaczęła się od „Hej! hej!". Miała rytm marszu i na powrót ożywiła wszystkich. Buchnęła, można by pomyśleć, na przekór tamtej umierającej, jakby wyrywając się z jej objęć w ostatniej już chwili.

Zatrzęsły się ściany od tego „Hej! hej!" Zadźwięczały szyby w oknach, lampa na moim biurku zadygotała. Jakby pod oknami przeciągała kolumna żołnierzy w podkutych gwoździami butach, przybijając o bruk, a prowadziła ich ta pieśń „Hej! hej!". Dlaczego żołnierzy? Bo któż prócz żołnierzy mógłby śpiewać „Hej! hej!", idąc ku śmierci? Na suficie rozległy się stuki, a tak gęste, jakby rozerwał się szrapnel u kogoś nad blachą krytym dachem.

Nie czułem bicia serca w sobie, nie czułem, że oddycham. Zadźwięczał jazgotliwie dzwonek u drzwi, raz, drugi i trzeci, i coraz dłużej jazgotał. Po czym jakby kilka pięści zaczęło naraz walić w drzwi. Ale „Hej! Hej!" nie dawało się pokonać. A tam już nie tylko dzwonek nieustannie jazgotał. Drzwi zaczynały trzeszczeć od naporu ciał. Wydawało się, że wyrwą klamkę, wrzeszczeli, przeklinali, kopali w te Bogu ducha winne drzwi. Pieśń jednak nie ustawała.

Z bezczucia nagle wściekłość mnie wydobyła, wyskoczyłem z pokoju i wpadłem w środek tej pieśni, która jakby nożem uciął, urwała się. Ogarnęła mnie ciemność, lampy były pogaszone. Ktoś zamknął za mną drzwi, niemal wyszarpując mi klamkę z ręki, i ciemność stała się jeszcze ciemniejsza.

– Ooo! – wyrwało się z wszystkich piersi, nie umiałbym jednak powiedzieć, czy to był okrzyk, czy westchnienie. Zacząłem coś pokrzykiwać, zdyszanym głosem, jakbym skądś tu przybiegł do nich z wieścią, że ktoś stuka w sufit, wali do drzwi. I nagle straciłem pewność, czy rzeczywiście ktoś stukał w sufit, dzwonił, walił do drzwi, czy mi się tylko wydawało, bo jakby to wszystko było snem. I ta ciemność, i oni, i ta pieśń. Czyżbym usnął nad książką w takim tumulcie? Jak to możliwe? Sen potrzebuje ciszy, inaczej nie odetnie się od jawy. Ale przecież wujciu opowiadał, że najlepiej im się spało, gdy nieprzyjacielska artyleria waliła w ich okopy, bo wiedzieli, że nie będą musieli iść na bagnety. Czy jednak nie pod śmierć zasypiali? Że jeśli mają umrzeć, to niech będzie już podczas snu.

Ten skowronkowy głos, który usłyszałem, siedząc jeszcze przy biurku, zawołał:

– Weźmy go w kółeczko!

Na co inny, też kobiecy, którego dotąd nie słyszałem:

– W kółeczko! Koniecznie w kółeczko!

– Może najpierw szampana?! – Poznałem głos gospodarza.

– Nie! Nie! W kółeczko! W kółeczko! – wołały już wszystkie głosy.

I to kółeczko zaczęło się kręcić wokół mnie, omiatając mnie spoconym ciepłem, że zrobiło mi się duszno i poczułem, że i mnie pot oblewa, skapuje mi z czoła, z nosa, spływa mi po piersi, plecach, koszula przylepia mi się do ciała, w głowie mi wiruje, że już nie wiem, czy to kółko wokół mnie się kręci, czy to ja wokół własnej osi. Zniknął nawet stukot szczudła mężczyzny, który nie miał nogi, szuranie stóp narastało wraz z coraz gorętszym ciepłem.

– Stary niedźwiedź – któraś z kobiet zaintonowała. I wszyscy za nią: – Stary niedźwiedź mocno śpi! Więc go nie budzimy, bo się go boimy! – I od początku, i znów, i dalej: – Stary niedźwiedź…! Stary niedźwiedź…! Stary niedźwiedź…!

Czułem, jakby siła odśrodkowa coraz szybciej mną kręciła, że lada chwila oderwie mnie od podłogi i poszybuję gdzieś w przestrzeń niebytu, gdy wtem znów kobiecy głos zawołał:

– Zapalcie światło! Światło!

Zastukało szczudło i rozbłysła oślepiająca jasność, że nie mogłem przez chwilę przebić się przez nią wzrokiem. Z wolna ta jasność niczym ustępująca mgła rozrzedzała się i zaczęły wyłaniać się nagie stare ciała, obwisłe brzuchy, siwe wyleniałe przyrodzenia, wyciągnięte piersi, pobrużdżone uda, opuchnięte kostki, pokrzywione stopy. Może wskutek tej jasności, której nie mogłem się wciąż pozbyć z oczu, trudno mi było odróżnić kobiety od mężczyzn, jakby starość była jedną płcią, ani taką, ani taką. Nie uwierzyłby, że te ciała kiedyś płodziły, rodziły, płonęły uczuciami, a cóż im zostało? Szampan, kawior? Cóż to za broń szampan, kawior wobec śmierci?

– Ee, za dużo te pół emerytury – usłyszałem ten sam głos, tyle że teraz drwiący.

– A co tam ta twoja emerytura – wziął mnie w obronę ten ze szczudłem, bo przybił tym szczudłem o podłogę. I zwrócił się do innej: – Przypomnij sobie, że byłaś najlepszą tancerką w zakładzie. Zatańcz z nim.

Objęły mnie gorące, wilgotne ramiona.

– To ja – doszedł mnie niemal aksamitny szept.

– Co wam puścić?

– Nic. Wystarczy nam, że się przytulimy.

I niczym ośmiornica oplotła mnie swoim ciałem. Stawała się gorąca, że zaczynała mnie parzyć, a mój oddech słabł, coraz krótszy, coraz płytszy. Skąd w starości taka żądza? Widocznie wszystko, co dotąd wiedziałem o starości, to była kropla oceanu.

– Poprowadzę cię, jeśli nie umiesz. Tylko nie bój się mnie. Wyobraź sobie, że jestem młoda. Czy to takie trudne? Młodość nigdy nie przemija. To ciała nasze przemijają.

Czułem, jak to nagie, stare ciało zrasta się ze mną. I nagle przemknęła mi myśl. Nigdy nie będę stary, nie dopuszczę do tego. Zabiję swoją starość. I zacząłem się coraz szybciej kręcić i coraz szybciej, aż w pewnej chwili krzyknęła przerażona:

– Co ty tańczysz!? To szaleństwo, nie taniec! – I próbowała mnie powstrzymać. Lecz jej ramiona zbyt wątłe były wobec narastającej we mnie siły odśrodkowej, która oderwała ją ode mnie, a mnie rzuciła na przeciwległą ścianę. Uderzyłem głową i zemdlałem.

Rozdział 8

Mieszkanie znalazłem przypadkowo.

Poszedłem kiedyś do przychodni uniwersyteckiej zapisać się na wizytę u lekarza, gdyż od jakiegoś czasu męczył mnie kaszel, i pielęgniarka, młoda, niebrzydka dziewczyna, wpisując mnie na listę przyjęć, spytała:

– Nie zna pan kogoś, kto szukałby mieszkania? Kwaterunek zabrał nam już więcej niż połowę domu i boimy się, że nam jeszcze kogoś przydzieli.

– Znieśli już przecież kwaterunkowe przydziały – powiedziałem.

– Wiem. Ale czy można władzy wierzyć? Dzisiaj znieśli, a jutro mogą przywrócić. A mamy jeden pokój, do którego jest osobne wejście. Nie chciałybyśmy nawet czynszu, najwyżej za prąd, gdyby trafił się ktoś uczciwy. Dojeżdża się pociągiem, ale dojazd jest dobry. Sama co dzień dojeżdżam i nie narzekam. Zresztą mnóstwo ludzi dojeżdża.

Wbrew jej zapewnieniom znalazłyby się jednak powody do narzekania. Nie było jeszcze trakcji elektrycznej i podwójnych torów, toteż pociągi często się spóźniały, nieraz po godzinie i więcej, zwłaszcza zimą. Albo przychodziły tak zatłoczone, gdy wcześniejszy jakiś został odwołany, że trudno było się do wagonu dopchać, szczególnie gdy z rana ludzie jechali do pracy, a popołudniami wracali. Podobnie tłoczno robiło się w wieczornych ostatnich pociągach. Kolejarze niechętnie odpowiadali, co się dzieje, lub udawali, że nie wiedzą. A najczęściej zbywali ludzi byle czym, że lokomotywa się zepsuła i zablokowała gdzieś tor, muszą ją ściągnąć i doczepić nową. A taki spóźniony pociąg tym bardziej powiększał swoje spóźnienie, gdyż musiał czekać na stacjach i przepuszczać te niespóźnione, które jechały zgodnie z rozkładem.

Wybrać się więc do teatru czy filharmonii łączyło się zawsze z ryzykiem, czy się zdąży na ten ostatni, który odchodził mniej więcej kilkanaście minut po koncercie czy spektaklu. A przecież trzeba było jeszcze dojechać do dworca, a nie zawsze autobus czy tramwaj przyszedł punktualnie, gdyż też się nagminnie spóźniały. Jeśli chciałem zdążyć, musiałem wcześniej wychodzić z teatru czy filharmonii, z niecierpliwością więc spoglądałem na zegarek, czy już powinienem wyjść, czy jeszcze te ileś minut mogę popatrzyć, posłuchać.

Raz nie zdążyłem. Nie pamiętam, czy mnie tak koncert w filharmonii pochłonął, czy spektakl w teatrze. Gdy przyjechałem na dworzec, ostatni pociąg już odszedł. Stał jakiś towarowy przy dalszych peronach. Kolejarz obstukiwał akurat koła, co świadczyło, że pociąg wkrótce ruszy. Spytałem, potwierdził, że tak, zaraz odjeżdża, ale to transport wojskowy.

Przeszedłem wzdłuż wagonów, wszystkie zaplombowane, żadnych stopni, schodków czy poręczy. Nawet na buforach trudno by jechać, bo nie było się czego trzymać. Zrzuciłoby pod wagony, gdyby pociąg raptownie się zatrzymał czy przechylił za mocno na zakręcie. Zaświtała mi myśl, czyby do lokomotywy mnie nie wzięli. Pomocnik maszynisty podrzucał węgiel do paleniska, a maszynista stał po tamtej stronie i wychylony na zewnątrz z kimś rozmawiał. Spytałem pomocnika, a ten zaklął i rzucił:

– Chcesz łopatą w łeb dostać?

Przeszedłem wobec tego na koniec pociągu i w przedostatnim wagonie zobaczyłem budkę strażniczą. Siedział w niej żołnierz, miał otwarte drzwiczki i palił papierosa. Nie chciałem go pytać, czy mi pozwoli, bo z góry wiedziałem, że nie pozwoli. Pociąg ruszył, żołnierz przymknął drzwiczki, a ja łapiąc się poręczy, wskoczyłem na pierwszy stopień schodków, prowadzących do budki. Pchnął drzwiczki i próbował mnie zepchnąć, dźgając lufą karabinu.

– Gdzie?! Gdzie?! To transport wojskowy!

Złapałem się obiema rękami poręczy i nie dałem się. A gdy pociąg nabrał prędkości, machnął ręką i cofnął karabin, chociaż lufę wciąż trzymał wycelowaną we mnie.

– Wedle rozkazu mógłbym cię zastrzelić. Ale jedź. Tylko jak zejdziesz? Nie zatrzymujemy się nigdzie.

– Zeskoczę.

– A wiesz, jak się prawidłowo zeskakuje? Do przodu, żeby cię pod koła nie wciągnęło. Gdzie jedziesz?

Wymieniłem mu nazwę stacji.

– Wyciągnąłbym mapę, ale ciemno. Daleko stąd?

– Jakieś trzydzieści kilometrów.

– To za niedługo będziemy. Tylko nie wyskakuj na peron. Za stacją, jak już będzie nasyp. Odwróć się, żeby ci iskra do oka nie wpadła. Powiem ci, kiedy masz skoczyć, to się znów przodem odwrócisz. Mnie tak raz wpadła, to mi mało oka nie wyjęli. Może szkoda, bo byłoby się już w domu. Teraz! Skacz!

– Ku chwale ojczyzny, żołnierzu! – krzyknąłem na pożegnanie i sturlałem się w dół po nasypie.

Gdy po latach, już o lasce, schodząc schodek za schodkiem do tej dawnej dzikiej, zielonej doliny, której już nie było, będę patrzył na siebie tamtymi młodymi oczyma, najdzie mnie wątpliwość, czy mam prawo powiedzieć, że to ja zeskoczyłem wtedy z pędzącego pociągu, a nie złamałem sobie ani ręki, ani nogi, dwa guziki jedynie oberwały mi się u marynarki, no i unurzałem się w wilgotnej, zroszonej przez mgłę ziemi.

Mieszkanie było w willi, która stała już prawie w lesie. A willa była raczej letnia, ściany cienkie drewniane, co prawda z zewnątrz szalowane, lecz tu i ówdzie tynk już poodpadał. Sprawiała wrażenie, że liczyła sobie sporo lat, kiedyś mogła być okazała, teraz zaniedbana, podupadła, niemal dopraszała się o przywrócenie dawnego wyglądu. Od południowej strony okna duże, słoneczne. Na piętrze od tej samej strony szeroki, długi, można by rzec, widokowy taras, na który jednak strach byłoby wyjść, gdyż prawie zwisał. Totež nigdy nie widziałem, aby ktoś z mieszkających tam w dwóch facjatkach lokatorów pojawił się na nim. Na szczęście, bo mógłby pod człowiekiem runąć. O dawnym stanie tarasu świadczyła natomiast żelazna, bogato kuta w różne powoje, rozgwiazdy barierka.

Nie wiem, jak wyglądały te facjatki na górze, właściwie na poddaszu, gdyż nie było już nad nimi strychu. Dach był spadzisty i tylko jakieś zakamarki przylegały z jednej i drugiej strony do pomieszczeń, spełniając rolę strychu. Lokatorzy wyglądali na spokojnych, przyzwoitych ludzi. Mąż, żona i dwie kilkuletnie dziewczynki, ułożone, nierozbrykane, zresztą ciągle upominane przez matkę, żeby nie hałasowały, nie tupały po schodach, gdy wchodzą czy zbiegają.

Mąż, z wyglądu jakieś kilkanaście lat starszy od żony, co dzień o świcie, a jesienią, zimą jeszcze w nocy wychodził do pracy, niosąc wysłużoną teczkę, w której mógł mieć jedynie jakieś papiery, wracał późnym popołudniem, jesienią, zimą już prawie wieczorem, z tą teczką zawsze wypchaną zakupami. Czasem żona z dziewczynkami wychodziły po niego na stację i żona brała od niego tę teczkę. Poza tymi wyjściami do pracy i powrotami nigdy go nie widziałem, żeby gdzieś wychodził, nawet w niedzielę. Wieczorami często słychać było jego pobrzdąkiwanie na mandolinie i jakieś strzępy śpiewu, niekiedy wspólne z żoną. Nie wiem, kim był, gdzie pracował. Nie siedziałem zresztą i ja cały czas w domu, tak samo wyjeżdżałem, a wracałem nieraz późno, więc nie wszystko widziałem.

Do pokoju, który zajmowałem, wchodziło się od podwórza, z boku willi, przez obszerną, lecz zagraconą werandę. Stały tu jakieś paczki obwiązane sznurkami, jakieś zdezelowane krzesła, kosze i różne inne nie do określenia rzeczy. Ścianki werandy, mniej więcej od połowy do sufitu, ułożone były z niewielkich, kwadratowych szybek w różnych kolorach, żółtych, czerwonych, zielonych, niebieskich, kilka było wybitych. Gdy słońce przesunęło się nad werandę, płynęło światło niczym z kościelnych witraży. Gdy jednak padał deszcz, a zimą śnieg, wszystko zgromadzone na werandzie nasiąkało wilgocią.

Podobnie zagracony był mój pokój. Prawie połowę zajmował fortepian, który podobno przedtem stał w pokoju obok, teraz zajmowanym przez małżeństwo z niespełna rocznym niemowlęciem, urodzonym już tutaj, tak że przydałby się im i ten mój pokój, zwłaszcza że od nich do mnie było tylko przez drzwi. Te drzwi zastawiono wielką szafą na ubrania, co nie tłumiło całkiem dochodzących spoza nich odgłosów. Za fortepianem przy ścianie stała druga, mniejsza szafa, oszklona, wypełniona książkami. Wśród książek przeważały romansidła, ale było też kilkanaście utworów znanych pisarzy, w tym i tych wielkich, jak również kilka dzieł filozoficznych, Platona, Arystotelesa, Spinozy, Hume'a, Kanta, Nietzschego, i dwa o okultyzmie, nieznane mi zupełnie. Po zawartości tej szafy nie umiałbym jednak powiedzieć, kim były właścicielki willi.

Były trzy. Babcia, jej córka i wnuczka. Babcia już prawie z łóżka nie wstawała, jej córka w wieku mniej więcej pięćdziesięciu lat, o niepospolitej wciąż urodzie, i wnuczka, ta pielęgniarka. Mieszkały wszystkie trzy w największym pokoju, z którego dwuskrzydłowe, duże drzwi, całe oszklone, wychodziły na ogródek. Również do nich należała kuchnia, też duża. Z podwórka wchodziło się do kuchni przez sień. Mój pokój był połączony z ich pokojem drzwiami. Nie całkiem się te drzwi domykały, więc dochodziło do mnie wiele ich rozmów, niesnasek, czasem i kłótni.

Przestrzeń mojego pokoju zagęszczał ponadto ogromny, rozłożysty fotel, mocno już wysłużony. Przede wszystkim zagradzał mi przejście od werandy do kozetki, na której spałem. Nie było jak go ominąć ani gdzie przesunąć, był omal wciśnięty między fortepian a szafę stojącą przy drzwiach, za którymi mieszkała ta rodzina z niedawno narodzonym dzieckiem. Gospodyni, czyli matka owej pielęgniarki, wyjaśniła mi, że musiały meble z tamtego pokoju przenieść do tego, przedtem tam stały fortepian i ten fotel. I zaproponowała mi, abym przechodził przez ich kuchnię i pokój, bo kozetkę miałem akurat przy drzwiach do nich. Było to jednak dla mnie krępujące.

Raz tak właśnie przechodziłem przez kuchnię, a ona myła włosy w miednicy, roznegliżowana do pasa. Rzuciłem:

– Przepraszam. – I chciałem się wycofać.

Na co ona spod namydlonej głowy:

– Niech pan doleje mi gorącej wody. Z tego większego garnka na kuchni.

Była oczywiście łazienka, lecz tylko z zimną wodą. Jeśli chciało się mieć ciepłą, trzeba było najpierw podgrzać na kuchni, i to niejeden garnek, zanieść do łazienki i wlać do wanny. Kiedyś mieli podobno służącą, więc nie było z tym problemu, ona grzała, ona zanosiła, dolewała. Mnie zimna, ciepła nie robiło różnicy, toteż myłem się, a czasem i kąpałem w łazience.

Od tamtego zdarzenia wolałem się już tarmosić z fotelem, żeby dotrzeć do kozetki. Fotel był za ciężki, aby unieść go nad sobą, przejść i odstawić. Znalazłem inny sposób. Gdy miałem suche obuwie, stawałem na siedzeniu i przeskakiwałem. Kiedy miałem mokre czy ubłocone, siadałem na jednym boku i okręciwszy się ciałem z nogami w górze, przenosiłem je na drugi bok i spuszczałem na podłogę. Taka była moja droga do kozetki. Ale młody człowiek, ciało gibkie, więc mnie to nawet bawiło.

Kozetka była najbardziej zdezelowanym meblem w pokoju. Na dobrą sprawę nie nadawała się do spania. Część sprężyn oberwała się, pośrodku zrobił się dół, tak że trudno się było ułożyć, nie mówiąc już o spaniu w takiej kotlinie. Zdrętwiały się nieraz budziłem. A co gorsze, pod ciężarem ciała, gdy się poruszyłem, przez pokrycie przebijały sprężyny i pokłuwały nieraz boleśnie. Przez kilka pierwszych nocy mało co spałem, przypominając sobie niemal z tęsknotą czasy studiów, gdy spaliśmy we trzech na jednym łóżku i nieraz tylko Zbychu budził nas, wyciągając swoje długie nogi, ale nic nas przynajmniej nie kłuło. Postanowiłem jakoś temu zaradzić. Nakupowałem w kiosku gazet, zmiętosiłem je i wypełniłem nimi ten dół. Kupiłem też kilka kartonów w sklepie spożywczym i nałożyłem je na te gazety. Pierwszą noc po wyścieleniu tymi gazetami i kartonami kozetki spałem tak mocno, że obudziłem się dopiero około południa.

Prócz babci, gospodyni, jej córki był jeszcze pies. Mieszko się wabił, wilczur, piękny pies. Z nim się najszybciej zaprzyjaźniłem. Gdy zostawałem w domu, przychodził czasem do mnie. Sam sobie otwierał niedomykające się drzwi łapą, wystarczyło, że je pchnął, po czym wskakiwał na fotel i siedział, dopóki babcia go nie zawołała. Może przez niego polubiłem i babcię, co wydaje się dziwne, gdyż nie znosiłem starości. Ale i babcia polubiła mnie, bo nieraz wysyłała psa, aby mnie do niej przyprowadził. Na leżąco i w jej stanie zdrowia trudno było odgadnąć, ile może mieć lat. Mimo wieku i choroby nietrudno było dopatrzyć się w jej twarzy niegdysiejszej urody. Zmarszczki nie ściągały się jej wokół ust, oczy nie zapadły w oczodołach i wciąż były duże, niewyblakłe, zachowała regularne rysy i szczupły nos. Córka widocznie po niej odziedziczyła urodę, jakkolwiek podobieństwo nie wydawało mi się zbyt bliskie. Najmniej z nich trzech podobała mi się wnuczka pielęgniarka. Niebrzydka, lecz miała w sobie coś odpychającego. Zwłaszcza w oczach, nawet ładnych, lecz jakby z pogardą patrzących na świat. Lubiła być złośliwa i najwyraźniej sprawiało jej to przyjemność. Gdy matka czasem przywoziła z pracy kwiaty, które od kogoś dostała, i mówiła:

– Popatrz, jakie piękne dostałam kwiaty.

Ta wzruszała z lekceważeniem ramionami, gasząc radość matki:

– A cóż w nich pięknego? Zwykłe róże czy zwykłe gerbery, czy inne zwykłe. I pięć ci tylko kupił? Skąpy dziad.

Próbowałem sobie nieraz wyobrazić babcię w wieku wnuczki. Wyobraźnia nie była jednak w stanie zamienić starości babci na młodość wnuczki, chociaż nie powinno to być dla wyobraźni takie trudne, lecz ta starość najzwyczajniej odrzucała tę młodość, broniła się przed nią, jakby młodość wnuczki unieważniała niegdysiejszą młodość babci.

Nie każdego dnia jeździłem na uczelnię, chyba nawet częściej przebywałem w domu, pracując nad swoim doktoratem.

Gdy nie było ani córki, ani wnuczki, babcia przywoływała mnie ze swojego pokoju:

– Przyjdzie do mnie.

Głos miała jeszcze wyraźny, była tylko trochę przygłucha.

– Chciała pani czegoś?

– Przystawi sobie krzesełko. I siądzie. Popatrzę trochę na niego. Da mi rękę. – Brała moją rękę w swoją dłoń. – Młode ma ręce. Gładkie. A moje suche, szeleszczą. – I wpatrywała się w moją twarz, czasami prosząc, żebym bliżej się przysunął. A gdy wzrok jej się zmęczył, tchnęła tym zmęczeniem: – Idzie już. Muszę odpocząć. – I odwracała głowę do ściany.

Kiedyś tak mnie przywołała do siebie, a gdy siadłem przy niej, popatrzyła na mnie i łzy się pojawiły w jej oczach.

– Czemu babcia płacze?

– A cóż mi zostało? Nie ma mnie nawet kto wysłuchać. – I przenosząc wzrok z mojej twarzy gdzieś przed siebie i niemal przedzierając się przez ściśnięte gardło, westchnęła: – O, jak ja kiedyś kochałam. Dopiero teraz to czuję. Wtedy nie byłam pewna. A w miłości płaci się za to całym życiem. Dopiero teraz, gdy już za późno.

– I kogo babcia tak kochała?

Spojrzała na mnie dziwnie przenikliwie, jak na jej stare oczy.

– Może i jego.

Roześmiałem się.

– Nie mnie, babciu. To niemożliwe.

– Jego – żachnęła się, a z wysiłku, jakiego wymagało od niej to jedno słowo, krople potu wystąpiły na jej czole. I niemal mnie wypędziła: – Pójdzie już. Zostawi mnie.

Żałowałem potem, że się nie zgodziłem, aby to mnie kiedyś kochała. Słuchając cierpliwie jej wyznań, może bym się czegoś z jej życia nauczył. Z czyjegoś życia też mogą płynąć dla nas pożytki. Kto wie, czy nie większe niż z naszego własnego. Nasze własne rozłazi nam się, gdy próbujemy je zebrać. Chyba że znajdziemy sobie jakiś stały punkt, z którego będziemy mogli patrzeć, jak się wokół nas obraca, niczym wokół osi, jak płynie, jak wyprzedza nas, jak cofa się przed nami, jak nas zwodzi, przyspiesza, zwalnia razem z kulą ziemską. Myślałem, że już mnie więcej babcia nie przywoła. Ale któregoś dnia znów usłyszałem jej wołanie:

– Przyjdzie! Słyszy?!

Niestety, gdy podstawiłem sobie krzesełko do jej łóżka, ciszę rozdarły nagle dźwięki harmonii, a po paru taktach dołączył do niej chrapliwy śpiew nie śpiew. To lokator, mieszkający wraz z żoną i niedawno urodzonym dzieckiem za drzwiami zastawionymi od mojej strony szafą, rozpoczął kolejną lekcję gry na harmonii. Cienkie ściany willi, jak również niedomykające się drzwi od mojego pokoju do tego, gdzie leżała babcia, przepuszczały niczym sito wszelkie odgłosy. Gdy coś gdzieś komuś spadło na podłogę czy radio gdzieś głośniej grało, nie mówiąc, gdy się gdzieś kłócili, słychać było w całej willi. A kiedy wybuchała ta harmonia i dołączał do niej śpiew, dochodziło to nawet do uszu przygłuchej babci.

– A ten znowu burczy – rzekła zgorszona. – Że też Bóg musiał nas pokarać takim lokatorem. A chciałam coś powiedzieć, o czym przedtem zapomniałam. Może innym razem. Tylko niech mi przypomni, że mu miałam powiedzieć.

Harmonisty żona, cichutka jak mysz pod miotłą i zawsze zalękniona, usprawiedliwiała nieraz męża, że uczy się grać, bo chce chodzić na zabawy, wesela. A śpiewanie też może mu się przydać. Obiecali, że go wezmą do orkiestry, niech się tylko trochę poduczy, bo potrzebny im harmonista. Zarobiłby parę złotych, bo w opiece nie chcą już dawać. Mówią, że pracy pełno, to niech weźmie się do pracy. Zawsze lubił muzykę i śpiewał w dziecięcym chórze, kiedy ministrantem był. Ona też śpiewała i tak się poznali. Chodziła sprzątać, ale przerwała, dopóki maleństwa od piersi nie odstawi, potem będzie zanosić do żłobka.

Mimo że z kwaterunku przydzieleni, gospodyni zanosiła im nieraz coś do jedzenia. To chleb im kupiła, to margarynę, zupy więcej ugotowała i im zaniosła. Tak samo ta z góry obdarowała ich pieluchami, śpioszkami, ubrankami, które zachowała po swoich córkach, wózek im dała, zabawek i też czasem coś do jedzenia. On był przedtem milicjantem, wyrzucili go podobno za pijaństwo, chociaż żona zaprzeczała, że jeden bimbrownik doniósł na niego, że dał mu łapówkę. A jaka to była łapówka? O, ta harmonia, na której gra, a przedtem grał tamtego syn, ale umarł na suchoty, to nie miałby kto na niej grać.

Prawda nieprawda, nie dało się jednak ukryć, że czasem wracał do domu pijany, a wtedy wszczynał awanturę, wyzywając tę biedną, zalęknioną żonę od najgorszych, że życie mu zmarnowała, bo kochała się w nim jakaś majętna panna, leżałby teraz brzuchem do góry, a musi tyrać. Albo zapisałby się do szkoły muzycznej czy wynajął nauczyciela, niechby do niego przychodził. To wziął sobie za żonę dziadówkę, w jednej koszulinie, i musiał w milicji ganiać za złodziejami. Chodziłby we fraku, w lakierkach, w kapeluszu, a musiał w mundurze. Na dobrą sprawę nie wiadomo, co tam się działo, nie wszystko dochodziło przez drzwi i ściany. Nie słychać było, żeby kiedykolwiek ona wzywała pomocy czy zanosiła się płaczem. Nie widziało się też na jej twarzy sińców czy opuchnięć.

Nigdy też się nie skarżyła na niego, zawsze go broniła, nawet po największej awanturze, że to gdzieś tak go zezłościli i wrócił rozgoryczony.

Kiedyś tak wszczął awanturę i nagle ona wyskoczyła z domu i zaczęła uciekać, a on, zataczając się pijany, za nią.

– Zastrzelę! Zastrzelę! Niech raz to się skończy! – I wyciągniętym w jej stronę wskazującym palcem niby to strzelał:

– Paf! Paf! Paf! Padnij, kiedy cię zastrzeliłem, ty taka owaka! – I tak ganiali się po podwórzu, ona uciekała, a on za nią. – Paf! Paf! Paf! – Aż w końcu zawadził o wystający korzeń sosny, rosło kilka sosen wokół willi, i runął na ziemię.

Przyklękła przy nim i zaczęła go prosić:

– Wstań. No, wstań. Nie rób mi wstydu. Położysz się w łóżku.

Nie miał jednak zamiaru przenosić się na łóżko, leżał bez ruchu. I nie pomagało, że go głaskała po twarzy, mierzwiła z czułością jego włosy. Wyszedłem z domu zaniepokojony tą strzelaniną i krzykami, ale patrząc na tę ich gonitwę, postanowiłem się nie wtrącać, gdyż nigdy nie wiadomo, czy jeśli jego zatrzymam, ona nie każe mi go puścić, jeśli ją osłonię, on się i tak położy na ziemi. Spróbowała go podnieść, nie dawała jednak rady. Był nieduży, w przeciwieństwie do niej, wysokiej, obfitej, wydawał się chucherko. Człowiek bezwładny, zwłaszcza gdy leży, jest dużo cięższy, niżby jego waga wskazywała. Podnosiłem babcię, gdy umarła, i nie z ziemi, lecz z łóżka, żeby ją przenieść na inne łóżko, to musiałem się cały w sobie napiąć, nogami niemal wbijając się w podłogę, aby mnie nie przeważyła. Ale z umarłymi może jest gorzej.

– Hej! Pomoże mi! – zawołała. – Nieduże to, a takie ciężkie!

Wziąłem go za tułów, przeplatając pod pachami ręce, ona za nogi i takiego bezwładnego zanieśliśmy do domu, kładąc na łóżku. Chciała go czymś nakryć, ale otworzył oczy i siadł. Spojrzał na nią, spojrzał na mnie i powiedział:

– Ciężki jestem, co?

Wydawało się, że po tym zdarzeniu zmienił się, stał się pokorny, cichutki, nie wygadywał, nie grał, nie śpiewał, a gdy mnie spotkał, podziękował, że pomogłem żonie, uścisnął mi rękę, zasalutował. Nie był już w milicji, ale chodził w milicyjnej czapce, bez dystynkcji i paska, i na dzień dobry każdemu salutował, nawet tym z góry dziewczynkom. A co było najbardziej uderzającym objawem zmiany, zaczął wyjeżdżać wózkiem na spacery z dzieckiem. I zrobił się tak czuły wobec tego dziecka, na które przedtem nieraz wygadywał, że rozerwie, jeśli nie przestanie ryczeć, jakby dopiero teraz zrozumiał, co to jest być ojcem. Zatrzymywał wszystkich znajomych, nieznajomych, chociaż jako były milicjant znał tu wszystkich, żeby zajrzeli do wózka, jakie ma śliczne dziecko. Naciągał na nie kołderkę, gdy robiło się chłodniej, odkrywał, gdy gorąco, nachylał się nad wózkiem i rozanielony coś tam szeptał. I przeważnie długo z tych spacerów nie wracał, tak że ona zaniepokojona wychodziła wówczas po niego, rozpytywała ludzi, czy go gdzieś nie widzieli, bo zapuszczał się w lasy, pola, tracąc poczucie czasu, a zegarka nie miał, gdyż podobno sprzedał na wódkę.

Aż któregoś dnia jakby zbuntował się przeciwko sobie. Zaczęło się od tego, że świat jest do dupy. Byłem wtedy w domu. I za ten świat obciążył ją winą. Po czym zaczął wyzywać z imienia i nazwiska swoich milicyjnych przełożonych:

– Porucznik! Kapitan! Skurwysyn, nie porucznik, kapitan! A tyś, kurwo, tańczyła z nim na sylwestra! Może cię i ruchał! Klęknij tu! Przysięgaj!

Klękała, przysięgała, jakby była naczyniem wszystkich win tego świata. Nigdy się nie wypierała, nic by to nie dało, jeszcze gorzej by go rozsierdziło. Jego wściekłość biegła w linii wznoszącej, po czym zaczynała opadać, zmierzając nieomal do płaczu. Lecz nie daj Boże było go wtedy pocieszać, gdyż na nowo wybuchał, z jeszcze większą zajadłością. Brała więc harmonię, zakładała mu na piersi, pasy przekładając pod ręce.

– O, pograj sobie, pograj, mój jedyny.

Raz nie dał się jej ujarzmić, już nawet zaczął grać, gdy nagle ryknął:

– Sprzedam! Sprzedam! Na chuja mi to granie! – I wyskoczył z tą harmonią na dwór. Wybiegła za nim, zostawiając drące się wniebogłosy dziecko, lecz uratowała harmonię. A na drugi dzień już grał i śpiewał, co było dużo mniej trudne do zniesienia niż te awantury. Z jej słów, jakie mnie czasem doszły, można było się domyślać, że czerpie z jego grania i śpiewania chęć do życia.

– O, coraz lepiej grasz i śpiewasz, gdy jesteś spokojniejszy. Nie moglibyśmy tak żyć? W sercu mi się miękko robi, gdy grasz i śpiewasz. Damy sobie radę, nie martw się. Maleństwo od piersi odstawię, pójdzie do żłobka, a ja znowu zacznę chodzić na sprzątania.

I żal mi ich było, i nienawidziłem ich. Ale kiedy grał i śpiewał, jakoś szło mi pisanie, może się przyzwyczaiłem. Kupiłem sobie stolnicę, taką do gniecenia ciasta, siadałem na kozetce, na kolana kładłem stolnicę i tak pisałem.

Nie skończyłem jeszcze pisać doktoratu, kiedy się wyniosłem z tej willi. I może wydać się to dziwne, lecz brakowało mi tego grania i śpiewania. Ta część pracy, napisana już w innym miejscu, wydała mi się jakby płytsza. Potwierdził to i profesor, kiedy przyniosłem mu już przepisaną na maszynie.

– Niech pan nad tą drugą częścią jeszcze popracuje. Ma się wrażenie, jakby tę część kto inny i tę kto inny pisał. Ta pierwsza jest bogatsza, dociekliwsza, śmiałe wnioski pan wyciąga, a ta druga powierzchowna, nic w niej nie ma odkrywczego, jakby chciał pan jak najprędzej skończyć.

Czyżby nieudolne granie i śpiewanie zmusiło mnie do większego wysiłku myślowego? Czyżbym, doświadczając niełatwej, powikłanej, często i tragicznej codzienności mieszkańców tej willi, głębiej odczuwał i dotkliwość istnienia ludzi w tak odległej epoce jak to moje średniowiecze? Przychodziły mi niedorzeczne myśli do głowy, aby wynająć jakiegoś harmonistę, niechby mi grał i śpiewał. Grywali tacy na ulicach.

Ale może nie tylko to granie i śpiewanie. Nasiąkałem przecież każdego dnia jakimiś zdarzeniami, często, wydawałoby się, mało znaczącymi, których pamięć nie powinna zachować, które organizm niemal samoczynnie odrzucał, a już na pisanie nie powinny mieć żadnego wpływu. Człowiek jednak wchłania wszystko niczym gąbka wodę, poza swoją wolą i swoimi wyborami. Bo na przykład jaki mogło wywrzeć na mnie wpływ jego przywiązanie do chodzenia w milicyjnej czapce i salutowanie każdemu na dzień dobry. A jednak nie było to dla mnie wcale śmieszne i nawet żal mi się go zrobiło, gdy przysłali mu zawiadomienie, że musi czapkę oddać. Nie chciało mu się już ani grać, ani śpiewać, zrobił awanturę żonie. I dopiero się uspokoił, gdy ona zdecydowała się pójść na posterunek i poprosić, żeby mu zostawili. Zgodzili się pod warunkiem, że odpruje daszek.

Nie mieszkałem już tam od kilku lat, gdy któregoś dnia natknąłem się na wnuczkę pielęgniarkę i od słowa do słowa powiedziała mi, że harmonista jak wyszedł z domu, a minęło już parę miesięcy, tak dotąd nie wrócił. Szukali go wszędzie, ale znaleźli tylko tę milicyjną czapkę bez daszka. Teraz ona gra na harmonii, szybko się nauczyła, i nawet lepiej niż on. Czasami też śpiewa, ładny ma głos. I ładne są te jej piosenki. Sama układa melodie, słowa. Wyobrażasz sobie?

Dalej bym tam mieszkał, ale wymówiły mi. Chciałem nawet płacić czynsz, nie zgodziły się. Matka może by uległa, powiedziała, że się zastanowi jeszcze, lecz córka pielęgniarka oświadczyła mi stanowczo, żebym poszukał sobie innego mieszkania. Od jakiegoś czasu zrobiła się zresztą nieprzyjemna wobec mnie, opryskliwa, co mi mogło dać do myślenia, ponieważ przedtem wyciągała mnie nieraz wieczorami na spacer, prowadziła przez jakieś zaułki, zagajniki, ścieżkami, gdzie już domów nie było. Brała mnie pod rękę, zwierzała się, skarżyła na matkę, babcię, że matka ma kochanka, a babcia demencję. I kto to widział, tak długo żyć? Położyła się do łóżka, to myślały, że wkrótce umrze, obiecywał im to i znajomy lekarz, którego wzywały do babci, że miesiąc, dwa najwyżej. Starzy mają nieraz zdrowie, żeby żyć i żyć. Tak że najchętniej by uciekła z tego domu, bo to nie jest dom dla normalnych ludzi, w którym miałoby się poczucie, że się mieszka. Nawet spać we trzy w jednym pokoju to istna mordęga. Gdyby nie proszki, ani jednej nocy by nie przespała. Jedyna nadzieja, że za mąż wyjdzie i mąż ją stąd zabierze. Ale jakoś nie może trafić na odpowiedniego kandydata. Miała kogoś, podobał jej się, ale był żonaty i rozwieść się nie chciał.

– A jak ty to wszystko wytrzymujesz? – mawiała. – Przecież on cię zamorduje tym graniem i śpiewaniem. Jeszcze żeby mu coś wychodziło. Nic nie wyjdzie, bo to kiep. Do jakiej orkiestry chcą go wziąć? Nie ma tu żadnej orkiestry. Takie same pijaki jak on, upiją się, to zakładają orkiestrę. Do tego jeszcze ten bachor. Dziwię ci się.

Czyżby miała nadzieję, że coś wyniknie z tych naszych spacerów? I zawiodłem ją? Nie od razu się tego domyśliłem. Długo już nie byliśmy na żadnym spacerze i któregoś wieczora sam zaproponowałem, że może byśmy się przeszli. Odmówiła, że nie ma czasu. Za parę dni również odmówiła. Myślałem, że coś jej na nosie siadło, może w pracy jakieś niepowodzenia.

Kapryśna zresztą była. Czasem pogodna, tryskająca humorem, dowcipna, wydawałoby się, że świat by do siebie przytuliła, by nagle wybuchnąć wściekłością, gdy ją matka poprosiła, że może by uczesała babcię:

– A ty nie możesz?! To twoja matka, nie moja! – I zaczynała się kłótnia niby o babcię, lecz właściwie o wszystko, można by powiedzieć o życie, jak zwykle takie rodzinne kłótnie. Niejedno się z tych kłótni dowiedziałem. Na przykład kim był mąż gospodyni, czyli ojciec pielęgniarki. W młodym jeszcze wieku zmarł na gruźlicę. Lekarz wysłał go w góry na kurację. Chciał, żeby żona z nim pojechała, ta jednak odmówiła, że dziecko jeszcze za małe na taki wyjazd. Pojechał więc sam, lecz ktoś mu doniósł, że żona mieszka u kochanka, a dziecko zostawiła pod opieką babci. Przerwał kurację i nie chciał się dalej leczyć. Był architektem, znanym, cenionym, dobrze im się powodziło i on zaprojektował tę letnią willę.

Innym znów razem kładły się już spać i nagle zaczęły się kłócić. Nie dosłyszałem, co było powodem, kłótnia niemal z każdym słowem, rzuconym z jednej lub drugiej strony, przybierała gwałtownie na zajadłości, cięły się tymi słowami, niemal kaleczyły, aż w końcu matka trzasnęła drzwiami i wybiegła na dwór. Córka, jeszcze niewystygła, wściekła, bez pukania pchnęła drzwi do mojego pokoju.

– Poszedłbyś zobaczyć, gdzie ta wariatka poleciała.

Ciemno, że oko wykol, noc bezksiężycowa, gwiazdy zaciągnięte chmurami. Wróciłem do domu po świeczkę i z zapaloną świeczką zacząłem krążyć między sosnami. Obszedłem krok za krokiem całe podwórko, w pewnej chwili zawadziłem o korzeń, świeczka wypadła mi z ręki i zgasła. Kucnąłem, zacząłem macać dookoła ziemię, lecz co z tego, że ją znalazłem, skoro nie miałem zapałek. Zresztą ze świeczką niewiele więcej widziałem niż bez świeczki, bardziej podświetlała mi oczy niż rozrzedzała ciemności. Wróciłem do domu.

– Wyjdź może jeszcze raz – poprosiła mnie wciąż rozjuszona córka. – Ostatnim razem już za parkanem leżała.

I rzeczywiście, leżała tuż za furtką, pod krzakiem bzu, który akurat kwitł i pachniał, aż zatykało. Była naga, widocznie wypadła z domu, nim włożyła nocną koszulę. Słowa córki musiały się wbić w nią głęboko, że gdyby stała na brzegu rzeki lub na skale, skoczyłaby. A w domu, przy łóżku, gdy rozebrała się do snu, tylko nocna koszula wypadła jej z rąk. Przyniosłem to jej nagie, niemal martwe ciało do domu, położyłem na łóżku, nocna koszula leżała tuż na podłodze. Nie otwarła oczu, drżała tylko cała.

– No, nie wariatka? – Córka wciąż nie była w stanie się opanować. – Nie można jej marnego słowa powiedzieć. Zaraz szlag ją trafia i gdzieś leci. I jak ja tu mam mieszkać?

Na drugi dzień jakby nigdy nic wstała i pojechała do pracy. Nie wiedziałem, jak się teraz zachować, gdyż wstydziłem się, że widziałem ją nagą. Przez kilka dni wyjeżdżałem wcześniej od nich na uczelnię, a wracałem późno. Myć się chodziłem, kiedy one z rana wyjechały. Nawet herbaty sobie nie parzyłem, jeśli wróciłem wcześniej, gdy one były już w domu. Nagość potrzebuje wyrozumienia czyichś oczu. A ja ją przecież niosłem nagą na rękach, więc musiało ją to uwierać, skoro ja nie mogłem sobie z tym poradzić, jak jej spojrzę teraz w oczy.

Bo nieść na rękach nagość, to nie to samo, co ją widzieć. Niemal czuje się, jak krew przepływa z ciała do ciała.

Późno wtedy wróciłem, już spały, w każdym razie okna w ich pokoju nie świeciły się. Postanowiłem jeszcze trochę popracować, korzystając z ciszy, jaka o tej porze zalegała w willi. Siadłem na kozetce, położyłem sobie stolnicę na kolanach, gdy wtem cichutkie pukanie rozległo się do moich drzwi. Rzuciłem:

– Proszę.

Była w nocnej koszuli, w ręku niosła na spodeczku szklankę z herbatą.

– Zobaczyłam przez szczeliny w drzwiach, że pan jeszcze nie śpi i przyniosłam panu gorącej herbaty.

Parzyłem sobie czasem w nocy herbatę, gdy siedziałem dłużej. Przechodziłem wtedy na palcach w samych skarpetkach przez ich ciemny pokój, pewny, że wszystkie trzy już śpią. I zdarzało się, że w drodze do kuchni zatrzymywał mnie nagle jej szept:

– Zaparzę panu.

I przychodziła z tą szklanką herbaty, a zawsze była tylko w nocnej koszuli. I wydawało mi się to naturalne, nie będzie się przecież ubierać nocą do szklanki herbaty. Troska, za którą byłem jej wdzięczny, odwracała moją uwagę, że przez tę koszulę prześwieca jej nagość. A niemało zaznałem od niej troski, aż się nieraz dziwiłem. Może pragnęła mieć syna i byłem jakimś jego uosobieniem, gdyż z córką żyła w ciągłej niezgodzie?

Zimą, nawet przy trzaskającym mrozie, nie paliłem w piecu. Byłem wytrzymały na mróz. Nie nosiłem ani rękawiczek, ani nauszników. Jadąc z dworca tramwajem na uczelnię, wisiałem na stopniach wraz z innymi, trzymając się poręczy, bo nie mogliśmy się dostać do środka z powodu tłoku, i ani ręce, ani uszy mi nie marzły. A spałem pod grubą, puchatą pierzyną, przysłaną przez matkę, nakrywając się z głową i tylko otworek sobie robiąc do oddychania, na powietrze.

Nie tylko herbatę mi przynosiła. Proponowała i gorący termofor, abym nogi sobie rozgrzał. Kiedyś wracam wieczorem, a tu napalone, ciepło jak w bani, piec gorący, że nie można dotknąć. Poszedłem podziękować, a ona, że bolało ją, gdy pomyślała, że przyjdę z mrozu do takiego zimnego pokoju.

– Przyniosę panu i gorącej herbaty.

Tylko że to ciepło zaraz mnie rozebrało. Położyłem sobie na kolanach stolnicę i nie chciało mi się ręką ruszyć. Nie wiem, czy przysnąłem, czy w półjawie zobaczyłem, że z tej dawnej dzikiej, zielonej doliny wspina się schodami babcia.

– Dobrze, że już jesteś – mówi – bobym chyba nie wyszła. Za dużo tych schodów dla mnie. Ale czekaj tam, czekaj, powoli może wyjdę. – Schodki jakby nie chciały się pod nią przesuwać. Przyłożyła rękę do piersi. – O, widzisz, powietrza mi brakuje, a serce wali mi młotem. Może to już nie to samo serce, które cię kochało. Na szczęście jeszcze trochę bije. Jeszcze do ciebie idzie. Czekaj, żebym nadaremno nie wychodziła. Wychodzić po nic? Całe życie i po nic?

Idzie i idzie, a wciąż nie może do mnie dojść. Ileż te schody mają stopni, zastanawiam się. Nigdy ich nie policzyłem. A szkoda. Wiedziałbym, ile jeszcze jej do mnie zostało. Chyba nigdy takie długie nie były. Czyżby z każdym rokiem jeden schodek przybywał? Czy schody też rosną jak drzewa?

– Tobie też tak ciężko jest wchodzić? – spytała, przystając na kolejnym schodku.

– Co tam dla mnie takie schody, babciu. Po dwa, trzy wchodzę, schodzę.

Nagle jakby w głowie jej się zakręciło. Na szczęście zdążyła przytrzymać się poręczy.

– Po dwa, trzy, mówisz. Po dwa, trzy. To kiedy to było? Pewnie nie pamiętasz, że mieliśmy po tyle samo lat. Może byłeś o rok starszy, a może ja o ten rok młodsza.

Niewiele tych schodków już jej do mnie zostało, lecz co którą nogę uniosła, to nie dostawała wyższego schodka. Jakby ten schodek uciekał wzwyż od jej uniesionej stopy. Próbowała i lewą, i prawą, to samo.

– Chyba już nie dojdę – powiedziała. – Żałuję, że nie poszłam przez miasto. Miałam sobie nawet kupić zatrzaski do bluzki. Pamiętam, miałam taką bluzkę w polne kwiatki. Nie wiem, czyby ci się spodobała, gdybyś mnie w niej zobaczył. Nie tylko wojny, ale i bluzki powinno się pamiętać, a łatwiej żyć.

Gdy z wysiłkiem wreszcie pokonała wyższy schodek, z radością w głosie powiedziała:

– O, udało się. Jeden schodek bliżej. Tylko nie wiem, czy do ciebie. Trzeba mi dojść, żeby się przekonać, czy to nie ty wtedy zginąłeś.

Musiała wykrzesać z siebie jeszcze trochę siły, by wyjść na następny schodek.

– Ale wyżej chyba nie dam rady. Muszę siąść na chwilę. – I przysiadła już całkiem blisko mnie. – Nie myślałam, że to tak wysoko. Widocznie za długo żyjesz.

– Szkoda, że babcia nie przyszła, kiedy byliśmy młodzi. Czekałem tu na nią. Nieraz czekałem.

Na co niemal żwawo poderwała się ze schodka i przez okamgnienie zobaczyłem ją młodą, nawet w tej bluzce w polne kwiatki.

– Wyciągnij rękę, złapię się.

Wyciągnąłem, lecz ręka moja zawisła w próżni.

Jak się znalazłem w jej życiu, nie rozumiem. Minęły lata, odkąd umarła, a nie rozumiem. Willi już nie ma, stoi teraz na jej miejscu wielorodzinny, dwupiętrowy blok. Umarły i córka, i matka, w takiej właśnie kolejności, a wciąż wydaje mi się, że dalej tam mieszkam, śpię na tej zapadłej kozetce, wyścielonej gazetami, kartonami, a zza drzwi za szafą dochodzą mnie awantury albo dźwięki harmonii i chrapliwy śpiew. I od czasu do czasu słyszę z sąsiedniego pokoju przez niedomykające się drzwi wezwanie babci:

– Przyjdzie tu.

Nie mieszkałem tam długo, niecałe trzy lata. Może mieszkałbym dalej, ale kiedyś już po śmierci babci znów się kłóciły. I córka wybuchła w pewnej chwili:

– Powiedz mu, żeby się wyprowadził. Przeniosę się do tamtego pokoju, zamknę drzwi na klucz i nie chcę cię znać!

– To ty mu powiedz.

Odtąd czekałem niemal każdego dnia, że mi któraś to powie. Dni jednak mijały, a matka od czasu do czasu przynosiła mi herbatę, córka pytała się, jak mi idzie ten doktorat, kiedy skończę. Nie wiem, czy brakło im odwagi, czy może nie chciały się ze mną rozstawać, że zabiorę im jednak po kawalątku życia. Nieraz nieprzyjemne, naburmuszone i tak ten stan zawieszenia trwał.

Nieoczekiwanie wdał się w to wszystko Mieszko. Gdy zostawałem w domu, a one wyjechały do pracy, miałem obowiązek dawać mu jeść i wypuszczać go na dwór za potrzebą. Sam wracał, nie musiałem wychodzić po niego. Drapał w te szklane drzwi od strony ogródka, czasem zaskowyczał, gdy uznał, że coś za długo mu nie otwieram, bo nim zdjąłem stolnicę z kolan z tym moim doktoratem, ściągnąłem się z kozetki, trochę zeszło. Czasem od razu kierował się do mojego pokoju, wskakiwał na fotel, zwijał się i patrzył, jak zakładam sobie ponownie stolnicę na kolana i zabieram się do pisania. Nie mogłem nieraz oprzeć się wrażeniu, że chciałby mnie zapytać:

– A do tego średniowiecza jak daleko?

Gdy jednak doszło go zza szafy granie i śpiewanie, zeskakiwał z fotela i wsadzając łapę w szczelinę, odciągał sobie drzwi i szedł do babci, kładł się przy jej łóżku i jakby czekał, kiedy babcia zawoła mnie:

– Przyjdzie tu.

Nie wiemy, co wiedzą psy o ludziach. Narzucamy im nasze światy, ale pewnie żyją w swoich, niedostępnych nam. Radują się inaczej niż my, cierpią inaczej, ale co my wiemy o ich radościach, cierpieniach? Chociaż miałem nieraz wrażenie, że Mieszko żyje w dwóch światach, swoim psim i w naszym ludzkim. Bo dlaczego tak bardzo lubił słuchać, co babcia opowiada? Jakby był przy niej w całym jej życiu. Gdy usłyszał, że babcię ktoś skrzywdził, szczerzył zęby, a nawet zrywał się i szczekał. Musiała go babcia uspokajać:

– Przestań, Mieszko. Nie ma się co wściekać, kiedy ktoś już nie żyje. To rodzina jego mnie nie chciała. Bogacze byli. Ziemi mieli tyle, co wokół. A spojrzałbyś z góry, to jeszcze więcej. A ja cóż? Ojciec lekarz w małej mieścinie, większość ludzi żydowska biedota, nieraz nie brał pieniędzy, bo ledwo to koniec z końcem wiązało. A tu Bóg zsyła mi takiego bogacza. W ciąży z nim byłam, ale wyskrobałam. Przebacz mi, Panie Boże. Księdzu na spowiedzi nie przyznałam się. Nie zrozumiałby. Ale ty, pies, zrozumiesz.

Mieszko może i rozumiał, lecz tym bardziej nie chciał się uspokoić.

– No, przestań. Królewskie masz imię, a zachowujesz się jak zwykły pies. Nie szczekaj, sam sobie wymierzył sprawiedliwość. Chodziłam na jego grób, póki nie wybuchła wojna.

Uchylałem zawsze drzwi od swojego pokoju, gdy matka z córką były w pracy, żeby czuwać, gdyby babcia czegoś potrzebowała. W związku z tym w moje pisanie wtłaczały się jej zwierzenia, jakimi dzieliła się z psem. Zły nieraz byłem, bo chciałem się skupić na pisaniu, a zarazem nadsłuchiwałem. A gdy mnie przywoływała do siebie, z ulgą odkładałem pisanie i szedłem jej posłuchać. Nie wierzyłem w to, co opowiada, brednie, myślałem, ale czy tak do końca się nie wierzy, gdy ktoś wyznaje, że cię kochał. Zaprzeczasz, ale czy nie wierzysz? Ona stara, ty młody, czasy wasze się rozminęły, ale czy nie chciałbyś żyć w jej życiu, gdyby to było możliwe? Toteż gdy umarła, spokój, jaki po sobie zostawiła, nie był tym spokojem, jakiego można się spodziewać po czyjejś śmierci. Jej opowieści dalej się snuły. Czy to zresztą takie dziwne? Wszyscy umarli snują swoje opowieści jeszcze długo po śmierci, bo nikt nie zdąży za życia wszystkiego opowiedzieć. To trzeba by w nieskończoność żyć. Opowieść nie zna czegoś takiego jak koniec, z wyjątkiem, być może, końca świata. Toteż miliony, ba, miliardy ludzi wciąż opowiadają siebie w nadziei, że zostaną wysłuchani. Kto wie zresztą, czy te opowieści nie odraczają nawet końca świata, który by dawno się dokonał, gdyby miał kto o tym końcu opowiedzieć i kto wysłuchać. Tyle wojen, męczeństwa, cierpień, rozpaczy jakby kusiły świat, aby się skończył. Tyle nienawiści, bo często i miłość jest już zarażona nienawiścią, a świat jakby na przekór sobie wciąż istnieje. Czy to nie dziwne? Więc może każde zdarzenie musi się przejrzeć w opowieści, jeśli chce się zdarzyć? I każdy człowiek, jeśli chce istnieć? A nawet Bóg nieopowiedziany czy istniałby?

Po śmierci babci Mieszko dalej kładł się przy jej łóżku, mimo że łóżko zasłane było kapą, zdaje się, czerwoną w zielone desenie czy odwrotnie, zieloną w czerwone desenie. Nie mogłem odgadnąć, co go tak ciągnęło. Jeśli psy mają podobną do ludzi wyobraźnię, to widocznie potrafił sobie wyobrazić, że babcia wciąż żyje i leży w łóżku mimo tej kapy. Mam prawo tak sądzić, gdyż nieraz przychodził do mnie, jak dawniej przez babcię wysłany, żeby mnie do niej przyprowadził, jeśli nawet harmonista, grając i śpiewając, głuszył jej nawoływania.

– Daj mi spokój. Widzisz, że piszę, a babcia już nie żyje.

Nie dawał się przekonać. Mój opór budził w nim złość. Szarpał mnie za nogawkę spodni, warczał, a w jego oczach najwyraźniej czaiła się nieustępliwość, która lada chwila mogła wybuchnąć wściekłością.

Dzień zapowiadał się słoneczny, upalny, a matka z córką posprzeczały się przed wyjazdem do pracy. Matka spytała córki, czy na tę upalną pogodę, jaka się zapowiada, będzie dobra ta bluzka z szyfonu.

Na co córka prychnęła:

– Cieńszej już nie mogłaś założyć. Chcesz stroić się na młódkę, to zdejmij koszulę, stanik, niech widzą, jak ci cycki dyndają.

I zaczęła się wymiana złośliwości, która przerodziłaby się z pewnością w awanturę, gdyby nie to, że pociąg nie czekałby, aż się wykłócą. Nie wyszły, jak zwykle, razem. Pierwsza córka, trzasnąwszy drzwiami, a matka dopiero na następny pociąg. Przedtem zajrzała do mnie, przypominając mi, żebym psa wypuścił, nakarmił go, nalał mu w miskę wody na ten upał. Nakarmiłem, nalałem wody. Zjadł, wychłeptał.

– No, to teraz wyjdź. – Otworzyłem mu drzwi do ogródka, a on popatrzył z żalem w oczach, jakbym go wypędzał. Chyba zamierzał położyć się na progu, więc popchnąłem go i zamknąłem drzwi. Stał jakiś czas i może była to wina szyby w drzwiach, bo szyby nieraz fałszują widzenie, wydało mi się, że w jego psich oczach pojawiły się łzy.

– No, czemu płaczesz? Psy nie płaczą. Wstydziłbyś się. Idź, idź. – Machnąłem mu ręką. – Niedługo wrócisz. O co ci chodzi? – I odszedłem. Dręczyło mnie jednak jego dziwne zachowanie. Toteż po odczekaniu kilkunastu minut, wróciłem zobaczyć, czy już poszedł. Stał dalej, niemal dotykając szyby pyskiem. – No, idź, idź. – I ponownie odszedłem. Tym razem dłużej odczekałem. A kiedy znowu poszedłem zobaczyć, nie było go.

Miałem na drugi dzień umówione spotkanie z profesorem. Chciałem, żeby mi pomógł rozstrzygnąć wątpliwości, jakie naszły mnie w trakcie pisania doktoratu, więc nie w głowie mi było zastanawianie się, dlaczego nie chciał odejść od drzwi. W końcu odszedł, więc wszystko w porządku. Zapewne niedługo wróci i da mi znać, drapiąc jak zwykle w drzwi. I zatopiłem się bez reszty w swoim średniowieczu, tym bardziej że sprzyjała mi cisza, zza drzwi zastawionych szafą nie dochodziły żadne odgłosy, nawet popłakiwanie dziecka. Ale ta cisza okazała się mieć wkrótce i drugą stronę, podobnie jak poczucie szczęścia, którego rewersem jest lęk, i zacząłem się niepokoić, że Mieszko coś długo nie wraca. Fotel był pusty, a przecież powinien tu leżeć i patrzeć, jak piszę. Raz po raz wychylałem się z tego mojego średniowiecza i nasłuchiwałem, czy nie drapie do drzwi. W końcu zdjąłem stolnicę z kolan, podniosłem się z kozetki i podszedłem do oszklonych drzwi w tamtym pokoju, ale nie było go. Nie miałbym nic przeciw, gdybym nawet usłyszał w tym momencie dźwięki harmonii zza szafy i ten chrapliwy śpiew. Niechby zabrzmiał i ten znienawidzony przeze mnie walc *Na falach Dunaju*, od którego harmonista zwykle zaczynał lekcję. Bezwiednie zacząłem nawet nucić ten walc. Chyba i obróciłem się kilka razy w kółko. A może bym się i roztańczył, gdyby nie nawiedziła mnie myśl, że powinienem wyjść i poszukać Mieszka, bo to jedyne, co mogę zrobić. A za tą myślą nadzieja, że go gdzieś tu blisko zaraz znajdę. I jak to zwykle bywa, z nadzieją idzie pod rękę wyobraźnia. Oczyma wyobraźni zobaczyłem nawet, że Mieszko spotkał jakąś sukę i wzajemnie łaszą się do siebie. Nic dziwnego więc, że zakłócił się w nim rytm, zapomniał o swoich przyzwyczajeniach i nawykach. Co chwila suka zrywa się, a on ją goni. Suka jest malutka, więc gdy ją dogoni, staje bezradny, a ona truchleje. Znowu mu ucieka, a on znowu ją goni, tak że mogli już daleko odbiec od domu, bo w pobliżu domu go nie było.

Zaszedłem do najbliższego sąsiada, kwitły akurat jaśminy, a jaśminy, kiedy kwitną, są zdolne w każdym czułą strunę poruszyć, czemu by nie w psie? Harmonista, gdy raz kwitły jaśminy, stał i wciągał w siebie ich zapach, a nie był pijany.

– O, zagrać taki zapach – westchnął.

Zaglądam pod jaśminy, że może Mieszko gdzieś pod nimi leży. Wyszedł z domu sąsiad.

– Chce pan jaśminu? To proszę, zaraz panu utnę.

– Nie, psa naszego szukam.

– W jaśminach? Szukaj go pan, gdzie zginął. A jaśminu jakby pan chciał, to dziś, jutro, bo już zaczyna przekwitać.

Zajrzałem do następnych sąsiadów i następnych, po tej, po tamtej stronie drogi, ale nikt Mieszka nie widział. Nadzieja, że go łatwo znajdę, zaczęła we mnie topnieć. W pewnej chwili przeraziłem się własną myślą, że mógł pójść gdzieś na tory popełnić samobójstwo. I leży między szynami, przejechany przez pociąg. Nie wiem, czy psy popełniają samobójstwa, lecz moja bezradna wyobraźnia dopuściła taką możliwość. Przewędrowałem ścieżką biegnącą obok torów na nasypie w jedną, drugą stronę prawie do następnych stacji, raz przeleciał osobowy, raz towarowy, lecz nigdzie trupa Mieszka nie znalazłem.

Wróciłem do domu. Myśl o samobójstwie Mieszka nie dawała mi spokoju, że jeśli nie na torach, to może gdzie indziej. Może wcisnął się w jakąś jamę w lesie i postanowił głodem zamorzyć się na śmierć. Tylko skąd psy wiedzą, że coś takiego jak samobójstwo jest możliwe? Ale przecież ile to się nasłuchał choćby od babci o różnych śmierciach, w tym i o samobójstwach. Szkoda, że nie policzyłem tych wszystkich śmierci, jakie babcia musiała w ciągu swojego życia przeżyć. A w ogóle ile takich śmierci przypada na każdego człowieka w ciągu jego życia, nim i jemu śmierć nie da już dalej żyć? Ograniczam się nie tylko do najbliższych, lecz poszerzam krąg o wszystkich dalszych i tych najdalszych, z którymi osobiście się nie znałem, lecz przejęła mnie ich śmierć. I nawet wobec tych z opowieści babci nie potrafiłem być obojętny, chociaż nie było mnie wtedy na świecie. Jedni umierali, gdy już byłem, inni gdy się jeszcze nie urodziłem, ale wszyscy umierali naprawdę dopiero w opowieściach babci, wczoraj, przedwczoraj, jutro, pojutrze, dawniej, później i także po śmierci babci, gdy moja pamięć ich przywołała. Żadna śmierć nie jest jednorazowa.

– Przyjdzie tu. Siądzie sobie. Pamięta, jak się poznaliśmy?

– Chce babcia, to mogę pamiętać.

– Do ucha, bo nie słyszę.

– Mogę i do ucha.

– W tamtą wojnę. Sanitariuszką byłam, a on żołnierzem.

– Nigdy w wojsku nie byłem, babciu.

– Wtedy był, bo wszyscy byli. Nie było nieżołnierzy. Zawiódł mnie drań, to co miałam robić, zgłosiłam się na sanitariuszkę. Bo skąd się biorą sanitariuszki na wojnie? Z rozpaczy po zawiedzionych miłościach. Jedna, pamiętam, w dzień ślubu złapała swojego niedoszłego męża z pierwszą druhną w łóżku. Ślub mieli brać po południu, a przed południem nałożyła suknię, welon, wianek i poszła mu się pokazać. Oczom nie wierzy, na tym samym łóżku, posłanym na ich noc poślubną, on z tą druhną. Złapała świecę i podpaliła się. Szczęście w nieszczęściu, zapomniała róży przypiąć do sukni. Matka złapała tę różę i pobiegła za nią. Zdarła z niej suknię, welon. Co ty, córko?! Młodziutkie to było, to i głupie. Nie w sukni, w welonie powinna mu się pokazywać. Całe ciało miała w czerwonych plamach. Jakby z tym żyła, Bóg raczy wiedzieć. Ale wybuchła wojna i zgłosiła się na sanitariuszkę. Po tym moim i ja się zgłosiłam. Przydzielili mnie do szpitala polowego. Taki wielki namiot. Aż unosił się od jęków, krzyków, błagań, kiedy zaczęli zwozić rannych. Bez rąk, nóg, wypalone oczy, rozprute brzuchy. Niejeden nie miał nawet przyrodzenia. Pomyślałam, nie ma miłości na świecie, są tylko ranni. Ten woła, siostra mnie podrapie w stopę, strasznie mnie swędzi, a nie ma nogi. Inny, siostra się położy przy mnie, umieram. Tamten łapie mnie za rękę i nie puszcza, każe mi powtarzać swoje imię, żebym nie zapomniała. A jak mogę nie zapomnieć, kiedy tam cały kalendarz rannych leżał. Któryś znów, żebym mu różaniec odmówiła, bo ma ręce całe w bandażach. Pytam sióstr, która ma różaniec. Były wśród nas zakonnice, użyczyły mi. Klękam przy jego łóżku, mylą mi się paciorki, poprawia mnie, złości się. A tu wpada lekarz i wyrywa mi ten różaniec, że nie czas na miłosierdzie. Wojna to robota, a nie miłosierdzie. On trzecią noc już nie śpi, tylko ucina, kraje, zszywa. I żebym się wzięła do roboty. I jak zemdlałam któregoś razu, jedna, starsza już sanitariuszka poradziła mi, żebym sobie wybrała któregoś rannego i zakochała się.

– Miłość dodaje siły. Zakochasz się w rannym, a będzie ci wierny całe życie. O, może ten. Nie tak ciężko ranny. Wyjdzie z tego. – I wskazała na ciebie. – Nie jęczy, nie krzyczy, nie błaga. Spałeś. A takim domowym snem, że było coś nieludzkiego w twoim śnie. Pomyślałam, nie, on nie dla mnie. I wybrałam innego. Też nie był ciężko ranny. Ale jak wydobrzał, poszedł znów na front i zginął. A ta wdowa zabiła tasakiem do mięsa swojego męża. Siedziała w więzieniu w jednej celi z takimi samymi, co pozabijały swoich mężów. Ale potrzebowali coraz więcej sanitariuszek, bo się wojna rozwijała, tak że sięgnęli i do więzień. Za darowanie reszty kary, gdy się któraś zgłosiła. Wkrótce i tych nie starczyło, coraz więcej się zabijali. Między okopami ich i naszymi rosła coraz wyższa góra trupów, że okop z okopem się nie widział, ale wciąż strzelali. Kiedyś przy jednym rannym, gdy go wnieśli, znów zemdlałam. A ta wdowa mówi do mnie:

– Coś ty taka nieodporna? Źle ci będzie w życiu. Nie zaznałaś jeszcze najgorszego. Każdy musi przez coś przejść. Ja zabiłam męża, to mam to już za sobą. Przeżyjemy, to musimy się spotkać. Opowiesz mi, jak ci się wiedzie.

Ale nie przeżyła. Pocisk z armaty walnął w namiot. Mnie oszczędził. A nie pamiętasz, gdzieśmy się po wojnie spotkali? O, już wiem. Miałeś jeszcze rękę na temblaku i w mundurze byłeś. Przy sąsiednim stoliku jakaś dama powiedziała, o, jaki przystojny porucznik, szkoda, że ma rękę na temblaku. Mundur leżał na tobie jak na manekinie. Kołnierz spięty pod szyją, jakby odcinał ci głowę od ciała. Gdy zwozili trupy, jeden miał tak głowę odciętą. Wysokiej był rangi, sznur, medale, oficerki, ostrogi. Ty też byłeś chyba w kawalerii. Zabrzęczały ostrogi, jak trzasnąłeś obcasami. I skąd wiedziałeś, że i ja tam będę? To nie mógł być przypadek. I gdzie to było? Mój Boże, gdzież to mogło być? Muzykę słyszę, grają walca *Na falach Dunaju*. Widzę, jak rozglądasz się po ludziach. Próbuję zwrócić twoje oczy na mnie. Omiotłeś mnie aby wzrokiem. Zrywają się jakieś damy, podbiegają do ciebie. Któraś całuje tę twoją rękę na temblaku. Chcesz ją wyrwać od jej ust, lecz masz unieruchomioną. Całujesz tę damę w głowę. A ja tak pragnęłam, żebyś mnie pocałował. I poczułam się znów sanitariuszką w zakrwawionym fartuchu, w czepku z czerwonym krzyżem, wśród jęków, krzyków, błagań, a tu i tam ranni i umierający wokół mnie. A byłam w pięknej sukni z kaszmiru. O, droga była. W kapelusiku. Wtedy modne były takie nieduże, podobne do hełmów. W pantofelkach na wysokich obcasikach, sznur pereł miałam wokół szyi. Pierścionek z brylantem na palcu. Przedtem poszłam do kosmetyczki, manikiurzystki, fryzjera. Zdjęli trochę ze mnie tej wojny. Może dlategoś mnie nie poznał. I zapragnęłam zawrócić czas, żeby znowu była wojna, abyś poznał, że to ja. Ręce zaczęły mi drżeć, wyciągam z torebki papierosa, zapalniczkę, próbuję przypalić, ale ogień nie chce trafić w koniec papierosa. Zrywa się jakiś mężczyzna od sąsiedniego stolika, wyjmuje z moich rąk zapalniczkę, przypala mi. Pyta, czy może się przysiąść. Mówię, nie, bo był w cywilu.

Czekałam, że ty podejdziesz i spytasz, czy możesz się przysiąść. Zapomniałam ci już nawet tego nieludzkiego snu. Pomyślałam, głupstwo wtedy zrobiłam, że się w kim innym zakochałam. A radziła mi dobrze ta wdowa. Teraz może być za późno. Na morfinie byłeś i dlatego tak spałeś. Myślisz, że na wojnie nie pragnie się, żeby ktoś przyszedł i przytulił się do ciebie? Zmęczona po niejednej nieprzespanej nocy, padałam z nóg, w oczach mi ciemniało, a pragnęłam całym swoim ciałem, tym zmęczonym, niewyspanym, złachanym ciałem, żeby ktoś się przy mnie położył, przytulił. Sen mi kamieniem zamykał oczy, a broniłam się, że może poczuję czyjeś ciepło w moim ciele. Kto nie przeżył wojny, nie wie nic o sobie. Miała rację ta wdowa, miłość to jedyny ratunek, żeby się nie odczłowieczyć w tym morzu łez, krwi i umierania. I może najtrwalsza, bo śmierć przybija na niej swoją pieczęć. Ale kiedy się skończyła, nie poczułam ulgi. Tu chciałam innym życiem żyć, a tu wciąż śniła mi się ta wojna. I taka rozdwojona żyłam. I ktoś mi poradził, żebym zapisała się do szkoły tańca. Taniec leczy, spróbuj. I moje ciało, jakby zastygłe w tej wojnie, odpuściło. Był taki tancerz, przypadł mi w parze przy tej nauce. Podobał mi się. Spytałam go, czy był na wojnie. Powiedział, że ma wuja generała i uniknął poboru. Pomyślałam, może taki mnie z tej wojny uzdrowi. I wyszłam za niego. Skąd bym miała córkę, wnuczkę? Ale którejś nocy przyśniło mi się, żeśmy się kochali tam wtedy, gdy to moje zmęczone, niewyspane, złachane ciało w końcu zasnęło. I odtamtąd serce moje biło już dla ciebie. Boże, Boże, nie mogłeś się zjawić wtedy w tym mundurze, taki błyszczący, promienny? Tylko teraz, gdy pora umierać?

Umarła babcia, kiedy gospodyni wyjechała na urlop. Przedtem sprowadziła lekarza, zbadał babcię.

– Może pani spokojnie jechać – orzekł. – Przez te dwa tygodnie nic się złego nie ma prawa stać. Starzy ludzie mają więcej woli życia niż młodzi. W razie czego jestem na miejscu. Córka mnie zawiadomi. Tu, proszę, recepta. Trzy razy dziennie.

Poprosiła jeszcze tę z góry, aby zaglądała do babci. A żona harmonisty zgłosiła się sama, że będzie zaglądać, bo co to takiego przejść z drzwi do drzwi przez sień. Córka natomiast miała sobie wziąć zwolnienie lekarskie na te dwa tygodnie nieobecności gospodyni. Nie można więc powiedzieć, że nie wykazała troski o matkę, a zarazem nie zabezpieczyła sumienia przed udręką.

Córka przez te wszystkie dni na zwolnieniu lekarskim najwyraźniej się nudziła. Czasem wyszła z psem na spacer, po zakupy do sklepu, obiad gotowała raz na dwa dni i przeważnie zupy. Gdy nie wyjeżdżałem na uczelnię, przychodziła i do mnie. Ale była zwykle jakaś rozedrgana, zniecierpliwiona, jakby coś ją trapiło, tak że nigdy nie posiedziała dłużej. Nieraz już po chwili zrywała się, niemal wybiegając, jakby coś tam jej w kuchni kipiało albo przypalało się.

Babcia natomiast ani razu nie zawołała mnie do siebie, nie wysłała Mieszka, aby mnie przyprowadził, nawet gdy wnuczka musiała na te parę godzin wyjechać, żeby, jak mówiła, przedłużyć sobie zwolnienie lekarskie. Czyżby się bała wnuczki? Czy może, jak myślę, targowała się już ze swoją śmiercią? Spyta ktoś, a o cóż można targować się ze śmiercią?

A chociażby o to, aby nam darowała przynajmniej tę najkrótszą chwilę, jaką można odczuć w sobie, abyśmy doznali samowiedzy, że umarliśmy. Dlaczego to inni mają za człowieka wiedzieć, że umarł? Nikt nie żył za niego, sam za siebie żył, a jego życie, to i jego śmierć. Dlaczego nie mógłby się jeszcze zdobyć choćby na westchnienie:

– Dobrze, że żyłem.

Jakaż byłaby to pochwała życia. Ileżby na tym życie u ludzi zyskało.

Matka miała wkrótce wrócić, gdy znudzona córka oznajmiła mi:

– Jutro urządzam małe przyjęcie z okazji urodzin. Będzie kilka osób. Chcesz, to przyjdź.

Zdumiony, nie złożyłem jej nawet życzeń. Zresztą nie weszła do mojego pokoju, uchyliła tylko drzwi. Odkąd tam mieszkałem, nie pamiętam, aby kiedykolwiek wspominała o swoich urodzinach. Unikały zresztą gości, tak ona, jak i matka. Jeden pokój, jaki im zostawiono, który był zarazem sypialnią, z chorą babcią nie nadawał się na urządzanie jakichkolwiek przyjęć. Czasem odwiedziła je jakaś przyjaciółka, wypiły herbatę, to wszystko. Odmówiłem, że jutro mam akurat cały dzień zajęć na uczelni. Nie miałem, ale pomyślałem, że pójdę do kina na jeden seans czy nawet drugi i jakoś ten wieczór przetrwam. A wrócę ostatnim pociągiem, który przychodził godzinę przed północą, więc powinno być już po urodzinach, skoro miało to być małe przyjęcie. Martwiłem się tylko o babcię, jak przetrzyma te urodziny. A Mieszko? Nie wiadomo, do czego jest zdolny.

Niestety, willa rozbrzmiewała toastami, okrzykami, wybuchami śmiechu. Do tego mieli patefon, z którego płynęła jakaś hałaśliwa muzyka. Wszedłem jak zwykle od werandy do swojego pokoju, zdjąłem nawet buty, żeby mnie nie usłyszeli, światła nie zapalałem i od razu położyłem się w ubraniu na kozetce, nakrywając się z głową pierzyną. Myślałem, jak tam babcia to znosi? Jeśli nawet woła, prosi, żebrze, aby się uciszyli, to głos ma już tak słaby, że kto by ją w tym tumulcie usłyszał. Pierzyna nie była w stanie i moich uszu odciąć od tego tumultu. Toteż zacząłem liczyć po głosach, ile tam osób może być. W miarę jednak, jak liczyłem, wydawało mi się, że tych głosów przybywa. Tak że doliczyłem się dwudziestu kilku, chociaż tyle osób nie zmieściłoby się w tym pokoju. Stół, trzy łóżka, krzesełka, kredens, serwantka, tylko dojścia do łóżek, do kuchni, do mnie. Widocznie liczby oderwały mi się od głosów, a ja nie mogłem się zatrzymać, tak mnie to liczenie wciągnęło. Dopiero Mieszko zaszczekał i otrzeźwiałem. Ściągnąłem się ostrożnie z kozetki, żeby trzeszczące sprężyny nie zdradziły mojej obecności. Postanowiłem wyjść na dwór, pochodzić, dopóki nie skończy się przyjęcie.

Księżyc w pełni, niebo rozgwieżdżone, powietrze gładziło po twarzy. Taka noc wciąga w siebie, że najchętniej by się człowiek w niej rozpłynął. Toteż szedłem i szedłem, aż przekroczyłem granicę, że już nic nie dochodziło do mnie, co tam w willi się dzieje. Ogarnęła mnie cisza, że w pewnej chwili przystanąłem i zacząłem tej ciszy nasłuchiwać, czy jest prawdziwa, czy tylko ulegam złudzeniu. Wyrwało mnie z niej pianie koguta, który trochę jej uszczknął. Potem z hurgotem przeleciał pospieszny, wężem świateł podcinając tę noc. A za nim zaczęły się wychylać zza horyzontu blade oznaki nadciągającego świtu. Czas wracać, pomyślałem, co będzie, to będzie, a może już skończyli. Niestety, nie skończyli. Willa stawała się coraz głośniejsza w miarę, jak się do niej zbliżałem. Bez tej szczególnej ostrożności, co przy wychodzeniu, wszedłem do swojego pokoju, nawet trzasnąłem drzwiami od werandy, aż szybki w niej zadźwięczały. Do pokoju nieomal wraz z tym tumultem wtoczył się i świt.

Otwierałem właśnie okno, żeby przewietrzyć trochę pokój, gdy nagle zapadła cisza, jakby tam wszyscy skamienieli. Po czym doszedł mnie strwożony głos solenizantki:

– Zobacz no, lekarzem jesteś. Czy mi się wydaje?

Chwila napiętej ciszy, jak gdyby przed wybuchem, i czyjś męski głos:

– Niestety.

Tumult wrócił ze zdwojoną siłą, ale przerażenie teraz nim targało.

– Uciekajmy! Uciekajmy! – uniósł się nad nim histeryczny pisk jakiejś kobiety. – Śmierć tu jest!

– Chwileczkę! – na to czyjś bełkotliwy, ochrypły bas. – Wypijmy strzemiennego!

Wychodzili w pośpiechu, sądząc po tupocie nóg, trzaskaniu drzwiami. Solenizantka próbowała kogoś zatrzymać:

– Niech ktoś pomoże mi sprzątnąć! Chlaliście, żarli, a teraz mnie samą zostawiacie?! – W końcu bezradna z wściekłością rzuciła: – To ja też w cholerę wychodzę!

Zastanawiałem się, czy pójść tam i przynajmniej pocałować na pożegnanie babcię w martwą rękę. Wtem drzwi się uchyliły, pot mnie oblał, strach ścisnął mi gardło, na szczęście był to Mieszko. Otworzył sobie jak zwykle łapą. Ale nie wszedł do pokoju. Stał w progu i patrzył na mnie wyczekującymi oczyma, jakby babcia wysłała go po mnie.

– Nie, Mieszko, nie pójdę. Może babcia by sobie nie życzyła. Pies jesteś, nie musisz rozumieć.

Myślałem, że skoczy z wściekłością na mnie, bo w tych jego oczach złością zaiskrzyło, ale otrząsnął się tylko i odszedł.

Następnego dnia po pogrzebie babci nie wrócił do domu, gdy go wypuściłem. Matka z córką przyjechały z pracy późnym popołudniem i pierwsze ich pytanie było:

– A gdzie Mieszko?

– Nie wrócił.

– Jak to? Kiedy go wypuściłeś?

– Z samego rana.

– I dotąd nie wrócił? Niemożliwe. Trzeba było wyjść i go poszukać.

– Chodziłem, szukałem. – I zacząłem opowiadać, że dopiero niedawno przyszedłem do domu, bo cały czas go szukałem, ale kamień w wodę.

– Matko Święta! – Gospodyni aż złapała się za głowę. – Od szczeniaka był u nas. Jeszcze na oczy nie widział. Smoczkiem go karmiłam. Może w nocy wróci. A nie, to jutro trzeba iść do księdza, żeby z ambony ogłosił. Może jest u kogoś, a ktoś nie wie, czyj to pies.

– Co ci ksiądz pomoże? – Córkę jakby ubódł ten ksiądz. – Księdza obchodzą tylko ludzkie duszyczki.

– A skąd wiesz, że Mieszko nie ma duszy? Damy na mszę, niech ogłosi.

– Zwariowałaś?! Coś ci musiało z kochankiem nie wyjść.

No, i rozpętała się awantura. Kłóciły się do samego zmroku. Zaperzone, rozsierdzone, nie zauważyły nawet, że wycofałem się do swojego pokoju, bo pewnie by się w końcu i mnie dostało. Ale słuchać, choćby przez drzwi, też nie było przyjemnie i w napięciu czekałem, kiedy któraś obciąży mnie winą za zniknięcie Mieszka. W końcu matka wybuchła szlochem, a córka nastawiła radio.

Wieczorem, gdy już ucichła awantura, córka pierwsza odezwała się do matki:

– Chodź, przejdziemy się. Cisza teraz, to może nas wyczuje i przybiegnie. A jemu wymów wreszcie to mieszkanie, bo to jego wina.

Całą noc już nie spałem. A rano pojechałem na uczelnię i złożyłem podanie o pokój asystencki, który mi wkrótce przyznano, dzięki wstawiennictwu profesora, który napisał kilka pochlebnych słów o mnie na tym podaniu. A ponieważ do rozpoczęcia roku akademickiego było jeszcze sporo czasu, postanowiłem odwiedzić ojca i matkę.

Z rana, gdy oświadczyłem, że wyjeżdżam na wakacje, córka mnie spytała:

– To kiedy się wyprowadzisz?

– Jak wrócę.

Miałem trochę rzeczy, lecz nie byłem w stanie wywieźć wszystkiego naraz. Najpierw wywiozłem zimowe palto, płaszcz, marynarkę, sweter, buty, szalik, czapkę. Za następnym razem książki, notatki, niedokończony doktorat, bieliznę i różne drobiazgi. A na końcu puchową pierzynę, dzięki której przetrwałem najcięższe mrozy. Wdzięczny byłem matce, że mi tę pierzynę przysłała pocztą, bo nie chciałem jej wziąć. Nie wyobrażała sobie, że można pod czymś innym spać niż pod puchową pierzyną. Zapakowałem w ten sam juchtowy worek, w którym mi matka ją przysłała. Na prawie całym worku przybity był czarny orzeł wczepiony pazurami w kulę ziemską, na której widniał hakenkreuz.

„Prałam – pisała. – Parę razy prałam, nawet w ługu. Nie chciał zejść. Takie to zajadłe".

Na szczęście owinęła go grubo papierem, obwiązała sznurkiem. Przewróciłem na drugą stronę, lecz przebijał i na drugą stronę. Musiałem specjalnie pojechać po papier. Naszukałem się, bo nigdzie nie mieli takich dużych arkuszy. Rozlepiał gość plakaty z zapowiedzią przedstawienia *Dziadów* Mickiewicza. Udało mi się kupić u niego taki jeden plakat. Pomyślałem, Mickiewicza nikt się nie będzie czepiał. I nakleiłem na tym orle. Wszedłem do przedziału, postawiłem worek z pierzyną przy nogach, bo na półce by się nie zmieścił, a tu ktoś od razu do mnie:

– To kto te dziady, panie? O, szkalujesz pan nasz naród.

Stolnicę, na której pisałem, zostawiłem. Pożegnałem się z matką, z córką. Pożyczyłem im, aby Mieszko się odnalazł. Nie wiem, może mi się wydawało, ale matce jakby oczy zaszkliły się z żalu, a nawet byłem pewny, że w ostatniej chwili powstrzymała się od odruchu, żeby mnie przytulić. Bo córka aby wydęła wargi i powiedziała:

– Cześć.

Droga do stacji wiodła w pobliżu cmentarza. Miałem niewiele minut do przyjścia pociągu, postanowiłem jednak zboczyć na cmentarz i pożegnać się z babcią. Grób babci znajdował się w jednej z bocznych alejek. Zbliżając się, dostrzegłem wśród grobów jakąś kobietę w czerni, która pochylona wyrywała chwasty z grobowego kopczyka, a niedaleko niej, tuż przy grobie babci leżał pies. Gdy usłyszał moje skrzypiące kroki na żwirze, którym była wysypana alejka, nagle zerwał się i zaczął uciekać.

– Mieszko, nie uciekaj! To ja! – zawołałem. Rzuciłem worek z pierzyną, że może mnie przez ten worek nie poznał, ale znikł już między grobami.

Kobieta odchyliła się, spojrzała na mnie jakby też spłoszona.

– Co panu jest?

– Nic. Pies.

– Jaki pies?

– No, pies. Był tu przed chwilą, uciekł.

– Plewię tu grób męża, a żadnego psa nie widziałam. Przyśniło się panu.

– Co mi się przyśniło. Gdyby go nie było, toby nie uciekał.

Rozdział 9

Któż to może dzwonić o tak późnej porze? Na ogół wszystkie telefony kończyły się we wczesnowieczornych godzinach. Byłem już w piżamie i właśnie kładłem sobie na szafce nocnej coś do czytania, gdyż zawsze czytam tę godzinę, półtorej w łóżku, przed zaśnięciem. Podniosłem słuchawkę. Jakiś męski głos najpierw się spytał, czy ma przyjemność z profesorem, wymienił moje imię, nazwisko, a gdy potwierdziłem, przeprosił, że pozwala sobie o tak późnej porze dzwonić, lecz dzwonił już kilka razy o różnych porach i nikt nie odpowiadał.

– Proszę pana, ja jestem zajętym człowiekiem. Widocznie wyjeżdżałem. Słucham pana.

Wtedy się przedstawił z imienia i nazwiska, nic mi to nie powiedziało, wymienił nazwę miasta, z którego dzwoni, coś mi jednak błysnęło, i na chwilę zawiesił głos, jakby oczekując, że wybuchnę radością. Ponieważ przyjąłem to zwyczajnie, dorzucił do tej nazwy kilka najwyraźniej zachęcających szczegółów, że miasto nie jest już takie jak w czasach mojego dzieciństwa, co mnie zdumiało, bo skąd on mógł wiedzieć cokolwiek o moim dzieciństwie, zwłaszcza tak odległym, nowe bloki, aleje, park, multikino, dom kultury, kilka hoteli, nawet jeden czterogwiazdkowy, natomiast huta, którą z pewnością muszę pamiętać, jest już od lat nieczynna. I może by się dalej nad tym miastem rozwodził, lecz chyba wyczuł moje zniecierpliwienie, więc wreszcie wyłuszczył, że mają kółko miłośników historii, niewielkie, kilkanaście osób, w większości emeryci, bo któż prócz emerytów ma dzisiaj czas na jakiekolwiek zainteresowania, chyba rozumiem. Nie potwierdziłem, że rozumiem, mimo to już pewniejszym nieco głosem, w imieniu tego kółka, jako jego przewodniczący, od kiedy sam przeszedł na emeryturę, zaprosił mnie na spotkanie, zaznaczając, że od dawna myśleli o tym, lecz nie mieli odwagi. Zastanawiali się nawet, czy nie lepiej byłoby napisać i tak się z tym nosili, że zrobili wreszcie głosowanie i wygrało zadzwonić.

Rozbroił mnie tym głosowaniem, gdyż byłem zdecydowany odmówić. Widocznie nie był do końca przekonany, że wyrażę zgodę, bo nie ustawał w zachęcaniu mnie:

– Pańska książka o jednostce w historii była omawiana na spotkaniu naszego kółka zaraz, kiedy się ukazała, i to wtedy już zrodziła się myśl, aby pana profesora do nas zaprosić. Powstrzymywało nas jednak to, że ma pan profesor zapewne wypełniony kalendarz na kilka lat. Poza tym, czym nasze miasto mogłoby zachęcić pana profesora do przyjazdu, co było również niełatwym problemem dla nas. Stała się jednak rzecz nieoczekiwana, o której nie chciałbym teraz mówić. Powiem tylko, że trafiliśmy na pański ślad w naszym mieście. W związku z tym przygotowujemy niespodziankę, która z pewnością ucieszy pana profesora i wynagrodzi panu ten nieco uciążliwy przyjazd do nas. Tym bardziej że, niestety, nie będziemy mogli zaoferować honorarium, jakie by się panu profesorowi należało. Nikt z nas też nie ma samochodu, żebyśmy mogli pana przywieźć i odwieźć. Chodzi jednak do nas bezpośredni autobus, byśmy więc ustalili godzinę, o której by pan do nas zawitał, i wyszlibyśmy po pana, a do hotelu zawieźli taksówką. Gwarantujemy za to najlepszy hotel, ten czterogwiazdkowy, a dzięki temu, że właściciel hotelu jest z wykształcenia również historykiem, zgodził się *gratis* gościć pana przez te kilka dni. Prosiłby tylko o życzliwy wpis do hotelowej księgi i autograf na planszy wiszącej w hallu. I na koniec prośba, czy pan profesor byłby łaskaw podać temat swojego wystąpienia, bo chcielibyśmy zrobić plakat? Nie teraz, proszę się zastanowić. Zadzwonię ponownie, powiedzmy, za tydzień, dwa. To będzie dla nas wielki dzień. Może uda nam się zaprosić i lokalne media. Są tu dwie gazety, radio, telewizja. Chcielibyśmy pański pobyt u nas jak najszerzej nagłośnić. Proszę nam nie odmawiać.

Tak mnie tym telefonem skołował, że nie byłem w stanie ani wyrazić zgody, ani odmówić, zwłaszcza że nie lubię długich rozmów przez telefon. Rzuciłem tylko:

– Proszę zadzwonić za miesiąc. Tylko nie w nocy, już szedłem spać.

Jaki oni mogli znaleźć mój ślad w tym mieście? Zaniepokoiło mnie to. Może powinienem spytać, jaki to ślad, i od tego uzależnić swój przyjazd. Zaniepokojenie rozrosło się w lęk, a lęk potrafi zdusić każde pytanie, więc nawet przestałem siebie pytać, jaki to może być ślad. Nie przywrócił mi spokoju i kieliszek koniaku. Włączyłem telewizor, ale nie słyszałem, co tam mówią, nie widziałem, na co patrzę, więc zgasiłem. Nastawiłem radio, popłynęła jakaś muzyka, lecz myśli o tym śladzie nie dopuszczały jej do mnie. Położyłem się z nadzieją, że może sen mi pomoże w poszukiwaniu tego śladu. Sny wiedzą dużo więcej o nas, niż my sami o sobie wiemy. Bo cóż my wiemy? I to, co wiemy, czyż nie jest jedynie błądzeniem za sobą?

Sen długo na mnie nie nachodził, męczyłem się, przewracałem z boku na bok, tak że zasnąłem dobrze po północy, a ściągnąłem się o świcie z łóżka bardziej zmęczony, niż kiedy kładłem się spać. Zmęczyło mnie nie to, że krótko spałem, zmęczył mnie sen, który mi się przyśnił. Stałem w Uchu Igielnym, nie mając już żadnej nadziei, że ona przyjdzie, a tu nieoczekiwanie zjawia się i mówi:

– Myślałam, że już nie czekasz na mnie. A mam dzisiaj cały dzień dla ciebie. Co z nim zrobimy?

– Nie wiem. Gdybym się spodziewał, że przyjdziesz…

– Miałam nie przyjść. Ale coś mnie tknęło, że może na mnie czekasz, a nie ten starzec. Musimy gdzieś pójść stąd, bo lada chwila on może przyjść i będę musiała z nim pójść, bo on dłużej czeka. O, już wiem. Chodźmy nad rzekę.

Idziemy już jakiś czas przeciwpowodziowym wałem, a tu z naprzeciwka idą kobieta z mężczyzną, ona boso, trzyma go pod rękę, przytula się do niego, on coś tłumaczy jej i wskazuje ręką, a wydaje mi się jakby na mnie. Są starzy, pomarszczeni, ona ma siwe włosy, on w jakimś zmysiałym kapeluszu, może już łysy, lecz poznaję ich, że to lokatorzy sprzed lat, którym matka wynajęła pokój na wakacje, a potem przysłali mi płaszcz, matce rodzynki, migdały, pomarańcze, cytryny, czekoladki.

Mówię:

– Zejdźmy do kępy, bo nie chciałbym się z nimi spotkać. Wał był wysoki, trawiasty, omal nie poprzewracaliśmy się, schodząc. Przedarliśmy się przez gęste wikliny aż na sam brzeg rzeki. Kawałek rozsłonecznionego piasku czekał tu na nas. Siedliśmy na tym piasku, patrząc w milczeniu na płynącą wodę. Zdjęliśmy buty, zanurzyliśmy stopy, a wtedy śnięte, jakby zatrute ryby zaczęły do nas podpływać, gromadząc się wokół tych naszych zanurzonych stóp. Zerwałem się.

– Chodźmy gdzie indziej.

– Gdzie indziej będzie tak samo – powiedziała. – Widocznie nie ma już dla nas miejsca.

Podniosła się i zaczęła zrywać gałązki wikliny. Miała już pełne naręcze, stanęła twarzą do słońca.

– Podejdź do mnie – powiedziała. – Stań tu. Zrobimy sobie zdjęcie. Uśmiechnijmy się. To będzie nasze ślubne zdjęcie. Bliżej, nie bój się. No, i widzisz, jakie piękne zdjęcie. Po latach będziemy się nim wzruszać. Pozostanie nam po nas przynajmniej wzruszenie.

Położyła te gałązki na nieskażonej żadnym śladem fałdzie piasku.

– Chyba wiesz, że po ślubie jest noc poślubna. Pomyśl, gdzie ją spędzimy. Chciałabym na królewskim łożu, w jedwabnej, wyszywanej pościeli, a sypialnia tonęłaby w kwiatach.

Odwróciłem oczy, gdy jej ciało zaczęło się nagie wyłaniać jakby z mroku.

– Nie wstydź się – powiedziała. – Nie boli mnie, gdy na mnie patrzysz. Należę teraz do ciebie. – I położyła się z głową na tych gałązkach wikliny. – Chcę czuć, jak się mną sycisz. Muszę cię tylko uprzedzić, nie jestem dziewicą. Zgwałcona zostałam dzieckiem w obozie. I nie bój się, jeśli zajdę w ciążę. Umrę, nim urodzę. – Nagle uniosła się na łokciach. – A ty czemu się nie rozbierasz?

– Stary jestem, wybacz mi.

– Nieprawda, jesteś młody. Popatrz na to zdjęcie. Zdjęcia nie oszukasz.

– Chodzę już o lasce.

– Na zdjęciu nie ma żadnej laski.

– Ale ileż odtamtąd się zdarzyło. Ty nie możesz tego pamiętać. Czas nam płynął w przeciwne strony. Miałem żonę, syna.

– Współczuję ci, lecz musimy wierzyć w życie, jakiekolwiek ono było, jest czy będzie.

Uwierzyć w życie, jakaż to trudna wiara, jeśli się nad tym zastanowić. Może dlatego że z pozoru prosta, zwyczajna, pospolita. A jednak to najtrudniejsza z wiar. Tym bardziej że są tylko dwie perspektywy życia: młodość i starość. Kiedy człowiek jest młody, nie wierzy, że będzie stary, a gdy jest stary, nie wierzy, że był młody.

Myślałem wciąż o tym telefonie, niekiedy z nadzieją, że może już nie zadzwoni, skoro tak chłodnej udzieliłem wtedy odpowiedzi. Lecz jeśliby zadzwonił, ponawiając zaproszenie, pojechać czy nie pojechać? Nawet gdy się goliłem czy przyrządzałem sobie coś do jedzenia albo pisałem spóźniony już artykuł, który miałem oddać miesiąc temu, nagle zaczynało mnie dręczyć, pojechać, nie pojechać. A z drugiej strony narastała we mnie ciekawość, jaki ja ślad mogłem zostawić w tym mieście, do którego mnie zapraszano? Cóż, człowiek zawsze gdzieś jest, nie tu, to tam czy gdziekolwiek. I wszędzie zostawia po sobie ślady, chociaż może nie wiedzieć o tym, a tym bardziej pamiętać. Gdy więc tak biłem się z myślami, pojechać, nie pojechać, pamięć moja jakby zaczęła pękać w szwach i wyłoniło się z niej jakieś mieszkanie w jednopiętrowym bloku wybudowanym z kamienia, potem jakiś biały czterorodzinny dom, wieża ciśnień po drodze i znowu jakieś mieszkanie w samym końcu balkonu, ciągnącego się przez całe piętro, wzdłuż kilku mieszkań. I nieoczekiwanie wrócił do mnie ten sam lęk, przed którym uciekałem, chowając głowę w pierzynę, ilekroć wylewano rozżarzoną do białości szlakę po wytopie w hucie stali, a na niebie pojawiał się wielki rozbłysk niczym wybuchłej gwiazdy. Serce mi załomotało, że słyszałem je w całej tej puchatej pierzynie, chociaż akurat się goliłem i prawie całe życie mi odtamtąd upłynęło. I na nic się zdały uspokajające tłumaczenia ojca, matki, że to tylko szlakę wylewają po wytopie stali, a że noc już, to i ta wielka łuna nad miastem, jakby świat się palił. Ale to nie świat, gdyby świat, wyłyby syreny strażackie, a nie wyją, biłyby dzwony kościelne, a nie biją. Drżenie, jakie w sobie czułem, nie chciało mnie długo opuścić, nawet gdy już niebo ściemniało, i nie mogłem nieraz do północy zasnąć. I może to był powód, że nabrałem niechęci do swojego dzieciństwa. A gdy mnie nieraz pamięć w to dzieciństwo przenosiła, nie byłem nigdy pewny, czy to moja pamięć. Zwłaszcza że na każdą pamięć, jak wiadomo, składa się i pamięć innych i niemożliwe jest odróżnić naszą własność od własności pożyczonej lub dziedziczonej. Toteż mam wątpliwość, czy pamięć może być gwarantem naszej tożsamości.

Minął miesiąc i nie zadzwonił, potem jeszcze kilka dni. Byłem pewny, że już nie zadzwoni, i nagle o tej samej porze co wtedy, telefon.

– Najmocniej przepraszam pana profesora, ale przebywałem w szpitalu i właśnie dzisiaj dopiero wróciłem.

Coś by tam pewnie jeszcze mówił, lecz przerwałem mu i nieoczekiwanie dla samego siebie powiedziałem:

– Przyjadę.

Zaproponował dzień, godzinę, zgodziłem się, nie zastanawiając się nawet, czy w tym dniu nie mam czegoś od dawna zaplanowanego. Polecił mi, jego zdaniem, najwygodniejszy autobus, tylko czy nie za wczesna to godzina dla mnie, ale zjadłbym bez pośpiechu obiad w hotelu, a potem mógłbym tę godzinę, dwie wypocząć przed spotkaniem. Czy wolałbym późniejszy?

– Nie, tym wcześniejszym przyjadę.

Wysiadłszy na dworcu, rozejrzałem się dookoła, lecz nic nie wydało mi się znajome. Zaraz podeszło do mnie kilka osób, przedstawili się jako zarząd kółka miłośników historii w pełnym składzie, przewodniczący, zastępca, sekretarz, skarbnik, trzech mężczyzn i młoda, ładna dziewczyna, wręczyli mi kwiaty. Witamy, witamy pana profesora. I dziękujemy, że przyjął pan nasze zaproszenie. Czy podróż była męcząca? Prosimy do taksówki. Zawieziemy teraz pana profesora do hotelu. Obiad już tam czeka. Przepraszamy, że nie będziemy przy obiedzie towarzyszyć panu profesorowi, lecz jedliśmy już w domach. Do taksówki wsiedli ze mną przewodniczący i młodziutka sekretarz. Jak się okazało, skończyła niedawno archeologię i pracowała przy wykopaliskach prowadzonych w pobliżu.

– „Royal". – Stuknął taksówkarza w plecy. – I niech pan pojedzie Dolną. Coś pokażemy po drodze panu profesorowi.

– To trzeba sporo nadrobić, bo objazd jest.

– Niech pan nadrobi.

Czułem się zmęczony podróżą i niechętny byłem zwiedzaniu czegokolwiek. Tym bardziej że czekało mnie wieczorem to spotkanie. A wciąż jeszcze się wahałem, z jakim tematem wystąpić.

– Może się pan na chwilę zatrzymać przed tą parterową ruderą? – zwrócił się przewodniczący kółka do taksówkarza, gdyśmy znaleźli się na jakiejś wąskiej uliczce, przy której wszystkie domy były parterowe, niektóre chylące się już ze starości, a uliczka brukowana kocimi łbami.

– Zakaz jest – odparł taksówkarz.

– Na chwileczkę.

– To muszę zapalić awaryjne światła i podnieść maskę, że mi nawala coś w silniku.

Tak zrobił, wyszedł, podniósł maskę. My na szczęście nie musieliśmy wysiadać. Przewodniczący, pokazując przez szybę ową parterową ruderę, powiedział:

– W tej ruderze, no, nie była wtedy ruderą, przyzwoicie wyglądała, mieścił się zakład fotograficzny, jeden z dwóch w naszym mieście. Ten miał jednak większe powodzenie. Tamten zresztą spalił się w czasie wojny. Kiedy właściciel zmarł, miasto zaopiekowało się jego spuścizną. Zgromadzono zdjęcia, klisze, nawet te z dawniejszych lat, szklane. Wywołano, porobiono nowe zdjęcia, utworzono archiwum. A fotografował wszystkie uroczystości państwowe, kościelne, jakie w mieście się odbywały, co ważniejsze wydarzenia, pochody przed wojną, tuż po wojnie. Wszystkie uroczyste posiedzenia, zjazdy, kolejne władze, księży, ale też zwykłych ludzi na ulicach, spacerach, w parkach, na ławeczkach, nad jeziorem, pojedziemy tam, może jutro. Być u nas i nie odwiedzić jeziora, nad którym całe miasto w dni świąteczne odpoczywa od wiosny do jesieni?

Skóra mi ścierpła z przerażenia, co tu oni będą ze mną wyprawiać. Wynikałoby ze słów przewodniczącego, że mają już opracowany plan mojego pobytu. Szkoda, że gdy wtedy do mnie zadzwonił, nie zastrzegłem się, że na drugi dzień po spotkaniu wyjeżdżam. Teraz już za późno. A może by jednak spróbować to powiedzieć, tylko że sprawię im na pewno przykrość, może nawet okażę się niewdzięczny, a przecież tyle starań, zabiegów, wysiłku włożyli, żeby mnie mogli godnie przyjąć. Przewodniczący tymczasem ciągnął dalej:

– Kilka lat temu otwarto wystawę jego spuścizny, cztery wielkie sale. Przyszły tłumy. Niektórzy odnajdywali na tych zdjęciach swoich pradziadków, dziadków, rodziców, znajomych, sąsiadów. Swoje śluby, chrzty, komunie. Co prawda niewiele było takich osób, które by sięgały tak daleko pamięcią. Miasto się zmieniło. Przybyły nowe pokolenia, stare odeszły. Jedni wyjechali, inni przyjechali, osiedlili się. Normalna kolej rzeczy. Jednak, moim zdaniem, co innego się stało: pamięć jest w odwrocie, że tak powiem. Dam panu profesorowi przykład. Po tej wystawie nasze kółko zrobiło spotkanie na temat pamięci. I ktoś z młodych w czasie dyskusji powiedział, że warunkiem wolności jest pozbycie się pamięci. A oni chcą być wolni, co gwarantują im prawa człowieka. Wyobraża pan sobie? Pamięć ogranicza ich wolność. Nie do pojęcia. A wracając do tej wystawy, szczególne wrażenie robiły zdjęcia tych, o których nic nie było wiadomo, kim byli. Tyle postaci, twarzy, uśmiechów, zdziwień, smutków, a kim byli? Dzieci, dziewczynki, chłopcy, kawalerowie, panny, pogarbieni, posiwiali, łysi mężczyźni, zgrzybiałe staruszki, a kim byli? Przedwojenni Żydzi przed swoimi sklepikami, niektórzy w jarmułkach, w chałatach, z pejsami, kim byli, bo przecież byli? Nie wymaże się ich z pamięci. Nie wolno. Przynajmniej pamięć musi ich zachować. Nawet żebraków pod kościołem fotografował. Powiem panu, że kiedy oglądałem ten bezimienny ludzki zbiór, pomyślałem w pewnej chwili, czyżby świat już umarł?

Nie śmiałem mu przerywać, a taksówkarz nie poganiał nas, wciąż grzebiąc pod maską. Pomyślałem, jednak dobrze, że przyjechałem choćby dla niego, bo skoro są jeszcze tacy ludzie, to znaczy, że świat nie umarł. I nawet nie obeszło mnie szczególnie, gdy powiedział, że największe zaciekawienie zwiedzających wzbudził cykl zdjęć poświęconych hucie, a właściwie wylewaniu szlaki po wytopie stali.

– Ach, jakież to piękne – wpadła w zachwyt młodziutka sekretarz kółka. – Te łuny, te pożary. Z przeszłości liczy się tylko piękno. Ono jedynie jest trwałe. Dla piękna warto żyć. – Jeśli czas nam pozwoli, odwiedzimy i hutę – przerwał jej zachwyty. – Od dawna nieczynna, jest nadal w doskonałym stanie. Można by od jutra znów zacząć wytapiać stal. Pracowałem wiele lat w hucie na stanowisku kierownika działu ekonomicznego, dopóki nie odszedłem na rentę ze względu na astmę. – I w tej samej chwili dopiero usłyszałem rzężenie jego płuc, myśląc dotąd, że jego ochrypły głos spowodowany jest nadmiarem słów, którymi mnie zasypywał, odkąd wsiedliśmy do taksówki. – Ale właściwie do czego innego zmierzam, o czym chciałem panu profesorowi powiedzieć w związku z tym zakładem fotograficznym. Może jednak potem. Teraz pan profesor zmęczony po podróży. – Nie wytrzymał jednak i nim dotarliśmy do hotelu, który znajdował się na obrzeżu miasta, po jego drugiej stronie, już w lesie, powiedział w pewnej chwili: – Znaleźliśmy w tych zbiorach fotografii i pańskie zdjęcie.

Żachnąłem się.

– To niemożliwe. – Strach mnie ścisnął za gardło. – Jakie?

– Z pierwszej klasy szkoły powszechnej. Chodził pan do prywatnej szkoły, prawda? Nosiła imię Jana Kochanowskiego. Mieściła się niedaleko wieży ciśnień, a wieża ciśnień wciąż stoi. Zabytek już. Niewiele mamy zabytków.

– Gdyby tak było, to byłem przecież dzieckiem. A człowiek z latami zmienia się nie do poznania.

– O, nie na tyle, nie na tyle, żeby nie dało się go poznać. Z każdej twarzy, niezależnie od wieku, gdy się głębiej
w nią wpatrzyć, spogląda na nas dziecko. Wyjęliśmy najpierw
pańską twarz ze zbiorowego zdjęcia całej tej pierwszej klasy,
a kiedy powiększyliśmy ją do rozmiarów portretu, nie mieliśmy już żadnych wątpliwości.

Poczułem się bezradny. Zdałem sobie sprawę, że żaden
opór nic tu nie pomoże. Więc poddać się biernie? Czasem to
jedyna rada, gdyż daremny opór jeszcze dotkliwiej pogłębia
naszą bezradność.

– Stoi pan w pierwszym rzędzie, musiał się pan zatem dobrze uczyć. Wyróżniających się uczniów zawsze ustawiano
w pierwszych rzędach. Pokażemy panu. Pozna się pan od
pierwszego wejrzenia. Ma pan białą koszulkę, pod kołnierzy-
kiem zawiązaną w kokardę wstążeczkę, musiało to być z okazji jakiegoś państwowego święta, szare spodenki do kolan, na
nóżkach białe podkolanówki, sandałki, włosy krótko ostrzy-
żone, z grzywką nad czołem. Oprawiliśmy w ramki, podpisa-
liśmy, że to pan profesor w dzieciństwie. Niestety, tej szkoły
już nie ma. Ale dość tu jeszcze miejsc związanych z panem
profesorem.

Gdyśmy wreszcie dotarli do hotelu, byłem tak zmęczony,
że zaraz po obiedzie uciąłem sobie drzemkę. Poprosiłem tylko
w recepcji, żeby mnie zbudzono na godzinę przed spotkaniem.
Zawieziono mnie znów taksówką do domu kultury, gdzie
miało siedzibę kółko miłośników historii, niewielki pokoik,
z biurkiem, telefonem i kilkoma krzesłami. Spotkanie miało
się odbyć nie tutaj, lecz w sali przeznaczonej na liczniejsze

zebrania, konferencje, imprezy. Gdy wchodziłem do budynku, zrobiono mi kilka zdjęć, a w hallu miejscowe radio poprosiło mnie o odpowiedź na pytanie, jak się odnajduję w tym mieście po tylu latach. Odpowiedziałem, że jeszcze się nie odnajduję. Gorzej było z miejscową gazetą, gdyż pytanie wręcz narzucało odpowiedź, niczym podejrzanemu o przyznanie się do winy: co pamiętam ze spędzonego w tym mieście dzieciństwa? Odpowiedziałem lekko poirytowany, że to państwo, mam nadzieję, mi przypomną.

– Jak to? – wręcz obruszył się.

– Proszę pana, nie mam teraz czasu, żeby sobie przypominać. – I spojrzałem na zegarek. – Pan wybaczy.

Zdałem sobie sprawę, że coś dziwnego zaczyna się tu dziać wokół mnie. Jakkolwiek już to zdjęcie, o którym mówił przewodniczący kółka w taksówce, powinno mi dać do myślenia. Czy oni nie biorą mnie za kogo innego, niż jestem? Bo jakiż może być związek dzieciństwa ze starością. Trzeba by przeprowadzić śledztwo, aby udowodnić, że ten z pierwszej klasy szkoły powszechnej i ten, który przyjechał na spotkanie, to ta sama osoba.

Ludzi przyszło nawet sporo, gdzieś tak pół sali. Powitano mnie na stojąco oklaskami. Posadzono przy stoliku, na stoliku buteleczka soku, buteleczka wody i szklanka. Obok mnie usiadł przewodniczący kółka, który najpierw udzielił głosu komuś z miejscowych władz, jego rangi ani nazwiska nie usłyszałem, tak byłem wewnętrznie rozedrgany niepewnością, czy nie zaproszono nie tego, który powinien być zaproszony. Do tego wykład, który miałem za chwilę wygłosić, a który, jak sądziłem, był starannie przygotowany, rozlatywał mi się, że już nie wiedziałem, co ma być początkiem, co środkiem, a co końcem. Miałem na wszelki wypadek przygotowanych kilka anegdot rozweselających, gdybym dostrzegł znużenie na twarzach słuchaczy, lecz zwątpiłem, czy kogokolwiek by rozweseliły. Nawet tytuł, na który byłem zdecydowany, wydał mi się nieinteresujący: *Czy historia jest nam potrzebna?*. Zacząłem więc szukać gwałtownie innego.

Co gorsza, oficjalne powitanie w imieniu miejscowych władz, które, liczyłem, będzie trwać nie więcej niż kilka minut, przedłużało się w nieskończoność. A już dobiło mnie, gdy usłyszałem w pewnej chwili, że jutro, pojutrze obwieziemy pana profesora po wszystkich miejscach, gdzie w dzieciństwie mieszkał. Mówca wymienił kilka dawnych nazw ulic, niektóre zachowano, niektóre zmieniono, łącznie z numerami domów, mieszkań, zaznaczając, że tych czy innych budynków już nie ma, gdyż na ich miejscu stoją teraz nowe domy. Ale mamy zdjęcia, tak że przynajmniej w ten sposób uczynimy zadość pamięci pana profesora. Mamy zdjęcie szkoły, gdzie pan profesor chodził do pierwszej klasy, rok przed wybuchem wojny. Mamy i takie, i inne. Ale najpierw odwiedzimy te miejsca, które się zachowały. Na przykład kino „Rialto", co prawda kina już tam nie ma. Czy wieża ciśnień, musiał pan profesor obok niej przechodzić, idąc do szkoły czy ze szkoły, ponieważ niedaleko niej wówczas mieszkał. Pojedziemy i nad jezioro, musiał pan profesor przynajmniej w niedzielę z rodzicami tam przychodzić, gdyż wszyscy w niedzielę ciągnęli nad jezioro. Może nawet kąpał się pan profesor w tym jeziorze, ucząc się pływać, gdyż wszyscy, którzyśmy urodzili się w naszym mieście, uczyliśmy się tam pływać. Niestety, woda, która by pana profesora pamiętała, nie była stojąca, lecz przepływająca przez jezioro. I zaśmiał się ze swojego dowcipu, a wraz z nim zaśmiała się sala. Albo rynek, chodził pan profesor pewnie niejeden raz z mamusią na rynek, przynajmniej w dzień targowy po jajka, masło, ser, owoce, warzywa. Więc musiało do uszu pana profesora dojść zdarzenie, które wstrząsnęło miastem, gdy pewnego dnia, właśnie w dzień targowy, partyzanci zastrzelili komendanta miejscowego gestapo, wyjątkowego łotra, choć wszyscy oni byli łotrami. Zginął wówczas i kierujący akcją porucznik „Toni", miał pseudonim po swoich włoskich przodkach, jego pradziad również zginął, w powstaniu styczniowym. A jeśli czas nam pozwoli, zwiedzimy dawną hutę, jeden z najważniejszych zabytków w naszym mieście. Tymczasem witamy pana profesora i dziękujemy, że zechciał do nas przyjechać.

– Aha – jakby sobie dopiero teraz przypomniał. – Wydrukowaliśmy szczegółowy program pobytu pana profesora. Gdyby pan profesor miał jakieś uwagi co do kolejności, naturalnie zmienimy. Godzina, miejsce, do południa, po południu, z przerwami na odpoczynek, obiad, kawę, punkt po punkcie tu jest. – I położył ten program przede mną na stoliku. – Proszę w wolnej chwili się zapoznać. I zachować egzemplarz na pamiątkę.

Podziękowałem i przerażony tym, co usłyszałem, zacząłem wykład. Nie poszedł mi dobrze. Chwilami nie poznawałem swojego głosu, drżał mi, załamywał się. Pochrząkiwałem, odkasływałem, choć nic mi nie dolegało, jedynie chciałem sobie dać przynajmniej moment do namysłu co dalej. Głos miałem zawsze klarowny, wyrazisty, nawet dostojny, jak mi nieraz mówiono. A nie było mnie w stanie sparaliżować nawet największe audytorium, choćby międzynarodowe, na przykład na kongresach, w których uczestniczyły niejednokrotnie światowe sławy. A tu te kilkadziesiąt osób, które przyszły raczej z ciekawości, jak wygląda ktoś, kto przed kilkudziesięciu laty spędził w tym mieście dzieciństwo, o czym zawiadamiano na plakatach, w radio, w gazetach, niż z powodu zainteresowania historią.

W większości słuchacze sprawiali wrażenie co nieco znudzonych, potwierdziło się to i w tym, że kiedy skończyłem, zerwały się mizerne brawa, a niektórzy, jak zauważyłem, nie złożyli nawet rąk do braw. Przewodniczący kółka, chcąc widocznie poderwać słuchaczy do mocniejszej reakcji, wstał i rozwierając ręce jak skrzydła, bił ze wszystkich sił nad moją głową. Wstał również przedstawiciel władz i bił równie mocno, wtórując przewodniczącemu. Nie ożywiło to jednak sali. Kilka osób siedzących bliżej drzwi, nie poczekawszy choćby na koniec tych braw, wyszło.

– Może ktoś z państwa chciałby zabrać głos? – zwróciłem się do sali. – Lub zadać mi jakieś pytanie?

– No właśnie – podchwycił przewodniczący. – Jest o czym rozmawiać. Wykład pana profesora daje dużo do myślenia. – I zaczął wychwalać ten mój wykład, że to, że tamto, że zagonieni przez codzienne życie nie zdawaliśmy sobie sprawy, aż nam dopiero pan profesor naświetlił. Tak że pytania wręcz same cisną się na usta. – No, kto? Pani tam na końcu chyba podniosła rękę.

– Nie, nie – jakiś głos kobiety, którą zasłaniały siedzące przed nią osoby, wzbraniał się usilnie. – Poprawiałam sobie tylko spinkę we włosach.

Kilka osób na tę spinkę się roześmiało. Przewodniczący kółka nie dawał jednak za wygraną. Wciąż stał i rozglądał się z uporem, niemal wzrokiem wywołując tego czy tamtego, kto, wydawało mu się, mógłby zabrać głos.

W końcu podniosła się czyjaś ręka.

– O, proszę, mamy już pierwszego dyskutanta. O pierwszego zawsze najtrudniej. Później już jakoś idzie.

Wstał młody mężczyzna, z wyglądu nie miał więcej niż dwadzieścia kilka lat.

– Ja chciałem zapytać, po co nam to wszystko wiedzieć, co tam kiedyś było. Pracy przez to łatwiej nie dostanę. A już od dwóch lat jestem bezrobotny.

Wróciłem po tym wszystkim do hotelu załamany. Prawie nic nie zjadłem na kolację, wypiłem tylko herbatę z cytryną i kieliszek koniaku. Nawet nie chciałem, żeby mi ktokolwiek towarzyszył, chociaż i przewodniczący kółka, i młodziutka sekretarz, i przedstawiciel władz, i jeszcze ktoś mieli najwyraźniej ochotę, tym bardziej że kolacja była podobno przygotowana na ileś tam osób. Wymówiłem się jednak bólem głowy, no i tym, że dzień miałem ciężki, a jutrzejszy, spodziewam się, nie będzie lżejszy. No tak, no tak, przytaknęli, wydało mi się, z pozorną wyrozumiałością i pożegnaliśmy się, a przedstawiciel władz odwiózł mnie pod hotel.

Długo nie mogłem zasnąć. Co prawda głowa mnie nie bolała, lecz myśli nieomal obijały mi się o czaszkę, jakby poczuły się w niej nagle uwięzione. Czym je uspokoić? Nie wziąłem z sobą żadnej książki, w podobnych przypadkach książka mnie zawsze ratowała, no, nie naukowa, ale powiedzmy, romans, kryminał, jakaś biografia. Zapaliłem lampkę, zajrzałem do szufladki w szafce nocnej, znalazłem jedynie reklamę hotelu w kilku językach, bogato ilustrowaną zdjęciami. Hotel z zewnątrz, w środku, restauracja, bar, kuchnia, sala konferencyjna. Osobno spis telefonów hotelowych i regulamin pobytu dla gości.

Rad nierad zacząłem przeglądać i może bym nawet zasnął, lecz przypomniałem sobie program, który wręczył mi przedstawiciel władz na zakończenie swojego powitalnego wystąpienia. Wstałem, wyciągnąłem go z kieszeni marynarki i punkt po punkcie, godzina po godzinie zacząłem studiować. Przysnąłem dopiero nad ranem. Zbudził mnie telefon z recepcji, czy zejdę na śniadanie. Kiedy zszedłem, kelnerzy już tylko na mnie czekali. A w recepcji czekali przewodniczący kółka i młodziutka sekretarz.

Okazało się, że władze użyczyły nam większego, ośmioosobowego busika, w którym oprócz kierowcy siedziały jeszcze dwie osoby, mężczyzna i kobieta. Przywitaliśmy się, przewodniczący ich przedstawił, panna Klara, pan Kazimierz.

– Panna Klara pomogła nam odnaleźć pańską koleżankę z tamtych lat. Mieszka dotąd tam, gdzie pan z mamusią i tatusiem mieszkaliście, jest zawiadomiona, będzie nas oczekiwać.

– O, przepraszam, a ja to co? – upomniał się o siebie pan Kazimierz.

– Rzeczywiście pan Kazimierz ma też niemałe zasługi. Prześledził wszystkie roczniki ewidencji ludności z tamtych lat. Wybraliśmy kilka osób, sprawdziliśmy, większość już nie żyje lub nie wiadomo, co się z nimi stało, różne były ludzkie koleje. Ale przynajmniej dotarliśmy do kilku adresów. Inni tam teraz lokatorzy mieszkają. Jedna rodzina, młode małżeństwo z dzieckiem, zgodzili się pana profesora przyjąć. Pytali się, czy kwiaty panu profesorowi wręczyć. Powiedzieliśmy, że my z kwiatami przyjdziemy. Ale inni się nie zgodzili, że mają nieład w mieszkaniu, tak się tłumaczyli. Najpierw jednak pojedziemy nad jezioro, po jeziorze na rynek, a od rynku odchodzi właśnie ta ulica, gdzie chyba w czwartym domu będzie na pana czekała ta koleżanka z dzieciństwa. O, pamięta pana profesora, a jakże, pamięta – rozgadał się przewodniczący. – Nawet się wzruszyła. To on profesor teraz? Nigdy bym nie uwierzyła. Chodził ciągle zasmarkany i profesor, no. Otrzyj gluta, mówiłam, bo ci wisi, i profesor, no. I łzy jej w oczach stanęły. Cóż, dzieciństwo zawsze wzrusza, a tym bardziej, im bardziej się człowiek od niego oddala. Chodziliście podobno w czasie wojny na niemieckie filmy po kryjomu. Same gestapowce, prostytutki i my dwoje, mówiła. Wpuszczali nas bez biletu, bo nawet pół sali nie było. Były czasy, mój Boże. A teraz profesor, no.

Chciałem zaprotestować, że z żadną koleżanką nie chodziłem do kina, matka mi zakazała, chociaż sama niekiedy wzdychała, że poszłoby się do kina. Toteż po wojnie odrabiała z namiętnością zaległości, gdy przywieźli czasem do zakładów, gdzie ojciec pracował, jakiś film, bywało, że chodziła na wszystkie seanse, gdyż zawsze trzy seanse wyświetlano jednego dnia, żeby z wszystkich trzech zmian pracownicy mogli obejrzeć. Kiedyś mi napisała, że przywieźli do zakładów *Krzyżaków*. I bez mała cały list był o tych *Krzyżakach*. Zwaliły się tłumy, świetlica nie była w stanie wszystkich pomieścić, siedzieli jedni drugim na kolanach, na podłodze, stali pod ścianami, pootwierano nawet okna i na dworze w oknach stali. Film się skończył, a ludzie nie wychodzili. Wołali, żeby drugi raz puścić. Tak matkę ten film przejął, że ciągle o nim myśli. Popatrz, jakich mieliśmy mądrych królów, teraz by się przydał taki, bo inaczej nigdy się nie zmieni. Spal zaraz ten list. Kiedy przyjedziesz?

Zaprotestować i cóż by to dało. Tej koleżanki już przecież nie odwołam. I powiedziałem tylko:

– Różnie bywa.

Nieoczekiwanie wsparła mnie pani Klara:

– Ma pan rację. Są tu sami dorośli, to powiem. W małżeństwie raz mąż ma przyjemność, raz żona. Rzadko kiedy razem.

Kierowca zachichotał, aż mu się kierownica chybnęła, młodziutka sekretarz spłonęła, przewodniczący kółka wbił oczy w bok z zaciekawieniem, jakbyśmy jakąś kraksę objeżdżali, a pan Kazimierz wyraził wręcz podziw dla pani Klary:

– Pani Klara jak zawsze aż do bólu szczera.

– Bo co tu ukrywać? – odparła pani Klara najwyraźniej zadowolona ze swojej szczerości. – Nie inaczej jest? A później się dziwić, że się rozchodzą.

Podjechaliśmy blisko brzegu jeziora i przewodniczący rzucił:

– Wysiadamy.

– Ale przecież jezioro dobrze widać i przez szyby samochodu – powiedziałem nieśmiało.

– A nie, nie, przez szyby mógłby pan tego jeziora sobie nie przypomnieć. Niech pan spyta tych, czy coś widzą przez szyby, kiedy jadą samochodem. A niechby widzieli, czy coś zapamiętali? Mig i świat przeleciał. Tak im przelatuje i życie.

Staliśmy na brzegu tego jeziora, na piaszczystym pasemku graniczącym z wodą, lekkie fale, czy raczej zmarszczenia, podmywały nam stopy. Pani Klara zdjęła pantofle i stała boso. W pewnej chwili wysunęła się przed nas i weszła po kostki do wody. Pochyliła się i przegarniając rękami jezioro, jakby chciała je rozkołysać, powiedziała:

– Woda w dotyku jest przyjemniejsza od ciała mężczyzny.

Nie wiem, czy do kogoś poza mną doszły jej słowa, gdyż stałem najbliżej niej, a tym bardziej że wypowiedziane do jeziora, od razu się w nim zanurzyły. W każdym razie nikt nie dał poznać po sobie, że usłyszał.

– Gdyby ktoś chciał się utopić – powiedziała, odchylając się – musiałby tam – wskazała ręką – na środek popłynąć. Do szyi żeby się zanurzyć, trzeba kawał odejść od brzegu. A dalej to najlepiej kajakiem.

– W tym roku odnaleziono dwa puste kajaki – powiedziała młodziutka sekretarz. – W zeszłym roku chyba trzy.

– Cztery – poprawił ją kierowca, który właśnie doszedł do nas, chociaż z początku się ociągał.

– Puste kajaki to jeszcze nie dowód – powiedział przewodniczący kółka.

Nie wiem czemu, wyobraziłem sobie po jego słowach całe to jezioro zasłane pustymi kajakami jeden przy drugim. Nawet wydało mi się, że słyszę, jak się ocierają o siebie, obijają wraz z napływającymi coraz wyższymi falami, skrzypią, przechylają się, nabierając wody. Mimo że dzień był słoneczny, ciepły, bezwietrzny, tak że jezioro jakby się tylko spierzchło.

– Kilka lat temu w jednym z kajaków znaleziono list – powiedział kierowca. – Syn mojego sąsiada. Miał dopiero dwadzieścia lat. Nie wiadomo, co napisał, bo list zamókł, kopiowym ołówkiem był napisany, litery się rozmazały. Co się ojciec naszukał, żeby ktoś mu odczytał. Może pan, panie profesorze, by mu pomógł? Mówił pan wczoraj na spotkaniu, że zajmuje się pan kronikami, listami, pieczęciami, i w obcych językach. A jego list był po polsku.

Wzdrygnąłem się. Co tu odpowiedzieć?

– Współczuję ojcu – powiedziałem. – Tylko wie pan, łatwiej zajmować się historią niż czyimś zwykłym życiem. Do życia nie mam daru.

– Tu się przeważnie ludzie kąpią – powiedział przewodniczący, jak gdyby chcąc mnie zwolnić z dalszego tłumaczenia się z mojej niemocy wobec tego listu. – Dalej wszędzie, jak pan widzi, zarośnięte tatarakiem, sitowiem. Zapewne i pan się tu kąpał. Umiał pan już wtedy pływać?

– Nie pamiętam. Kąpałem się w tylu jeziorach, rzekach, morzu, że mógłbym się pomylić, chcąc sobie przypomnieć.

– No, cóż, jak powiedział wczoraj przedstawiciel władz, woda nie ma pamięci. A szkoda, bo ile to jezioro mogłoby opowiedzieć. Pojedziemy teraz na rynek.

– Rynek? – zdziwiła się pani Klara. – A cóż tam jest do zwiedzania? Jedynie ta tabliczka, gdzie zginął „Toni". Ginąć to my geniusze, ale żyć nieuki.

– Zresztą może jutro – powiedział przewodniczący i spojrzał na zegarek – bo jesteśmy już spóźnieni, a tam czeka na nas pańska koleżanka.

Zatrzymaliśmy się przed jakąś jednopiętrową kamienicą, która wyglądała z zewnątrz jakby niedawno remontowana. Stała w rzędzie podobnych kamienic przylegających do siebie. Na parterze wystawy sklepowe, urządzone z gustem i bogato. Spodziewałem się, że i wewnątrz jest podobnie. Gdy się jednak weszło przez bramę na niewielki podwórzec, trudno było oczom uwierzyć. Kocie łby pełne dziur, tynk odpadał ze ścian, w rogu góra śmieci w plastikowych workach, stosy pustych kartonów, kontener z czubem zapełniony, nie mówiąc, że wszędzie walały się gazety, puste butelki, obierki z kartofli i inne świństwa, jakby nie wywożono tego nie wiadomo odkąd. Przy tych śmieciach stał wychodek, bo trudno było to inaczej nazwać, dwie kabiny, jakkolwiek słowo kabina również do niego nie pasowało, w jednej drzwi aby tylko przyparte, wyrwane z zawiasów, w drugiej ledwo zwisające. Nie umiem powiedzieć, jak w środku, lecz można sobie wyobrazić. Aha, w jednym do tego deska oderwana z boku.

– No, tak – powiedział usprawiedliwiająco przewodniczący kółka – nie starczyło już środków. W zeszłym roku mieliśmy jubileusz miasta i wszystko poszło na pilniejsze sprawy.

Wzdłuż piętra ciągnął się długi drewniany balkon, też z lekka jakby się już pochylił, na szczęście zadaszony, wchodziło się z niego do poszczególnych mieszkań. Stała tam jakaś starsza kobieta, wsparta na barierce, w niemodnym kapeluszu ze sztucznymi kwiatkami, w jaskrawokwiecistej sukience. Patrzyła na nas z góry, uśmiechając się. Chyba nie miała wszystkich zębów, na ile można było dostrzec z dołu.

– Niech uważają! – zawołała, gdyśmy zaczęli się wspinać po schodach. – Niektóre popróchniałe. Mieli wymienić, skurwysyny. Jeszcze pod kimś się załamią i żywego w trupa zamienią.

Rzeczywiście schody trzeszczały, że strach było postawić stopę, wchodziliśmy więc pojedynczo, po kilka schodów od siebie. Pierwszy wszedł przewodniczący, sprawdzając schodek za schodkiem, dopiero ja za nim, za mną pan Kazimierz, a pani Klara postanowiła nie wchodzić.

– Musi z władzy być, że boi się – zachichotała z góry kobieta.

– Z jakiej władzy?! – oburzyła się pani Klara. – Obcasy mam wysokie! A zresztą. – I niemal wbiegła na górę.

– Cienka jest – stwierdziła starsza pani – to pod nią wytrzymają. Na czwartym schodku od góry i piątym od dołu nie stawać, jak będziecie schodzili.

– To jest właśnie pan profesor – przedstawił mnie przewodniczący.

– Nie ma co przedstawiać. My od dziecka przedstawieni. – I wyszarpała mi rękę, gdy ją chciałem pocałować. – Co tam starą rękę będzie. Trzeba było wtedy. Wtedy bym się nie sprzeciwiała. Nawet wyszłabym za niego, jakby chciał. Ale chciał tylko, żebym mu pokazała. – Zaśmiała się skrzekliwie, obnażając brak większości zębów, co z dołu już dostrzegłem. – Pamięta, za sraczem, zadarł mi sukienkę, to majtki już sama zdjęłam.

Wszyscy pospuszczali głowy, jedynie pani Klara zawtórowała jej:

– Niestety, kiedyś kończy się to pokazywanie.

– Jak wszystko, paniusiu, jak wszystko. Wcześniej, później.

– Ależ pani Klara… – chciał coś wtrącić pan Kazimierz, lecz przewodniczący przerwał mu:

– Panie swawolą, a z nami jest młodzież. – Wskazał na młodziutką sekretarz kółka, z której miny nie dało się odczytać, czy spłoszona, czy zgorszona, raczej obojętna, jakby nieobecna. – A młodzież trzeba wychować.

– Pierw trzeba by siebie wychować – zgasiła go starsza pani. – A że się nie umiało, to teraz młodzi nas wychowują. – I przenosząc wzrok na mnie, obrzuciła mnie od stóp do głów. – Oj, postarzał się, postarzał, ale go poznałam. A mnie poznał?

– Niestety, nie – miałem już na ustach, lecz nieoczekiwanie dla samego siebie, a nawet nieco nadgorliwym głosem powiedziałem: – Panna Irenka, prawda?

– Nie, Józka. Ale odtamtąd panna.

– O, przepraszam. Najmocniej przepraszam.

– Iii tam będzie przepraszał. Imienia nikt nie ma na czole wypisane. Ale ja jego pamiętam. Tylko bym nie śmiała, bo teraz profesor, powiedzieli mi. Wszystkich imiena pamiętam, o jakie by mnie spytał. Nie żyją, a pamiętam. Spyta. No, niech spyta. Wstydliwy się zrobił. Nie był wtedy taki wstydliwy. – Znów zaskrzeczała tym bezzębnym śmiechem. – Wszystkich, co tu mieszkali, pamiętam. Mogę wyliczyć mieszkanie za mieszkaniem. Chce?

– Nie trzeba – przerwał jej przewodniczący. – Nie po to przyszliśmy. Proszę nam powiedzieć, gdzie pan profesor wtedy mieszkał.

– A tam, w końcu. Przyszli tu mieszkać, jak Żydów wywieźli. Żydów tu kilka rodzin mieszkało. Tam mieszkali i tam. Ale wejdźcie do mnie, napijemy się herbaty, ciasto upiekłam.

Na stole nakrytym białym obrusem stał już dzbanek z naparzoną herbatą, na spodeczkach filiżanki, cukier w cukiernicy, łyżeczki, pokrojone na równiutkie kawałki ciasto. Ponalewała nam herbaty, ponakładała po kawałku ciasta.

– Pijcie, jedzcie, ciasto chyba mi się udało. Topielec się nazywa, rzadko piekę, bo nie mam dla kogo. I rodzynków włożyłam, i skórki pomarańczowej.

Na słowo „topielec" serce mi załomotało, uniosłem filiżankę z herbatą, lecz z trudem doniosłem do ust.

– No, a ciasta nie spróbuje?

– Z przyjemnością bym spróbował, lecz nie wolno mi nic słodkiego. Dopadła mnie cukrzyca.

– A to szkoda, bo dla niego upiekłam. Mamusia mi dała przepis, jak tu mieszkali. Trzymałam w książce, którą mi pożyczył. Pamięta?

– Tak, oczywiście – potwierdziłem skwapliwie, chociaż nic takiego nie zachowało się w mojej pamięci.

– A im smakuje?

– Pyszne – pochwaliła pani Klara.

– No, a tamci przyjęliby pana profesora, żeby zobaczył, gdzie mieszkał? – Przewodniczący kółka przypomniał sobie o swojej roli. – A herbatę byśmy później dokończyli.

– Byłam, pytałam. A nie Żyd? Przyjdzie niby odwiedzić, a potem każą im mieszkanie oddawać. Jaki Żyd?! Chryste Panie! Znam człowieka od dziecka. Znałam mamusię, tatusia. Jakieś to takie pokręcone w trzy ćwierci, wszystkiego się boją. Chociaż byli i gorsi. Jeden zbój wydał tatusia. Tatuś był tu za dozorcę. Mieszkaliśmy na parterze, teraz tam sklep z zabawkami. Mieli wywozić Żydów i tatuś ukrył jedną rodzinę w piwnicy pod nami. Mieliśmy dużą piwnicę, bo i miotły, i łopaty, i różne narzędzia do sprzątania, naprawiania. Wchodziło się do niej osobno, tu z bramy w dół, po schodach, obok naszych drzwi. Okienko miała nieduziutkie, z kratą, ale wpadało trochę światła. Przychodził czasem do tatusia jeden gestapowiec, co był mianowany na nasz dom. Wypytywał tatusia, co i jak, kto tu z kim, czy tatuś czegoś nie słyszał, nie widział. I tatuś mu zdawał, co słyszał, co widział, ale nie to, co słyszał, co widział, tylko żeby nikomu nie zaszkodzić. A w tym mieszkaniu za wami na lewo, zwracając się do mnie, mieszkał policjant, granatowy. Musisz go pamiętać, boś wywalał za nim język, jak wychodził na służbę. Zajmowali najładniejsze mieszkanie. Teraz ktoś tam z władzy mieszka, ale chyba zdjęty, bo prawie nie wychodzi. Ona pracuje w bibliotece i znosi mu książki. Tyle książek paniusia dźwiga, pytam się ją kiedyś. Nie mógłby mąż pomóc? Właśnie dla męża, bo strasznie lubi czytać. Teraz tak lubi, przedtem nie widziałam, żeby mu znosiła. Wziąłby się za handel, jak nie ma co robić, albo wynajął na taksówkę. Nie zmądrzeje od życia, to i z książek nie zmądrzeje. Taksówkarze tylko jeżdżą, a jacy mądrzy ludzie. I o zdrowiu dużo wiedzą, i o tamtym świecie. I jak tam na księżycu i dalej. A o polityce nikt tyle nie wie, nawet ci, co nami rządzą. Wiedzą, co ludziom potrzeba i co im się należy za to całe życie. By tak taksówkarze rządzili, lepiej by się działo. Jak nie ma komu, to i taksówkarzowi się człowiek zwierzy. Bym tak miała ze trzy emerytury, o, tobym jeździła. Pożyczył mi kiedyś książkę, pamięta? – Przeniosła się z taksówkarzy na mnie, a mnie znów serce załopotało. Ratując się przed jej dalszymi pytaniami, czy pamiętam to, tamto, nagłym ruchem uniosłem filiżankę do ust i wypiłem resztkę herbaty.

– Może dolać? – spytała.

– Proszę. – Sądziłem, że w ten sposób odstręczę ją od dalszych pytań i może przeniesie się znów na taksówkarzy.

– Nie oddałam ci chyba. Żeście się wyprowadzili, nim skończyłam. Jakieś dwa gówniarze zgubiły się w lesie, pamiętam. Ale nie wiem, co się z nimi stało, bo nie chciało mi się kończyć, jak już was nie było. Przez tę policjantową żeście się wyprowadzili. Łeb bym takiej urwała. Kiedyś mówi do twojej mamuśki, po tych Żydach pani tylko pluskwy zostały. A twoja mamuśka jak nie wrzaśnie, a po tobie, jędzo, nawet pluskwy nie zostaną. Fest miałeś mamuśkę. Tylko że potem się bała. Ciągle wyglądała, czy po nią nie idą. I mnie nieraz prosiła, patrz no, Józka, jakby co, to daj znać. I niedługoście wyjechali. Mogliście dalej mieszkać, bo ten jej policjant tak samo się bał. W tych dwóch mieszkaniach mieszkały niczego diablice. Wszystkim życzliwe. Przygarnęły mnie potem, jak została sama. Różni do nich przychodzili. Starzy, młodzi, raz bez nogi jeden, na szczudle. Miał kłopoty z wyjściem po schodach. Wyszła jedna z nich do niego i dopiero go poprowadziła. Jeszcze użaliła się nad nim. To jak ty będziesz ruchał, jak po schodach wyjść nie możesz? O, uśmiałam się wtedy. Jeszcze potem chciało mi się nieraz śmiać. Ten gestapowiec też mówiły, że flak. Gruby, że nie mogły go rozruszać. Żeby takich grubych brali do gestapo? Widziało się różnych gestapowców, to przeważnie świece. Jeszcze w tych czarnych mundurach. Och, jak lubiłam te ich mundury. Może gdyby nasi mieli takie, nie przegraliby tak w trymiga. To oni zabrali potem tatusia i mamusię. Tatuś lubił tego grubego i on lubił tatusia. Też był dozorcą przed wojną, tylko w większej kamienicy, mówił. Czasem przyniósł tatusiowi papierosów, a tatuś poczęstował go herbatą. I zawsze go pytał, pójdzie pan tam do nich na górę? Czekają. I ten szedł. Przykazywał tylko tatusiowi, że sza, bo kula w łeb. Ale tak samo i niektórzy inni, gdy przychodzili, grozili tatusiowi, sza, bo kula w łeb. To tatuś był jak grób. Choć i tak wszyscy tu wiedzieli, co, kto, u kogo. W jednym końcu ktoś coś powiedział, to w drugim słyszeli. Tu się niesie przez drzwi i ściany. Ciągle ktoś do kogoś stuka, że za głośno u niego. To i nikt się nie przemknął, żeby go nie usłyszeli. Schody tak samo trzeszczały jak teraz, trzeszczał balkon, trzeszczały wszystkie drzwi. Szliście, to słyszeliście. Najgorzej w nocy było. Nagle ktoś mordę rozdarł. Ciszej nie możesz pan iść! Buty zdjąć! Dziecko mi się obudziło! Nerwowi byli ludzie. Ale i wesoło było. Szło żyć. Ile człowiek z takich awantur się dowiedział, z książek by się nie dowiedział. Kiedyś policjantowa do twojej mamusi, myśli pani, że nie wiemy, kto tu do tych przychodzi? Zrób coś, mówię mężowi, bo zgorszenie sieją. A mąż, stul pysk i sza. Wyprowadzę się i zostawię go, jak tak dalej będzie. Gdzie my, pani, mieszkamy, w sodomie i gomorze. A było tak, że się ten policjant otarli z jednym leśnym o siebie, jak ten wchodził do nich. Wąsko tutaj, widzicie, drzwi otworzyć, to ledwo da się przecisnąć, bo się drzwi na zewnątrz otwierają. Podniosła się, otworzyła drzwi, żeby nam pokazać. Rzeczywiście, drzwi otwarte na całą szerokość dostawały prawie do balustrady.

– No, niech które spróbuje – zachęcała.

I pani Klara spróbowała, otworzyła, wyszła.

– No, kto by chciał się przecisnąć? Może pan, panie Kazimierzu. Pan tu z mężczyzn najszczuplejszy.

– Ja bym chętnie, ale wolałbym być tym leśnym niż policjantem. Jeszcze gdyby pani tu w środku była.

– A wtedy temu leśnemu płaszcz się rozchylił i spod płaszcza wychynął rewolwer. Policjant zbladł, przepraszam, nic nie widziałem. W porządku, tamten powiedział. Zero zero. Nie wiedziałam wtedy, co to zero zero. Spytałam tatusia. W piłkę kopią, to zero zero, nikt nie przegrał, nie wygrał. Ale tatuś też się bał. Wszyscy wszystkich tu się bali i po temu jakoś się żyło. Strachów jest, co ludzi na świecie i każdy po swojemu się boi. Ten, co wydał tatusia, musiał bać się jeszcze inaczej. Może nocami nie sypiał, tylko nasłuchiwał. Może z nerwów latał sikać co rusz, a srać na dole, w podwórzu. Mnie nie było, jak tatusia, mamusię i tych naszych Żydów zabrali. Nie pamiętam, gdzie wtedy byłam. Myślę, czy nie w kinie. Do południaśmy chodzili, pamiętasz? Myślę nieraz i myślę, gdzie ja wtedy byłam. Skąd wiedziałam, że to on wydał? Bo wziął mnie do siebie. O, w trzecim od tamtego końca mieszkał. Co ja z nim przeżyłam, jeden Bóg wie. Zamykał mnie, jak wychodził. Gdyby nie to, poszłabym na gestapo, żeby i mnie zabrali. Aż jednego dnia wyszedł i już nie wrócił. Potem przygarnęły mnie one do siebie. I kiedyś podsłuchałam, jak mówiły, że muszą załatwić to mieszkanie po nim, póki wolne jest. A wzięłyby jakąś Andżelikę i Dolores, co wystają na ulicy. Na ulicy nie są tak wydajne, a przyszłyby tutaj i rozkręciłoby się interes. Ona dziecko jeszcze. Może kiedyś coś z niej będzie. Przyszedł kiedyś do nich ten gruby gestapowiec, żeby się pożegnać, bo na front go wysyłają. I żalił się, że jakby tatuś mu powiedział, to on by tych Żydów zastrzelił. Tatuś by żył, i on by nie poszedł na front. Wtedy trzy lata przez rok się dorastało. Tak, że po wojnie, jak szukali dozorcy, zgłosiłam się. Myśleli, czy nie za smarkata jestem, ale powiedziałam, że dam sobie radę. Przy tatusiu się przyuczyłam, nie trzeba mnie szkolić, wiem wszystko, co i jak. I całe życie dotąd przepracowałam tutaj. Nie dali mi tylko tamtego mieszkania, bo tam zrobili sklep, przenieśli mnie do tego. A potem przeszłam na emeryturę. Mogłabym dalej pracować, bo siły mam. Zjedzcie jeszcze po kawałku ciasta. Naparzyć może herbaty?

– Nie, dziękujemy. I tak zajęliśmy pani dużo czasu. – Przewodniczący kółka spojrzał na zegarek. – O, to już ta godzina.

– Coście zajęli? Nic żeście nie zajęli. Mogłabym jeszcze długo. Życia nie da się tak w trymiga opowiedzieć. Nawet po śmierci chciałoby się opowiadać.

– Ale tam czekają już na nas z obiadem.

– Ano, jak musicie, to musicie.

Wstaliśmy, a wtedy złapała mnie za rękę.

– Pamięta tatusia? – Jej blade, wyszarzałe oczy zaszkliły się łzami.

– Naturalnie – powiedziałem. – Kiedyś mi dał miotłę, nie, chyba szuflę, zima była, i powiedział, poodgarniaj tam tę resztę śniegu, synku. Ja trochę odsapnę.

Nie mogłem przecież odpowiedzieć, że nie pamiętam, byłoby to okrutne. Tym bardziej że wysłuchując jej życia, przypisałem się, chcąc nie chcąc, do jej pamięci. Mógłbym powiedzieć, że dałem się wciągnąć w jej pamięć. Tak zawsze jest, kiedy człowiek wysłucha czyjegoś życia, nie może się już z niego potem wydostać. Będzie żył w nim jak w swoim.

Zaczęliśmy już schodzić po tych trzeszczących schodkach, gdy wyszła za nami i zawołała:

– Czekajta! Dam wam po kawałku placka! Dla was upiekłam! Czemu nie chcecie!? – I wybuchła płaczem.

Czułem się jak wyżęty, gdy wróciłem po obiedzie do hotelu. Zresztą i obiadu nie byłem w stanie dokończyć. Każdy kęs rósł mi w ustach. Męczące takie jedzenie. Żuje człowiek, żuje, a nie może przełknąć. Przeprosiłem więc towarzystwo, że pójdę się położyć. Położyłem się z nadzieją, że może się zdrzemnę i przejdzie mi. Niestety, zamiast drzemki zacząłem znowu czytać program mojego pobytu, punkt po punkcie, godzina po godzinie, i doznałem przykrego zawodu, że w tym programie coś pominięto, mimo takiego nadmiaru czekających mnie jeszcze wydarzeń. Ale cóż mogłoby być przyczyną mojego zawodu, że sprawiło mi aż przykrość? Czułem, lecz nie umiałem sobie na to odpowiedzieć. Pomyślałem z trwogą, jak ja wytrzymam jeszcze dwa dni? Były w programie przewidziane trzy punkty na jutro i jeden do południa na pojutrze, a po południu uroczyste pożegnanie. Muszę jakoś zniknąć, to jedyna rada. Tylko jak? Nie zaczaruję się przecież, nie mam takiej mocy, że mnie najzwyczajniej nie ma i w ogóle nie było, a tylko im się to wszystko ubzdurało jak we śnie.

Wyjdę może na spacer, gdy noc się pogłębi, a w hotelu światła pogasną, i już nie wrócę. Ale co z walizką? Zostawić? Nie miałem nic szczególnie cennego. Dwie świeże koszule, piżamę na zmianę, dwa krawaty, dwie pary skarpetek, chusteczki do nosa. Ale co z rzeczami już używanymi? A co z kosmetyczką, przyborami do golenia, szczoteczką do zębów, pastą, mydłem, bo zawsze wożę swoje? Zostawię, to gdy nie wrócę ze spaceru, pomyślą, że pobłądziłem. I zaczęłoby się szukanie po lesie wokół hotelu. A zapakować i wziąć to wszystko z sobą, żeby najmniejsza rzecz tu po mnie nie została, to jak wynieść walizkę przez recepcję? W recepcji całą noc ktoś siedzi. Niechby i przysnął, to tacy, nawet śpiąc, mają oczy i uszy otwarte. Zobaczy mnie z walizką i od razu zawiadomi, kogo trzeba, zrobi alarm na cały hotel. Zwłaszcza że i do księgi pamiątkowej hotelu się nie wpisałem. A przed hotelem widziałem, że chodzi ochroniarz w mundurze i czuwa.

Zgasiłem światło, otworzyłem okno, wyjrzałem, pokój na pierwszym piętrze, nie tak wysoko, można by wyrzucić walizkę, a potem okrążając w czasie spaceru budynek, zabrać ją stamtąd. Ale niech się otworzy przy upadku na ziemię, zbieraj potem w popłochu po ciemku. Noc ciepła, gwiaździsta, księżyc w pełni, przy takiej nocy niektórzy mogą spać przy otwartych oknach. I niech ktoś usłyszy, że coś spadło. Cisza jak makiem zasiał, przy takiej ciszy upadek walizki może być głośny jak wybuch. I tak źle, i tak niedobrze. Co tu zrobić? Zapaliłem ponownie światło, zacząłem się rozglądać po pokoju, że może coś mnie natchnie, zaszedłem do łazienki, zwrócił moją uwagę przewód od suszarki. O, właśnie, gdyby znaleźć na tyle długi, żeby dostał od okna do ziemi, spuściłbym na nim walizkę. Wróciłem do pokoju, zapaliłem wszystkie światła i znów zacząłem się rozglądać niemal metr po metrze. Nieoczekiwanie dojrzałem przedłużacz do telewizora, biegnący tuż przy ścianie, wzdłuż cokołu, od kontaktu za łóżkiem aż do przeciwległej ściany. Tylko czy wystarczy? Nic, na wszelki wypadek dowiążę pasek od spodni, jeden z krawatów czy nawet oba.

Zapakowałem walizkę, umocowałem jeden koniec przedłużacza u rączki, do drugiego końca dowiązałem pasek od spodni, do paska krawat, zgasiłem światło, otworzyłem okno i zacząłem delikatnie spuszczać walizkę. Niemal bezszelestnie dotarła do ziemi. Odgłos nie był głośniejszy niż upadek puszki po piwie. Zamknąłem okno, ściągnąłem zasłony, założyłem marynarkę, poszedłem do łazienki, na szczęście było światło niezbyt jasne nad samym lustrem, więc przejrzałem się, jak wyglądam, czy moja twarz nie zdradza, co mam zamiar uczynić, bo jak to mówią, na złodzieju czapka gore. Oczyma wyobraźni zobaczyłem, jak mnie szukają po lesie, ktoś woła:

– Nigdzie go nie ma! Może się powiesił!

I świecą latarkami po drzewach.

– Po dębach! – ktoś krzyczy. – Po dębach! Dęby mają nisko konary!

Recepcjonista powitał mnie ze zdziwieniem:

– Pan profesor jeszcze nie śpi?

– Nie mogę coś zasnąć. Przejdę się trochę. Zaczerpnę świeżego powietrza.

Otworzył mi drzwi.

– Tylko proszę nie odchodzić za daleko – upomniał mnie z troską.

To samo ochroniarz:

– Piękna noc. Spacer w taką noc to sama przyjemność. Ale proszę nie za daleko.

Obszedłem hotel dookoła raz i drugi, aby nie miał wątpliwości, że mnie widział, jak spaceruję. Walizka moja leżała tuż pod ścianą, lecz na razie nie brałem jej. Dopiero za trzecim lub czwartym razem podniosłem ją i ruszyłem w las. Na szczęście ogrodzenie nie było jeszcze dokończone, co zauważyłem poprzedniego wieczora, hotel dopiero niedawno został postawiony, wydostałem się więc bez szukania przejścia. Trzymałem się lasu wzdłuż biegnącej w widocznej odległości drogi. Wyszedłem na nią dopiero, gdy las się skończył. Szedłem cały czas poboczem, pamiętając, żeby iść tylko przed siebie, a dojdę w pobliże dworca autobusowego, tam skręcę kawałek w lewo, potem w prawo i będę na miejscu. Mijały mnie dość często samochody, ale żaden się nie zatrzymał z propozycją podwiezienia, a sam nie chciałem zatrzymywać, aby przypadkiem ktoś mnie nie poznał, bo kto wie, czy nie był na wczorajszym spotkaniu ze mną. Szedłem trochę oślepiony światłami nadjeżdżających z naprzeciwka samochodów, lecz wzdłuż drogi prowadził rów i tego rowu się trzymałem.

Spory kawał był do dworca. Ponad godzinę szedłem, mimo że dość szybkim krokiem, licząc w swojej naiwności, że złapię jeszcze jakiś ostatni autobus, a może jest i nocny. Niestety, gdy poświeciłem sobie zapałką, na rozkładzie przyjazdów i odjazdów przeczytałem, że najwcześniejszy jest dopiero nad ranem. Ale czekać do rana, gdy lada chwila mogą się tu zjawić, nie znajdując mnie w lesie? Nic, odpocznę chwilę i ruszę dalej, a nuż złapię coś po drodze. Droga dalekobieżna, może ktoś będzie jechał w tym samym kierunku. Na razie zajdę do poczekalni. Poczekalnia była jednak zamknięta. Niedaleko dostrzegłem ławeczkę. Siadłem sobie z postanowieniem, że mam niedługo ruszyć. Ale noc wydała mi się tak przyjazna, że omal wtuliłem się w nią. Poczułem taką ulgę, że nigdy bym tej nocy nie zamienił na dzień. Pomyślałem nawet, że nie miałbym nic przeciwko temu, gdybym umarł na tej ławeczce, wśród tej cichej bezludnej nocy. Jakkolwiek brakowało mi jeszcze wtedy sporo lat, żeby spełniła się przepowiednia Cyganki. Ile? Musiałbym policzyć. Szkoda, że jej wtedy nie zapytałem, jak będzie wyglądało moje umieranie. Bo kto wie, czy nie była posłanniczką losu. Los ma różnych posłańców. Czasem to jest sen, a czasem przypadek. Ale wtedy przez myśl by mi nie przeszło, żeby ją o to zapytać.

Księżyc był coraz bliżej, jakby płynął do mnie. Wydało mi się przez moment, że się ktoś na nim poruszył. Czyżby ludzie już na nim mieszkali? Ale przecież nie tak wiele lat minęło, gdy pierwszy człowiek postawił na nim stopę. Czy Ziemia już za mała jest dla ludzi, czy po prostu nie wiedzą, jak na niej żyć? A może chcieliby dotrzeć do Boga, sprawdzić, czy jest? Nie obwiniałbym jednak Ziemi. Zatopiony całym sobą w tej nocy, poczułem się przez chwilę, jakbym znalazł się wśród gwiazd, a księżyc miałem z prawej strony.

Ta chwila była nieledwie mgnieniem, przerwały mi ją nadbiegające z ciemności jakby dwojga osób kroki. Strach mną targnął, że to pewnie po mnie. Zatrzymały się jednak gdzieś dość blisko, bo doszły mnie zaraz i słowa.

– Coś taki napalony? – Głos kobiecy jakby kogoś upominał. – Nie chcę na stojaka. Myślisz, że wciąż ta sama jestem? Teraz lubię wygody.

– To czekaj, tam jest ławeczka.

– Ale tam ktoś siedzi.

– Pójdę, zgonię chuja.

Stanął przede mną jakiś drab.

– Spierdalaj stąd.

Wkuliłem się w siebie, szukając w myślach jakiegoś ratunku, nic mi jednak nie przychodziło do głowy.

– No, na co czekasz?

I nagle olśnienie, jak niekiedy w bezbronności:

– Na policję. Mają zaraz przyjechać.

Odskoczył ode mnie. I usłyszałem ich oddalające się w pośpiechu kroki. Nie zaznałem jednak spokoju. Nie minął kwadrans, gdy ktoś najwyraźniej szedł ku ławeczce, jakby też chciał odpocząć. W przeciwieństwie do tamtych chód miał ciężki, powolny, a każdy krok jakby przetykany nie tyle stukotem co kłuciem żwiru przed sobą. I rzeczywiście, gdy zbliżył się na jakieś dwa, trzy kroki do mnie, zobaczyłem białą laskę, a przy nodze psa, który go prowadził. Postukał laską w ławeczkę, potem w moją walizkę, którą postawiłem sobie przy nogach, i powiedział:

– Z walizeczką pan, widzę.

Zdziwiło mnie to „widzę", gdyż laska, pies i to obstukiwanie świadczyło, że jest niewidomy. Oczu nie widziałem, miał na nosie ciemne okulary. Głos jego był ochrypły, gulgoczący. Umościł się na ławeczce obok mnie, westchnął i nie tyle pytając, stwierdził:

– Z walizeczką, znaczy gdzieś pan jedzie.

– Może jadę, może nie jadę – odparłem na odczepne, bo nie lubię rozmów z przypadkowymi ludźmi, zwłaszcza w nocy. Nie mówiąc, że nie byłem pewny, czy nie udaje niewidomego i tylko dla zmylenia ta biała laska, pies, na nosie ciemne okulary, a za chwilę wyciągnie nóż, przystawi mi do gardła i zażąda:

– Dawaj portfel. Dawaj zegarek. Co tam masz w tej walizeczce? Dawaj wszystko, bo cię zajebię. Marynarkę, spodnie, buty. Noc ciepła, nie umarzniesz.

Słyszy się przecież nieraz o takich, co potrafią człowieka rozebrać do naga czy nawet zabić dla kilkudziesięciu złotych. Świat obsypało przestępcami różnej maści. I czekając w napięciu, kiedy wyciągnie nóż, pomyślałem, że złapię walizkę i osłonię się przed nim.

– To tak jak ja. Tak jak ja – zachrypiał. – Widzę, żeśmy bratnie dusze. Czasem się takie zejdą z sobą. – Przyciągnął psa. – Ogrzej – zachrypiał. I pies ułożył mu się na stopach. – O, ciepłe psisko, cieplutkie. – Pochylił się i pogłaskał psa. – Odtamtąd mi marzną – dodał. Może liczył, że spytam go, odkąd. Coś jednak kazało mi nie ufać mu i zbyłem milczeniem te marznące nogi, chociaż powinno mnie to zaciekawić, bo przecież lato w pełni, ciepło, a jemu marzną nogi. – A nie kupiłby mi pan biletu?

– Biletu? – zdziwiłem się, choć po prawdzie chciałem się jedynie otrząsnąć z zaskoczenia. – A dokąd pan jedzie?

– Tam gdzie i pan – jeszcze bardziej mnie zaskoczył. – Gdzie i pan.

– Ja jeszcze nie wiem gdzie.

Nie zniechęciło go to.

– To tak jak i ja. Jak i ja. Jeżdżę, gdzie kto kupi mi bilet. A we dwóch byłoby nam raźniej. Czy tam, czy siam, we dwóch zawsze raźniej.

– I tak bez celu?

– A jaki mogę mieć cel? Aby do końca.

Nie wiedząc, co mu odpowiedzieć, palnąłem chyba głupstwo:

– Nie wiem, czy nie pójdę piechotą. Nie chce mi się czekać na ranny autobus. O piątej z minutami dopiero odchodzi. A teraz którą mamy? – Spojrzałem na zegarek, miałem zegarek ze świecącymi wskazówkami. – Pierwsza dopiero minęła.

– To pójdę z panem.

– Dałby pan radę piechotą?

– Czemu nie. Gdzieś by się zawsze doszło. A dobry i ten kawałek. Niewiele mi zostało.

– Choruje pan może? I na co?

– Na to, co wszyscy.

– To znaczy?

– Na życie. A pan młody czy stary?

– A jak się panu wydaje?

– Raz tak, a raz tak.

– To może tak jest.

Zdjął okulary i otarł sobie oczy wierzchem dłoni, wysmarkał się na ziemię, pogłaskał znów psa.

– Jak się wabi?

– Waluś. Tak jak i ja. Ale do mnie nie ma komu już tak mówić.

– Ładne imię.

– O, teraz dałbym panu dużo mniej. Przedtem, kiedy pan powiedział, że nie wie, gdzie jedzie, wydał mi się pan nawet mój rówieśnik.

– A pan ile lat sobie liczy?

– A po co liczyć? Ani się ich nie cofnie, ani nie pogoni. Nocą lat nie widać ani pańskich, ani moich.

– Jak to? Powiedział pan przecież, z walizeczką pan, widzę.

– Z przyzwyczajenia. Mówiło się kiedyś, widzę, widzę, to się dalej mówi. Słowo nie włos, nie złapie pan i wyrwie. Kiedyś widziałem jak jastrząb, to trudno przywyknąć, że się już nie widzi.

– I co się stało?

– Mina. Zna pan piosenkę *Czerwone maki na Monte Cassino*? To tam. W saperach służyłem. Przykucłem, zaraz cię rozbroję, diablico. I jak mnie nie trzepło, to i oczu nie mam, o, i te dwa palce mi urwało, i nogi posiekło. Odtamtąd mi marzną. Ale tymi urwanymi palcami potrafię czasem coś przytrzymać.

Wtem noc rozdarł sygnał wozu policyjnego i gdzieś tam w dali zaczęło pulsować zbliżające się światełko.

– Policja – rzuciłem przez ściśnięte nagłym strachem gardło. – Chyba po mnie.

– A uciekł pan skądś? Nie wygląda pan, żeby z więzienia. Znam się na ludziach. I pies by wyczuł. Ale to nie policyjny sygnał. Karetka. Ktoś ma zawał.

Rozdział 10

– Ptaków jakby coraz mniej – powiedział, rozglądając się po niebie. – A przecież nie ma powodów, aby było ich mniej. Chyba że coś czują. Ptaki zawsze pierwsze czują, gdy na coś się zanosi.

– A na co się zanosi? – spytałem.

– Tego nie wiem. Ale mam radę dla pana. Mam tu znajomego księdza przy katedrze, kolega jeszcze z liceum. Niech pan pójdzie do niego i powoła się na mnie. Może on panu powie, na co się zanosi. Pan wierzący? Nie ma to zresztą znaczenia. – Miał już zamiar ruszyć dalej w górę, gdy wtem spojrzał na mnie i powiedział: – A wie pan, wczoraj, nie, przedwczoraj nie mogłem długo zasnąć. I w tej jakby jeszcze półjawie, a już półśnie zobaczyłem pana. Siedział pan na ławce w parku. A po chwili pojawiła się w alejce Cyganka z niemowlęciem przy piersi. Pierś miała ogromną jakby kosztem tej drugiej, której ledwo zarys było widać pod bluzką. Podeszła do pana, usiadła i zaczęła pana namawiać, żeby dał pan sobie powróżyć. Nie miał pan dość woli, by jej odmówić, tak że nawet złość mnie wzięła na pana. Choć rozumiem, nie ulegać przepowiedniom, trzeba wielkiej woli. A kto ma taką wolę? Dlatego świat omotany jest przepowiedniami. Wzięła pana rękę, położyła sobie na kolanach, lecz niewygodnie jej było. Przeniosła więc niemowlę do drugiej piersi, wówczas ta pierś stała się ogromna, a tamtej ledwo zarys było widać pod bluzką. Wodziła wskazującym palcem po pańskiej dłoni, ten palec miała dużo dłuższy niż pozostałe, ale mówiła tak cicho, że nic nie słyszałem. Domyślałem się tylko, że od jej słów zależy, ile lat ma pan przed sobą. Nagle zerwał się pan i zaczął gdzieś biec. Nie chciał pan słyszeć, że wołam: Niech pan się zatrzyma! Niech pan się zatrzyma! Proszę mi powiedzieć ile! Mógłby pan teraz powiedzieć mi ile? Niech pan się nie obawia, nie wierzę w przeznaczenie. Wchodzimy, schodzimy, ale czy to można nazwać przeznaczeniem? Czy jednakże człowiek wie, w co wierzy? Nie sądzę. W najlepszym razie wydaje mu się. Wszystko mu się jedynie wydaje. Nie mówiąc, że sam sobie się wydaje. Inaczej nie stworzyłby słowa „wydaje się".

Przypomniałem sobie kiedyś tego księdza, do którego radził mi pójść. Zachodziłem kilka razy pod katedrę, lecz jakoś nie miałem szczęścia go spotkać. Aż któregoś dnia znów zaszedłem. A słońce grzało jak z otwartych drzwiczek pieca, powietrze duszne, parne, najwyraźniej przedburzowe, niemal samo powaliło mnie na ławkę pod rozłożystym kasztanem. Wyciągnąłem się z nogami, ręce skrzyżowałem pod głową i z postanowieniem, że poleżę trochę, aż się ostudzę z tego upału, zasnąłem. Na swoje usprawiedliwienie powiem, że co najmniej od miesiąca niewiele spałem, sezon był na truskawki i ciągle mnie przerzucali z suszarni, gdyż niewiele się suszyło, a truskawki napierały, tak że nieraz na półtorej zmiany pracowałem w ciągu dnia. W związku z tym półprzytomny chodziłem. Nie winię jednak nikogo, nie było przymusu, sam się zgłosiłem, bo chciałem zarobić. Kiedyś mi o mało co nie obcięło rąk na suszarni, gdy na sitach rozgarniałem wytłoki, a kierownik puścił sita w ruch. Niemal w ostatniej chwili zdążyłem je spod sit wyrwać. No, a w dodatku musiałem się uczyć, skoro chciałem pójść na studia. Tak że wciąż brakowało mi czasu. A skąd wziąć brakujący czas? Tylko ze spania.

Nie wiem, jak długo spałem. I pewnie spałbym dalej, gdyby mnie nie zbudził czyjś tubalny głos:

– Weź te nogi z ławki.

Otworzyłem półprzytomne powieki i widzę księdza. Zerwałem się.

– Wybacz, że cię zbudziłem. W twoim wieku jeszcze się tak śpi. W moim już nie. Przysiądę się, pozwolisz? Ależ to upał, upał. – Wyjął z kieszeni sutanny wielką białą chustkę, otarł nią czoło. – To co chciałeś?

– Nic.

– Nic i do mnie przyszedłeś? Do mnie się nie przychodzi po nic. Może byś się chociaż wyspowiadał? Nie będę cię ciągnął do konfesjonału. Nie lubię w konfesjonale spowiadać. Tu, pod tym kasztanem. Słońce, niebo otwarte, to i Bóg nas będzie lepiej słyszał. Przez kratkę spowiadam, to czuję się jak urzędnik, nie ksiądz. Przy spowiedzi powinno się widzieć wzajemnie twarze, ty moją, ja twoją. Twarz więcej powie niż słowa. W twarzy i słowa się widzi, nie tylko słyszy.

Bóg widzianymi słowy mówił. Gdy kogoś spowiadam, to i ja się przed nim spowiadam. Z tej samej ziemi jesteśmy, z tego samego świata, z tych samych grzechów. O, stułę noszę zawsze z sobą. – I z drugiej kieszeni sutanny wyciągnął zwiniętą w kłębek stułę. – Na wszelki wypadek. Gdyby ktoś mnie zaczepił na ulicy, że chce przyjść do mnie się wyspowiadać. Po co masz przychodzić. O, chodźmy na ten skwerek, jest tam ławeczka. Zarzucają mi, że wyprowadziłem Boga na ulicę. Ale wszystko zaczyna się na ulicy. Bóg tak samo zaczynał na ulicy. No, to przyjdź kiedyś, jak będziesz miał z czym. Na mnie już pora. Obyś tylko nie przyszedł za późno.

Po latach, skończyłem już dawno studia, przyjechałem kiedyś i przy okazji postanowiłem zajść pod katedrę w nadziei, że może spotkam tego księdza. W zasadzie nic od niego nie chciałem. Spowiadać się nie miałem zamiaru. Bóg był wciąż dla mnie pytaniem, nie odpowiedzią. Pogoda była taka sama jak wtedy, duszno, parno, słońce przygrzewało, że nawet pod tym kasztanem czuło się żar. Siadłem sobie na tej samej ławeczce co wtedy i tak samo zaczęło mnie morzyć jak wtedy, chociaż nie czułem się zmęczony. W tym wieku nie wypadało już wyciągnąć się z nogami na ławeczce. Jakkolwiek w każdym wieku człowiek by się chętnie położył, wyciągnął. Pragnienia z dawnych lat przechowują się w nas do starości niczym w skrzyni. I od czasu do czasu dają znać o sobie. Nawet by się nieraz podbiegło ten kawałek, tylko że już nie te nogi, nie to serce. Na przykład przy czerwonym świetle przez jezdnię, gdy samochody z tej i tej strony nie tak blisko. Kiedyś spróbowałem. Zielone światło zgasło, a zapaliło się czerwone, gdy znalazłem się pośrodku jezdni. Samochody z piskiem zaczęły hamować, trąbić, otwierali szyby, wychylali głowy, wyzywając mnie od najgorszych.

Coś mnie jednak podkusiło i położyłem się, wyciągnąłem nogi. Zapadłem chyba w sen, gdyż w pewnej chwili usłyszałem jego tubalny głos nad sobą:

– Weź te nogi z ławki. A fe, w twoim wieku, wstydziłbyś się. Jednak przyszedłeś. Widocznie sumienie cię gryzie. Ano ma chyba powody. A wiesz ty chociaż, co to jest sumienie? Zastanawiałeś się kiedyś nad tym?

Wtem ktoś mnie zaczął szarpać.

– Panie, ale to pan śpisz a śpisz. Zachodziłem tu już dwa razy do pana. Zbudź się pan, zmierzcha się.

Otworzyłem oczy. Stał przy mnie jakiś nieznajomy człowiek, mizerota na pierwszy rzut oka, z pękiem kluczy w ręku.

– Chciał pan zwiedzić katedrę, to trzeba było wcześniej. Teraz już muszę zamykać.

Podniosłem się, strzepałem marynarkę, spodnie, bo wymiąłem się.

– Kościelny tutaj jestem – powiedział. I potrząsnął jakby na potwierdzenie tym pękiem kluczy. – Jutro niech pan przyjdzie, tylko wcześniej. Będzie otwarte.

Podeszliśmy pod drzwi katedry, wybrał jakiś wielki klucz z tego pęku, który z każdym krokiem jazgotał, że aż w uszach wierciło. Wsadził w równie pokaźną dziurę w drzwiach, przekręcił raz, drugi, chyba nawet trzeci, a za każdym przekręceniem zamek zgrzytał.

– Trzeba by naoliwić – powiedziałem.

– Po co? Prędzej złodzieja odstraszy, kiedy zgrzyta.

– Na złodzieja lepszy alarm – powiedziałem.

– Był. Ale co trochę się włączał bez przyczyny. Musiałem w nocy i trzy razy się zrywać. Choć i tak, kiedy się zbudzę, przychodzę sprawdzić. Nie o tych samych porach, bo mogą wyśledzić. Złodzieje nie tacy sami teraz jak kiedyś. Mają sposoby, ale sumień za grosz. Święte, nieświęte kradną. Raz tu się schował taki szczyl na ambonie. Kiedy tam wlazł, nie wiadomo. Miał salceson z chlebem, bo nakruszył, skórek napozostawiał. Nie głosi się już kazań z ambony, to się i rzadko tam zagląda. Przyszedłem jakąś godzinę przed pierwszą mszą, pootwierałem, przewietrzyłem. I tyle co chwilę poklęczałem przed świętym Wincentym, bo mi tak samo Wincenty. Wstałem, idę na kościół, a w lewej nawie przed Świętą Panienką klęczy ten szczoch. Ręce złożone, oczy, widzę, zapłakane, wargi mamroczą jakąś modlitwę. Co się stało, pytam, że tak rano? Tatuś wczoraj zmarł. O, biedne dziecko. Módl się, módl. Potem się okazało, że puszka na ofiary pusta. Otwór z wierzchu podważony, dorosła ręka by się nie zmieściła, ale dziecięca wybrała co do grosza. A pan, widzę, chyba nietutejszy. Tutejszych wszystkich znam. Musi się znać, żeby wiedzieć, kto nietutejszy.

– Byłem kiedyś tutejszy.

– Był pan, a jakoś nie poznaję pana.

– Bo to było dawno. Może pan nie był jeszcze wtedy kościelnym.

– A to możliwe. Przedtem mój ojciec był. A przed ojcem dziadek. Dobry fach. Pensja niewielka, ale robota na całe życie. Mieszkanie za darmo i Bóg pod ręką. O, tam mieszkam.

– To bliziutko.

– No, i widzisz pan, myślałem, że po mnie mój syn. Ale birbant, panie. Przyjechał tu kiedyś, pytam go się, to jaką masz teraz robotę? Kombinuje się, mówi. Robota tylko głupich się trzyma. O, ty taki owaki. Złość mnie, panie, taka wzięła, a nigdy się nie złoszczę. Ja głupi?! Ja głupi. Rodzony ojciec głupi dla ciebie?! Wynocha z mojego domu! Żeby twoja noga więcej tu nie stanęła, dopóki nie znajdziesz jakiejś roboty.

– Przepraszam pana – przerwałem mu, nie spodziewając się, że szybko skończy, kiedy już otworzył przede mną tę ojcowską ranę. – Czy znał pan może tu takiego księdza…

– Wszystkich księży znałem.

– Ale ten spowiadał na tej ławce pod kasztanem. Nie lubił w konfesjonale.

– A, ksiądz Jan. Nie żyje. Żonaty już byłem, dzieciaty, jak go zesłali gdzieś na parafię. Niektórzy mówili, że coś z głową miał. Pogoda była, to wyprowadzał ludzi na dwór i tu, tak, na tej ławeczce spowiadał. Mnie tak samo. Kiedyś przychodzę do niego do spowiedzi, a on, chodźmy na dwór, pogoda, słońce, a w kościele ciemno. To nie na dzisiejsze czasy był ksiądz.

Wyszliśmy poza ogrodzenie, lecz kiedy chciał zamknąć furtkę, nie mógł trafić kluczem w dziurkę. Co przymierzył, to pęk kluczy ściągnął mu ten klucz w dół. Jakby bliżej był swoich myśli niż swoich rąk. Czy może zmierzch mu już oczy zaklejał?

– Niech pan da, ja spróbuję. – Zamknąłem, oddałem mu tę wiązkę kluczy, ciężka rzeczywiście była, nic dziwnego, że miał kłopoty z trafieniem.

– Gdybym wiedział gdzie, pojechałbym na jego grób. A co ty masz za grzechy, powiedział mi kiedyś. Nazbierasz więcej, wtedy przyjdź. Nie wiem nawet, czy ci dać jakąś pokutę. Nie na dzisiejsze czasy. A pan gdzie się zatrzymał?

– W tym hotelu przy Uchu Igielnym.

– Odprowadzę pana.

Myślałem, że mnie zagada przez drogę. Ale, o dziwo, nie powiedział już ani słowa. Dopiero pod hotelem, gdyśmy się żegnali, rzekł:

– Pan jeden nie zapomniał tego księdza. Tak nikt go już nie pamięta.

Hotel niedawno został zbudowany. Dokładnie w miejscu, gdzie kończyło się niegdyś żydowskie getto. Naprzeciwko, po drugiej stronie ulicy, jakby w ściętym rogu piętrowej kamienicy, znajdowała się pracownia biżuterii z krzemienia pasiastego. Krzemień pasiasty, o ile jestem dobrze poinformowany, występuje na kuli ziemskiej jedynie w tej okolicy, w postaci jak gdyby wapiennych bochenków chleba. Jego uroda polega na tym, że w żadnym z tych bochenków wzory się nie powtarzają. Każdy jest sam w sobie oryginałem. Wydobywano go już w neolicie, uważając, że ma moc magiczną.

Z ciekawością zawsze słuchałem pana Cezarego, właściciela pracowni, który mnie wprowadzał w tajemnice tych fascynujących niekiedy wzorów, pokręconych linii, pasm i wszystkich możliwych odmian szarości, jakie mogła stworzyć tylko natura, z którą daremnie próbuje konkurować sztuka. Te pokręcone linie, pasma zdają się mówić o losach Ziemi, a zarazem i o naszych ludzkich losach.

Kiedyś zamówiłem u pana Cezarego wisior i bransoletę, mając jeszcze nadzieję, że jej wręczę, gdy wróci z sanatorium. Nie mogłem ukryć zachwytu, gdy odbierałem już wykonane zamówienie od niego. Sam projektował, sam wykonywał, a oprawiał kamień w najwyższej próby srebro. Złoto kłóciłoby się z krzemieniem, mówił, może nawet musiałoby się zniżyć do odpustowej tandety. Niewątpliwie sprawił mu przyjemność mój zachwyt, co wyraził i w oczach, i słowach.

– Może powinienem pana spytać, dla kogo pan zamawia. To pomaga wyobraźni. Ale ten krzemień nauczył mnie czytać w ludzkich myślach. Więc zrobiłem, jakbym sam dla siebie zamówił. Musimy coś nie wiedzieć o sobie, aby wiedzieć coś więcej.

Nie było jeszcze tego hotelu ani pracowni pana Cezarego, a krzemień pasiasty wraz z wapiennymi skałami, w których osadziły się jego gniazda, kruszono i utwardzano nim drogi. Dopiero pan Cezary odkrył w nim materiał na biżuterię.

– Przejdźmy się kawałek – powiedział, gdy podszedłem do niego. Stał w miejscu, gdzie w przyszłości miano wybudować hotel, a w przeszłości kończyło się getto. Gdy znaleźliśmy się pod synagogą, zatrzymał mnie.

– Pamięta pan tę synagogę?

– No, jakże – obruszyłem się. – Przecież mieszkałem na stancji przy końcu tej ulicy.

– Ach, tak. Można by powiedzieć, że to pomnik sumienia. Jedyny w tym mieście.

– Sumienia? – zdziwiłem się.

– Sądzi pan, że sumienie nie zasługuje na pomnik? O, to jest pan jeszcze młody. Przeszłość wciąż się w nas dzieje, dopominając się o naszą pamięć. Nie wykluczam jednak, że ta pamięć się kiedyś urwie i nie będzie się mówiło, tam, gdzie to getto, tylko tam, gdzie ten hotel, który tu powstanie, gdzie ta pracownia biżuterii z krzemienia pasiastego. I jedynie ten pomnik będzie dręczył sumienia.

Żal mi się go zrobiło. Podejrzewałem nawet, że gra o coś z samym sobą, a ja w tej grze jestem dla niego tylko tym, z kim zwiedza swoją przeszłość i kto potrzebny mu jest do słuchania, co tu się kiedyś zdarzyło. Toteż poczułem ulgę, gdyśmy się pożegnali.

Kiedyś po latach zatrzymam się w tym hotelu, gdy przyjadę na uroczystości czterechsetlecia naszej szkoły średniej, jednej z najstarszych w kraju, która po ciągnącym się latami remoncie odzyskała wreszcie dawny blask. Uroczystość miała się rozpocząć następnego dnia w godzinach przedpołudniowych, więc miałem sporo wolnego czasu. Mogłem odpocząć, przejść się. A ponieważ przyjechałem w porze obiadowej, zacząłem od obiadu.

Młody kelner w hotelowej restauracji przyniósł kartę dań i stojąc nade mną, zachęcał usilnie do zamówienia kaczki w pomarańczach, która była specjalnością zakładu, gwarantując, że jest miękka i nie znajdę w niej najdrobniejszej kosteczki. A z zup, no, właśnie, nie pamiętam, co z zup mi polecał. Powiedziałem, że nie jadam zup, więc zaczął mnie namawiać, abym przynajmniej wziął bulion z jajkiem. A gdy i bulionu odmówiłem, to przynajmniej jakąś przystawkę, to może jakiś deser, wymieniał całą gamę deserów, jakie dzisiaj są w karcie. Świeżutkie, z naturalnych składników.

– O, widocznie nie zarobię na panu – powiedział z odcieniem zawodu w głosie. I zdradził, że oprócz pensji, niewielkich jak wszędzie, otrzymują prowizję od zamówień gości, dzięki czemu może wspomóc rodziców. Ojciec jest na rencie, a matka była przedszkolanką, ale została zwolniona, gdyż przedszkole zlikwidowano. Cóż, dzieci coraz mniej, młodzi wyjeżdżają, nie ma tu dla młodych przyszłości, żadnych zakładów, prócz huty szkła, w której też pracuje połowa tych co kiedyś. Kiedyś było jeszcze kilka kilometrów stąd zagłębie siarkowe, gdy odkryto wielkie złoża, ale i zagłębie zdycha.

– To proszę mi wystawić rachunek na dwa, a nawet trzy drugie dania, trzy zupy, trzy przystawki, trzy desery. A jakie macie wina?

– Mamy i te najdroższe.

– To proszę najdroższe. Przyniesie mi pan kieliszek z tej butelki, a policzy pan za butelkę.

– Nie mogę tak. To byłoby nieuczciwe.

– A co w tym jest nieuczciwego? Przecież mogę zamówić trzy obiady i tę butelkę wina dla moich znajomych, na których właśnie czekam. A że nie przyjdą, to już moja sprawa. Pan wykonuje tylko zamówienie, prawda?

– Daruje pan, nie mogę. Przyjdą znajomi, podam im. Mogą sobie przecież coś innego zażyczyć, niż pan im zamówił.

– Coś niebywałego. Pierwszy raz spotykam takiego kelnera. A w swoim długim życiu nie zliczyłbym, jak wiele razy jadałem w restauracjach w kraju i za granicą.

– Pan może chciałby mnie w ten sposób sprawdzić? Ale to ja sam muszę się sprawdzać. W panu jest coś nienormalnego. Jeśli pan się nie obrazi, powiem, okrutnego!

– A pan pewnie uprzedza klientów, gdy coś jest nieświeże?

– Oczywiście.

– Z wczoraj lub przedwczoraj?

– Oczywiście. Przy czym w tej restauracji wszystko jest zawsze świeże. Ale poprzednio pracowałem w pewnym barze, gdzie stosowało się różne sposoby na odświeżanie potraw. Nawet sałatki się odświeżało, a miały nieraz po dwa i trzy dni. Dlatego odszedłem stamtąd. U nas wszystkie potrawy niezjedzone z poprzedniego dnia oddaje się do stołówek dla bezdomnych.

– Pan ma jakie wykształcenie?

– Wyższe.

– I co pan skończył?

– Filozofię.

– Filozofię? Nie wiedziałem, że na filozofii uczą kelnerstwa.

– Przepraszam pana, nie mogę tak długo z jednym klientem. – I odszedł. Za chwilę wrócił z butelką wina, którą przy mnie otworzył, nalał mi kieliszek i butelkę zostawił. Zajął się innymi gośćmi. Ruchliwy, niemal przepływał między stolikami, przyjmował zamówienia, zachęcał, kłaniał się, uśmiechał i dość szybko przynosił potrawy.

Wtem stanął przy mnie szef restauracji, pytając:

– Jak szanownemu panu smakowała nasza kaczka?

– Wyborna – powiedziałem.

– To się cieszę.

– A ten kelner, skąd pan go wziął?

– O, zgłasza się do nas wielu kandydatów. Jest z czego wybierać.

– Rozumiem.

Za chwilę kelner wrócił do mnie i przyniósł mi szarlotkę na gorąco, polaną czekoladą i z bitą śmietaną.

– To od szefa, gratis – powiedział. Chciał mnie od razu opuścić, lecz zatrzymałem go.

– To powiada pan, że skończył filozofię?

– Skończyłem jeszcze potem kurs dla kelnerów. Po filozofii nie miałbym perspektyw.

– To dlaczego pan poszedł akurat na filozofię?

– Dla siebie.

– I co panu dała?

– Może pomogła mi zostać uczciwym kelnerem?

– Ciekawe. Chociaż nie wiem, czy rozumiem. – Spojrzałem na zegarek. – Pan kiedy kończy pracę?

– Niedługo. Dziś jestem na pierwszej zmianie. Zaraz powinien przyjść kolega na drugą. – Spojrzał w głąb restauracji, ktoś tam ukazał się w przejściu na zapleczu. – O, jest już.

– To może miałby pan ochotę na krótki spacer?

Coś było w nim intrygującego, tajemniczego. Tak dawno przestałem już być młody, że właściwie zapomniałem, jak to jest, być młodym. Może z perspektywy lat najwcześniejsza nawet młodość ulega starości, gdyż staje się teraźniejszością, i nic jej przed naszą starością nie jest w stanie obronić. Czy to nasza zachłanność silniejsza jest od czasu, czy może czas wyrównuje nam te wszystkie minione odtamtąd lata i każe nam je przeżywać od nowa. Więc może to być i zemsta minionego czasu?

– Moglibyśmy swobodnie porozmawiać. Nie tak między zamówieniami, stolikami. Pan się zwija, przynosi, odnosi, wypisuje rachunki. I szef może krzywo patrzeć, że pana zatrzymuję. Zaciekawiła mnie ta pańska filozofia. Bo co Platon czy Arystoteles mają do kelnerstwa? A choćby i Nietzsche?

Zabierając z mojego stolika talerz, talerzyk, sztućce i kieliszek po winie, spojrzał na mnie podejrzliwie.

– Zaraz panu przyniosę rachunek.

Po dłuższej chwili, nawet wydało mi się, że za długiej, jak na podliczenie nie tak wielkiego przecież rachunku, wrócił. I położywszy ten rachunek na stoliku, zamierzał mnie z tym rachunkiem zostawić.

– Proszę zaczekać – powiedziałem. – Już płacę. – I odliczając należną sumę ze sporym napiwkiem, powiedziałem: – Może by pan i mnie zrozumiał.

– Proszę mi wybaczyć, nie mogę. Umówiłem się z dziewczyną, jestem już spóźniony. Na szczęście niedaleko. Tuż obok, w Uchu Igielnym. Może już tam czeka.

– Ach, tak. To niech pan biegnie, bo może już nie czekać.

Obszedłszy dookoła synagogę, spostrzegłem na niej, od strony tej dawnej dzikiej, zielonej doliny, napisaną sprejem myśl, której gdy byłem tu poprzednio, nie widziałem: „Jesteśmy mali i wstrętni, a jednak piękni, bo mamy własne twarze". Zastanowił mnie sens tej myśli i postanowiłem ją zapisać. Sięgnąłem do portfela po jakąś karteczkę, ale nie znalazłem. Nic, zapiszę na odwrocie wizytówki, tylko obym jej nie wręczył komuś. Okazało się jednak, że nie mam i czym pisać. Zacząłem się rozglądać po ulicy, że może ktoś będzie szedł, to poproszę go o coś do pisania. Szła jakaś kobiecina, objuczona torbami pełnymi zakupów, aż się kolebała. Na pytanie, czy ma coś do pisania, żachnęła się:

– A na co mi? Wystarczy, co w głowie. – I oddalając się, jeszcze gderała. – A zapisuj, mądralo. Stary a głupi. Zapisywali, ziemię teraz gryzą.

Z każdym krokiem jej słowa przechodziły w szmer, bo dalej coś gderała, nie udało mi się jednak już usłyszeć co. Przyspieszyła nawet kroku, jakby uciekając przede mną.

Później się okazało, że zostawiłem mój długopis w hotelu na stoliku, przy którym jadłem, chociaż nie pamiętam, abym cokolwiek wtedy zapisywał. Wręczył mi go portier, gdy wróciłem do hotelu. Zastanowiło mnie, co to mogłoby znaczyć, że go zostawiłem. Bo coś musiało znaczyć, nie ma pomyłek bez przyczyny.

Chciałem przenieść ten napis z synagogi w moją pamięć. I zacząłem powtarzać sobie w myślach, mając nadzieję, że przy okazji wyjaśni mi się jego sens. Powtarzałem słowo za słowem najpierw jakby tylko wargami, potem półszeptem. Przy końcu ulicy powtórzyłem już na głos dla sprawdzenia, czy umiem. Na szczęście nikogo nie było, bo mógłby mnie jeszcze ktoś posądzić, że mówię sam do siebie. Tak uczyłem się wierszy w szkole, najpierw w myślach, potem wargami, potem półszeptem i na głos dla utrwalenia w pamięci.

Niestety, z tym uczeniem się na pamięć, a zwłaszcza powtarzaniem w głos były zawsze kłopoty. Mieszkało nas na stancji sześciu w niewielkim pokoju. Jak niewielkim, to najlepszy dowód, że łóżka były piętrowe, żelazne, z pordzewiałymi sprężynami, które niemiłosiernie zgrzytały, gdy się człowiek choćby z lekka poruszył. Podobno pozostały po getcie i jedynie sienniki zmieniono, chociaż gospodyni zaprzeczała, wprowadziła się tu po wojnie, a przedtem, kiedy getto zlikwidowano, mieszkali tu jacyś inni. Nieraz, gdy nie mogłem zasnąć, a z łóżek dochodziły zgrzytania od przekręcających się ciał, wydawało mi się, że te łóżka wzdychają, skarżą się, jęczą głosami tych, co na nich przed laty umierali. Nieraz w nocy budziłem się zlany potem, przerażony, że i ja umieram. Jakby ten, kto umarł na tym moim łóżku, zostawił mi śmierć po sobie, bo nic więcej nie miał. Rozbudzony próbowałem sobie nieraz wyobrazić, kto to był, co czuł, co myślał, gdy umierał. Może szeptał jakiś wiersz i w tym wierszu umarł? Warto więc uczyć się wierszy, choćby nie chciały wchodzić do głowy.

Pozostałym współmieszkańcom nie przeszkadzało, że mógł ktoś kiedyś na ich łóżkach umierać. Spali twardo, kamiennymi snami. Ten nade mną ledwo przyłożył głowę do poduszki, już chrapał, a nieraz tak głośno, charkliwie, że całe łóżko drżało, a wraz z łóżkiem i ja. Jeśli nawet zdarzyło się mu z cicha zasnąć, to w środku nocy wybuchał, jakby ktoś mu pętlę zaciskał na szyi i próbował oddechem tę pętlę rozluźnić. Kopałem wówczas nogą w sprężyny jego łóżka nad sobą, na co rzucał mi w odpowiedzi, przekręcając się najwyżej na drugi bok:

– Odwal się. Śpij.

Po chwili znów chrapał, niekiedy jeszcze głośniej. Nie miało znaczenia, czy spał na jednym, drugim boku, na wznak czy na brzuchu, zmieniały się tylko tony chrapania. Repertuar tych tonów miał niezwykle bogaty. Nie wiedząc, jak temu zaradzić, powiedziałem mu kiedyś:

– Wiesz, że ktoś umarł na twoim łóżku?

– I co z tego? To mam nie spać?

Na innych łóżkach też poświstywali, gadali przez sen, tak że noc była nieraz głośniejsza niż dzień. A co najdziwniejsze, nigdy nie czuli się wyspani. Ściągali się rano z łóżek, narzekając, złorzecząc, przeklinając, że muszą iść do szkoły. Nieraz gospodyni, łomocząc w drzwi, rozdzierała się swoim piskliwym głosem:

– Nie kląć mi! Uczniowie, cholera jasna! Zbóje z was wyrosną!

Mimo jej przewidywań wszyscy zdali maturę i wszyscy poszli na studia. Jedynie ja jeden nie dostałem się za pierwszym razem. Co prawda po roku nie mieszkałem już z nimi, przeniosłem się ze stancji do bursy.

Ta uroczystość z okazji czterechsetlecia szkoły zetknęła mnie po latach, jakie upłynęły od matury, z dwoma z nich. Jeden, jak się okazało, był artystą malarzem, drugi dosłużył się stopnia generała, a gdy przeszedł na emeryturę, zajął się pszczelarstwem. Miał pasiekę, kilkadziesiąt uli, napisał nawet książkę, kilka egzemplarzy przywiózł, dał nam z dedykacjami nawiązującymi do czasów, gdyśmy mieszkali razem na tej stancji. Tytuł książki brzmiał: *Pszczoły a ludzie – porównanie społeczeństw*. Niestety, nie przeczytałem jej dotąd, chociaż ciągle sobie to obiecuję. Leży nawet na szafce nocnej, przy lampie, pod ręką i dręczy mnie. Zapraszał nas, abyśmy koniecznie go kiedyś odwiedzili, dał nam wizytówki i nawet na tych wizytówkach napisał „zapraszam". Oczywiście obiecał nam po kilka słoików miodu, jeśli przyjedziemy. I zrobił nam wykład na temat różnych miodów. Najwartościowszy i najdroższy według niego to miód wrzosowy. Już nie pamiętam, na co pomaga, ale na dość sporą gamę dolegliwości. Po nim w hierarchii jest miód spadziowy, po nim gryczany. Chociaż jeśliby przyjąć za kryterium dolegliwości, jakie trapią ludzkość, hierarchia mogłaby być inna. Tych miodów wyliczył bez liku, toteż nie wszystkie zapamiętałem.

Z sześciu nas, którzyśmy na tej stancji razem przez rok mieszkali, trzech już nie żyło. Jeden, alpinista, w młodym jeszcze wieku zginął w górach Karakorum przy zejściu z jakiegoś szczytu, przynajmniej więc zginął po osiągnięciu sukcesu. Drugi raczej marnie, gdyż tylko w wypadku samochodowym. Trzeci był lekarzem, pracował w Afryce, w jakimś programie charytatywnym, i w czasie rewolty przeciwko urzędującemu prezydentowi zastrzelił go własny pacjent, którego wyciągnął z jakiejś śmiertelnej choroby.

Nie od razu poznaliśmy się, że to my z tej stancji. No bo jakim cudem. Rysy już nie te, oczy nie te, głosy zapomniane, włosów resztki i siwe. Generał pszczelarz był całkiem łysy, nawet brwi mu zrzedły. Artysta malarz miał kiedyś gęstwę, która spadała mu aż na oczy, a teraz wprawdzie na łopatki mu zachodziły, ale tylko resztki z tyłu głowy. Czasami jakby coś znajomego zabrzmiało w tego czy tamtego głosie, nie przy wszystkich jednak słowach. Z początku zresztą małośmy mówili, przeważnieśmy bąkali. A wiadomo, przez lata zmęczona pamięć nie bardzo daje sobie radę z przypomnieniem czyjegoś młodzieńczego głosu, choćby ta młodość w jakimś słowie zabrzmiała.

Jako najstarszych posadzono nas przy jednym stoliku. I ten stolik porozwiązywał nam języki. Na takiej uroczystości i przy jednym stoliku nie da się długo siedzieć bez słów czy tylko bąkając. Słowa jakby same napierają, żeby się usłyszeć. I tak od słowa do słowa odkryliśmy w końcu, że mieszkaliśmy na tej samej stancji. No, i należałoby jeszcze powiedzieć, że taka uroczystość nie tylko zmusza do wspomnień, wspomnienia nadają jej sens, uzasadniają to, że się w ogóle odbywa.

Co prawda, nie pamiętaliśmy ani swoich imion, ani nazwisk, ani jak zwracaliśmy się do siebie, a wiadomo, że nie po nazwisku ani po imieniu. Na przykład na kolegę ze starszej klasy wołaliśmy Milimetr, bo był najwyższy w szkole i świetnie grał w siatkówkę. Postanowiliśmy więc wypić bruderszaft, jakkolwiek kiedyś bez bruderszaftu mówiliśmy sobie wszyscy ty. No, ale po tylu latach nieznajomości, a co gorsze, niepamięci, jakoś krępowało nas przejść bez alkoholu na ty, a bruderszaft, wiadomo, ośmiela, jakkolwiek wypije człowiek i jeszcze się myli. Więc żebyśmy się nie mylili, wypiliśmy po drugim i trzecim, a po czwartym wycałowaliśmy się, wyściskali, naklepali po ramionach, plecach. Generałowi pszczelarzowi oczy zaszkliły się. Artysta malarz wyciągnął chusteczkę i wytarł sobie okulary. Mnie również ścisnęły się na moment powieki, zwłaszcza gdy artysta malarz czy może generał pszczelarz, jakby chcąc ukryć wzruszenie, powiedział:

– Pamiętam, jakżeż bym mógł nie pamiętać. Ty to jesteś ten, co chodził uczyć się wierszy do sracza.

Nie należy się dziwić, za każdym szmat czasu i nagle życie z życiem się spotyka, może pełne ran, i tak przejść, bez ceregieli, z czyimś nieznanym życiem na ty? Bruderszaft był więc konieczny. Bruderszaftem jeden drugiemu jakby uchylał drzwi do swojego życia. Bez bruderszaftu, po tylu latach, nie byłoby się pewnym, o co może jeden drugiego, a o co nie może, zapytać. Muszę przyznać, żeśmy się nawet rozochocili wobec siebie, jakbyśmy znów znaleźli się na tej wspólnej stancji i wróciła nam młodość.

Kiedy jednak zaczęliśmy wspominać tę naszą młodość, okazało się, że nie tak wiele mamy tych wspomnień, żeby nam starczyło na całą uroczystość. Poza tym mało które z naszych wspomnień chciały się z sobą zgodzić, bo każdy jakby inaczej pamiętał. Albo pamiętał to, czego dwaj z nas nie pamiętali, albo dwóch z nas pamiętało, a nie pamiętał trzeci, czy żaden nie pamiętał, choć powinniśmy wszyscy trzej pamiętać. Tak że nawet zaczęliśmy się sprzeczać, podnosząc coraz mocniej głosy, aż od sąsiednich stolików zaczęto nam przesyłać zgorszone spojrzenia. Ktoś nawet rzucił w pewnej chwili ku nam:

– Koledzy seniorzy, trochę ciszej!

A ktoś inny od tego samego stolika:

– Nie zwracaj im uwagi, przygłusi są. – I całe towarzystwo wybuchło śmiechem.

Zdarzył się jednak i przyjemny moment, gdy od innego stolika ktoś z najmłodszych roczników, które zapewne opuściły niedawno szkołę, podniósł się z pełnym kieliszkiem w ręku i robiąc ku nam wymowny gest, zawołał:

– Niech żyje życie! – I wychylił kieliszek do dna, a towarzystwo, z którym siedział, nagrodziło jego toast rzęsistymi oklaskami, po czym wszyscy wstali i wychylili kieliszki do dna. Wstaliśmy i my, unosząc kieliszki ku nim w geście podziękowania, wychyliliśmy również do dna.

Mnie się zakręciło w głowie. Generał pszczelarz odwrócił swój kieliszek dnem do góry na znak, że już nie pije. A artysta malarz, który, jak się okazało, miał najtęższą z nas głowę, nalał sobie i wypił ze słowami:

– To za was.

Przycichliśmy, lecz nie przestaliśmy się sprzeczać. A poszło tym razem o to, kto na którym łóżku spał. Artysta malarz twierdził, że spał na dolnym, a łóżko stało przy ścianie, w której było jedyne okno, a ja spałem nad nim i to on mnie od spodu kopał, gdy nie mógł wytrzymać mojego chrapania. Nie chciał mi przyznać, że to nie jego kopałem, bo on spał na innym łóżku, które stało przy drzwiach. Generał pszczelarz, chcąc nas pogodzić, doszedł w swoich wspomnieniach do wniosku, że wszyscy trzej spaliśmy na dolnych, natomiast na górnych spali ci, co już nie żyli. I nie ma im co wypominać, że chrapali czy gadali przez sen. Teraz śpią spokojnie. I jak więcej już nie pije, tak powinniśmy wypić za nich. I sam nalał sobie pół kieliszka, nam po pełnym.

Te nasze sprzeczki miały jednak głęboki sens, czego wówczas nie uświadamialiśmy sobie. Mianowicie wymieniliśmy swoje imiona, nazwiska, ale pozostawała jak gdyby niepewność, która każdego z nas dręczyła, jak te imiona, nazwiska związać z naszymi starymi twarzami, tak niepodobnymi do tamtych z naszych młodych lat. Czy każdy z nas jest tym, kim był, mimo że powołuje się na imię, nazwisko z tamtych lat. Mógł się przecież powołać na tego, który spał na górze, bo i z ustaleniem, kto na którym łóżku spał, nie mogliśmy w naszych wspomnieniach dojść do ładu. Imiona, nazwiska zaczynają się w pewnym wieku oddzielać od ciebie i na starość pozostaje już tylko uwierzyć, że to imię, nazwisko to ty. W naszych sprzeczkach szukaliśmy więc sposobu na potwierdzenie, że to myśmy się spotkali na tej uroczystości, a nie tamci, którzy już nie żyli.

Więc sprzeczaliśmy się dalej. I nie tylko o te łóżka, który na którym spał, ale nawet zaprzeczali, że ściągali się rano z tych łóżek, złorzecząc i przeklinając najgorszymi przekleństwami, aż gospodyni łomotała w drzwi. Nieprawda i nieprawda. Może pomyliłem ich z tamtymi, co nie żyją, albo to ja kląłem i teraz na nich zrzucam. Nie lubili szkoły, z tym się zgadzali, bo kto lubi szkołę, przeważnie lizusy, a wiadomo, co z takich wyrasta, widać gołym okiem, jak się pną i coraz wyżej. Wstawali jednak bez ociągania się. Zapomniałem już, że zeskakiwali z łóżek, kto pierwszy do miednicy. Po pięć minut na każdego przypadało. Generał pszczelarz zrywał się pierwszy, czuł już wtedy w sobie dryl wojskowy. I rzucił się na artystę malarza, gdy ten mu się sprzeciwił, że pierwszy wstawał on przed wszystkimi. Po nim dopiero generał pszczelarz, a po nich inni. Mnie umieścili w kolejności wstawania na końcu. Ale nie protestowałem dla świętego spokoju.

Miednica była jedna na nas sześciu. Kto nie zdążył w tych pięciu minutach, wylewało mu się wodę z miednicy, choćby dopiero był w połowie mycia. I następny się mył. A nie pamiętam, że i mnie kiedyś wylali, bo nie zdążyłem w pięć minut? Albo gdy zabrakło wody w wiadrze, bo któryś nie przyniósł poprzedniego dnia, to co wtedy? No, co wtedy? Nie pamiętałem. Ano właśnie. Szło się do gospodyni, żeby użyczyła choć po pół garnuszka na każdego, na umycie zębów i przemycie oczu.

— Dlatego pierwszy wstawałem, że może jest jeszcze trochę wody w wiadrze. I ściągałem jego. — Generał pszczelarz wskazał na artystę malarza, który zgadzał się z tym i nie zgadzał, nieprzekonany, czy to nie on ściągał generała pszczelarza. Machnął jednak ręką i zaproponował jeszcze po jednym. Odmówiliśmy, więc nalał sobie i wlał w gardło, aż mu głowa do tyłu odskoczyła.

— Teraz jestem pewny, że to ty chodziłeś się uczyć wierszy do sracza — powiedział, błądząc z lekka po mnie oczami.

— Wyganialiście mnie na dwór, gdy powtarzałem sobie w głos.

— Ja? Niemożliwe. Kochałem wiersze. Piszą o mnie, żem poeta pędzla.

— A ja, przyznam wam się, nawet piszę wiersze. Niedługo zbierze mi się tomik. Mam już tytuł *Pszczoły*. Pszczoły to najbardziej poetyckie stworzenia ze wszystkich stworzeń, nie

pomijając człowieka. Gdybym wierzył w Boga, powiedziałbym, że Bóg jest najbardziej poetycki. Ale cóż, w armii zakazane było wierzyć, jak chciałeś awansować. Poświęciłbym je
żonie. Zmarła mi przed kilku laty. Poznaliśmy się, kiedy jako
podoficer należałem do kółka recytatorskiego. Mieliśmy wy-
stęp, siedziała w pierwszym rzędzie i patrząc na nią, zaciąłem
się, a ona mi podpowiedziała. Gdyby nie wiersze, może nie
zostałbym generałem. Bo tak się złożyło, że była córką generała. A generał, wkrótce teściu mój, lubił wiersze. Mówił, że
jak nie ma wojny i cni się, to czytają wiersze. U nich w szta-
bie wszyscy czytają.

– A mnie nazywają poetą pędzla – wtrącił artysta malarz.

– Mówiłeś już.

– Kiedy?

– Przed chwilą.

– Ale nie mówiłem, że każdy mój obraz to wiersz. Domy,
chmury, góry, kawałek ulicy, a wszystko to wiersze. Przyjedź-
cie kiedyś na mój wernisaż – wiersze. Gdybym tak któregoś
z was chciał namalować, to w waszych sparciałych twarzach
musiałbym odnaleźć waszą młodość, bo to była i moja młodość. A to nie takie proste, gdy naznaczył was już kicz. Bo na
co spojrzysz, kicz. Cały świat jeden wielki kicz. Wszyscy jesteśmy kiczem zarażeni. To i Boga nie potrafimy sobie inaczej wyobrazić, tylko jako kicz. A czy można wierzyć w kicz?
Może jeszcze tylko wśród ślepców dałoby się znaleźć geniuszy.

Mówił bez ładu i składu i pewnie sam nie wiedział, do
czego zmierza, toteż w pewnej chwili przerwał mu generał
pszczelarz:

– Czekaj no. Teraz ja. Moja żona, świeć Panie nad jej duszą...

– Która? – czknął artysta malarz.

– Jedną miałem.

– To i widać po tobie. Mało co, a bym cię nie poznał. Ja mam zasadę, starzejesz się, zmień żonę i lat ci ubędzie. Można w ten sposób dociągnąć, ho, ho.

– Nie dalej niż do śmierci – odgryzł się generał pszczelarz.

– A skąd wiesz? Skąd wiesz? – zaperzył się artysta malarz. – Szans mi już nie dawali lekarze. Prawie nieżywego wyciągnęli mnie z samochodu. TIR na mnie najechał. Musieli ciąć, żeby mnie wyciągnąć, a żyję. Przy starej żonie nie miałbym już chęci żyć. Ależ ma pan organizm, powiedział mi lekarz. Co najmniej o dziesięć lat młodszy. A to była trzecia wtedy. Zaraz, może czwarta. Wszystko jedno, w każdym razie któraś.

– Miałem jedną i jak widzisz, żyję – nie poddawał się generał pszczelarz.

Rozjuszyło to artystę malarza. Nalał sobie, wypił. Po czym postawił z takim przybiciem kieliszek na stoliku, że nasze kieliszki zadźwięczały, i syknął:

– Dzięki żonom obu was przeżyję.

– A to przeżyj, jak tak bardzo chcesz żyć.

Kłóciliby się dalej, może nawet doszłoby do awantury, bo napięcie wzrastało, ale zagłuszyła ich muzyka, która nagle wybuchła, najwidoczniej z przeznaczeniem dla najmłodszych roczników, ostra, wrzaskliwa, aż sala zadygotała, a za chwilę dołączył do niej tumult tańczących par, gwar, piski, chichoty, tak że nie byli w stanie się usłyszeć, gdyby nawet zaczęli krzyczeć na siebie. I dali spokój.

Zastanowiło mnie, co takiego zaszło między nimi w młodości, bo przecież odtamtąd nie widzieli się, że przetrwało tyle lat, aż do tej uroczystości. Bo coś musiało zajść, tego byłem pewny, zwłaszcza że mnie jakby odsunęli na bok i tylko między nimi zaiskrzyło, że aż w końcu zaczęli warczeć na siebie jak poszczute psy. Musiało to być coś bolesnego, zwykłych urazów nie przechowuje się przecież przez tyle lat, a tym bardziej do starości. Starość unieważnia tę naszą młodość, zamieniając nieraz i urazy w tęsknotę.

Gdybym mieszkał z nimi na tej stancji dłużej, może mógłbym się więcej domyślić, co ich tak poróżniło.

Opuściłem tę stancję po roku z powodu jedzenia. Sam bym się z pewnością nie zdecydował. Ale przyjechała kiedyś matka do mnie, a była pora obiadu. Zobaczyła, co jemy, i załamała ręce. Krupnik rzadziutki, prawie sama woda, a na drugie kartofle z jajkiem na twardo, polane jakimś kwaśnym sosem. Zrobiła awanturę gospodyni, jak nas karmi. O, nie bez przyczyny jestem taki chudy, że aż mi żuchwy odstają, a łopatki prawie przebijają skórę. W dodatku garbię się, bo nie ma mnie co podtrzymywać, taki mam wiotki kręgosłup. Skóra i kości.

– O, tu, tu, wszędzie. – Obmacywała mnie na dowód na oczach wściekłej jak i ona gospodyni, odszczekującej się matce wet za wet.

– Za takie pieniądze to i tak luksusy jedzą. Piątek dzisiaj, co miałam im dać? Chciałaby, żeby nie pościli? Zapomniała, że Pan Jezus w piątek zmarł? Na bezbożnika chce go wychować? To ci dopiero matka. A że chudy? Tamci na tym samym wikcie, a jak się patrzy chłopaki. Pokażcie no się, chłopaki! – zawołała nie wiadomo do kogo, gdyż chłopaki, jak się tylko zaczęła awantura, pozmykali jeden przez drugiego. – Może ma solitera? To jadłby same kotlety, a byłby chudy.

Na co matka aż się zapieniła, dając upust rzadko u niej spotykanym wybuchom:

– A poszła ty!!! Wymyśliła solitera! Oszustka! Pies by nie chciał jeść twojego jedzenia! Żeby chociaż gruźlicy się nie nabawił na twoim jedzeniu. Chryste Panie! – Trwoga nią zatrzęsła. I do mnie: – Pójdziesz w poniedziałek na prześwietlenie.

Poszedłem, nic nie wykazało. Tymczasem zwolniły się miejsca w bursie po maturzystach, napisałem podanie i matka sama je zaniosła, dopisując się na tym podaniu, że zwraca się i ona z gorącą prośbą i ma nadzieję, że zostanę przyjęty, jako że na stancji, gdzie mieszkałem przez pierwszy rok, schudłem trzy kilo, co ją w rozpacz wprawiło. Nie ważyłem się, ale tak napisała i podpisała się: Matka.

Nie pamiętali tej awantury. Zresztą skąd mogliby pamiętać, skoro czmychnęli. Zaczęli natomiast bronić tego jedzenia, że na innych stancjach bywało jeszcze gorsze, jak mówili koledzy. A na przeniesienie się do bursy ani jeden, ani drugi nie mieli szans. Artysta malarz pochodził ze wsi i ojciec miał za dużo hektarów, tak że zaliczany był do kułaków. Generał pszczelarz nie miał ojca, ale matka handlowała nielegalnie alkoholem i dostała rok w zawieszeniu. Może by się nie dostał na studia, ale zgłosił się na ochotnika do wojska, wcielili go najpierw do karnej brygady, lecz dobrze się sprawował i odpuścili mu matkę. Obaj musieli więc jeść, co im gospodyni gotowała, z tym że dożywiali się. Dokupywali sobie chleb, pasztetówkę, kaszankę, salceson, a często ścinki, czyli końcówki wędlin, które w prywatnych masarniach odsprzedawano za grosze tuż przed zamknięciem sklepu. Były jeszcze wtedy prywatne masarnie, były szynki, balerony, kiełbasy, co kto chciał. Dopiero parę lat później wszystko to upaństwowiono i bywała najwyżej końska kiełbasa.

Po tej awanturze między nimi rozmowa się jakoś nie kleiła. Inna sprawa, że mieliśmy w czubach, jak to się mówi, i zrobiliśmy się ospali. Cóż, w tym wieku po iluś kieliszkach nie wigor się w sobie czuje, lecz zniechęcenie. Co prawda najwięcej tych kieliszków wypił artysta malarz, ja najmniej, ale i jego jakby przytłoczyła ta hałaśliwa muzyka dla najmłodszych roczników. W końcu muzykanci, zmachani, spoceni, zrobili sobie przerwę i poszli na kolację. Nam też podano wkrótce pieczone udka kurczaków, podsmażane ziemniaki i jakieś surówki, do tego po kieliszku wina. Artysta malarz miał torbę z sobą i wyciągnął z niej butelkę wódki.

– Najpierw dali wódkę, a teraz chcą nas winem struć – powiedział. I nalewając generałowi pszczelarzowi pół kieliszka, bo tyle sobie zażyczył, ja swój kieliszek zakryłem dłonią, sobie nalał pełny i od razu wypił, po czym nalał drugi i zawahał się, wypić, nie wypić, powstrzymując się jakby w ostateczności skierowanym do mnie pytaniem:

– A ty co? Ile miałeś żon, bo nic nie mówisz? Jedną, dwie, ile? Chodziłeś, pamiętam, z taką ładną Żydówką.

– Nie była Żydówką – powiedziałem.

– Wszystko jedno, była, nie była. Co z nią?

– No, przecież wołali na nią Żydówka – wręcz obruszył się generał pszczelarz – to jak mogła nie być.

Chodziliśmy do różnych klas, A, B, C i D, to mogli nie wiedzieć, że to od tego jej wypracowania domowego, o którym wieść rozeszła się w całej szkole, tak na nią wołano. Ze mną do jednej klasy chodził tylko ten, co został lekarzem i zginął w Afryce, zastrzelony przez swojego pacjenta.

– To nie mogłeś z jakąś polską dziewczyną? – Generał pszczelarz nawet wypił te swoje pół kieliszka. – Też były ładne. Pamiętasz tę, no, jak jej było na imię. Teraz profesorem medycyny jest.

– Dziutka – wyręczył mnie artysta malarz. – O, pamięć ci już szwankuje. A podkochiwałeś się w niej. Zapomniałeś, bo cię nie chciała.

– A od jakiego to imienia Dziutka? – Generał pszczelarz najwyraźniej zmieszany chciał jakoś to pokryć.

– Nieważne – rzucił artysta malarz. – Moja pierwsza żona miała na imię Justyna, a mówiłem do niej Ustka, Usteńka. – I nieoczekiwanie zaczął się jakby tłumaczyć z tych swoich trzech czy czterech żon.

– Nie myślcie, że ot, tak, znudziła mi się i zmieniałem. Sztuka wymagała tego ode mnie. A sztuce się sprzeniewierzysz, to klęska. Sztuka potrzebuje młodości. Młodość to krew sztuki. A jak długo żona może zachować młodość, żebyś mógł czerpać natchnienie? Nie da się tego ustalić w latach, bo jedna dłużej, druga krócej. Poznasz jedynie po tym, jak ci nie wychodzi z malowaniem. Wtedy mus zmienić. Nie zmienisz, to będziesz chodził po chałupach i namawiał ludzi na ślubne portrety albo na odpustach malował. Z nową żoną od razu poczujesz przypływ natchnienia w sobie, jakbyś nie tylko pędzlem, farbami malował, ale duszą, sercem. Ktoś mi tu kiedyś mówi, że najbardziej sztuce sprzyja samotność. Nieprawda. Jeśli świat nie potrzebowałby sztuki, Bóg nie stworzyłby kobiety. Nie tam te twoje pszczoły, kobieta jest najbardziej poetyckim stworzeniem na tym świecie. Według mnie Bóg powinien być kobietą. Bo kto rodzi świat? Kto cierpi za świat? Kobieta. Ona jest naszym losem. My, mężczyźni, jesteśmy tylko od wojen, rewolucji i różnych zawieruch. Nasza siła to tylko złudzenie. Bóg przelał swoją moc na kobiety.

– To ty jesteś wierzący? – przerwał mu generał pszczelarz. – W szkole, pamiętam, nie chodziłeś na religię.

– Moją wiarą jest sztuka. A sztuką jest wszystko, również Bóg. Tylko że nic na tym świecie nie jest godne z nim się równać. O, przenieść Boga na płótno. Próbują, próbują, ale nic z tego. Bóg nawet nie chce zagościć w naszej wyobraźni. I dlatego za siebie dał nam kobietę. Sam chciał zostać tajemnicą. Nie skorzystasz z tego, to ci ją odbierze. Moja pierwsza żona…

W tym momencie rozległo się tango.

– O, tango – powiedział.

– A byle jakie – skwitował generał pszczelarz. – Najpiękniejsze tango to *Jalousie*. – I nawet zaczął nucić to *Jalousie*, mimo że go tango orkiestry przytłumiało.

– Fałszujesz – powiedział artysta malarz. – Ja swoją pierwszą żonę poznałem przy tangu. I było to najpiękniejsze tango ze wszystkich tang. Zakochałem się, jak to się mówi, od pierwszego wejrzenia. Nie była ładna w pospolitym znaczeniu tego słowa, ale miała cudowne piersi. Dzisiaj takie piersi są przeważnie sztuczne. Cały świat się zrobił sztuczny. Ją obdarzyła natura. Nie malowała włosów, nie przyklejała sobie rzęs, nie wywijała warg, wszystko miała z natury. A żebyście zobaczyli te jej piersi. Nie za wysoko, nie za nisko, nie rozchodziły się na boki, nie zwisały, a między nimi jakby Wąwóz Królowej Jadwigi. Pamiętacie Królowej Jadwigi wąwóz? Gdybyście ze dwa dni zostali, moglibyśmy się tam przejść. Zaprosiłbym was potem na obiad. Poznałem ją w restauracji. Siedziała przy sąsiednim stoliku z jakimiś trzema bykami. No, i zagrali *La Cumparsitę*, najpiękniejsze tango, nie tam to twoje *Jalousie*. Nie jestem kurdupel, trenowałem dżudo. Myślę sobie, w razie czego najpierw tego z lewej. I poprosiłem ją do tańca. Ona mnie nauczyła tanga, bo nie umiałem. Ach, tańczyła. Motyl.

– No, i rozwiodłeś się? – zdziwił się generał pszczelarz.

– Umarła. Trzy lata po ślubie.

– Współczuję.

– Nie współczuj. Nie lubię współczuć. Dzięki jej śmierci zrozumiałem, że sztuka nie jest nieśmiertelna. Wszystkie obrazy, jakie miałem, spaliłem. I przestałem malować. Bo co się wziąłem za jakiś obraz, to jak sparaliżowany stałem przed blejtramem, jakbym bał się tego pierwszego pociągnięcia pędzlem. A przecież to pierwsze pociągnięcie pędzlem to jak pierwsze słowo, które stworzyło świat. Pierwsze pociągnięcie jest zaczynem formy. Nie wiem, czy mnie rozumiecie?

– To tak jak z pszczołami – rzekł generał pszczelarz, dając wyraz temu, że rozumie.

– Co mają pszczoły do formy? – obruszył się tamten.

– O, mają, mają. Do wszystkiego mają.

I pewnie by się od nowa zaczęli spierać, a może i kłócić, lecz w tym momencie ktoś podszedł do orkiestry, poczekał, aż skończą to, co grali, po czym wyjął portfel i coś tam chwilę mówił do saksofonisty, który przewodził orkiestrze, wręczył mu banknot i saksofonista przez megafon obwieścił sali:

– Dla pani Marioli od pana Zygfryda tango *Jalousie*.

Nie cała sala zerwała się od stolików. Więcej niż połowa dalej siedziała, jakby ich to tango w ogóle nie ruszyło. Bo i cóż to za taniec, tango. Nie ich przeszłość, nie ich pamięć, nie ich tęsknoty. Natomiast, o dziwo, podniósł się nasz przyjaciel generał pszczelarz. Byliśmy pewni, że poderwało go to tango i za chwilę zobaczymy go poruszającego się wśród tańczących z jakąś damą, którą może już przedtem sobie upatrzył, na wypadek gdyby zagrali to wymarzone *Jalousie*.

– Idziesz tańczyć? – spytał artysta malarz.

– Nie, do toalety – odparł. – Z przyjemności jeszcze tylko ta mi została.

– Co on taki stetryczały? – powiedział po jego odejściu. A po chwili milczenia dorzucił: – Tak to jest, jak się miało tylko jedną żonę. – I nagle się ożywił: – Powiem ci, że nieraz godzinę i dwie trzymałem pędzel w ręku, stojąc przed blejtramem, a pociągałem tylko z flaszki. I taki czyściutki blejtram ciąłem potem nożem. Tak że wiem, co to stracić żonę i nie ożenić się po raz drugi. Upijałem się nieraz do nieprzytomności.

Z nikim się nie widywałem. Stukali, dzwonili, a ja nie otwierałem. Prawie nie wstawałem z łóżka. Najwyżej, żeby coś kupić do jedzenia i alkohol. Zarosłem, przejrzałem się kiedyś w lustrze, to nie wierzyłem, że to ja. Szczypałem się po policzkach, wyrywałem włosy z brody, a nie wierzyłem. Wszystko mi jedno, ja nie ja, niech dalej zarastam. I kładłem się z powrotem do łóżka. Niech całkiem zarosnę i będą się zastanawiać, kto leży w tym kokonie. Niech się zaśmierdzę, aż będzie ich z drzwi cofało. Byłoby gorzej ze mną niż z nim, choć byłem jeszcze młody wtedy. I któregoś dnia wysączyłem ostatnie kropelki z butelki, a nie chciało mi się wstać i iść kupić nowej. No, nie jedną zwykle kupowałem. Pomyślałem, może mam gdzieś denaturat. Nie miałem. Może jakąś wodę kolońską. Ale skąd woda kolońska, nie myłem się, nie goliłem, to nawet jakby była, wyschłaby.

– Jak by wyschła?

– Jak by wyschła? No, zabiłeś mi ćwieka. Nieważne. W każdym razie pomyślałem, że muszę się ratować. Tylko jak? Jedyne znaleźć sobie żonę. Zaraz, to była ta druga czy już ta trzecia, a może czwarta? Cholera, za dużo wypiłem. Inna sprawa, że nie każda tak samo boli, a ból zmienia i kolejność. Powiem ci, z samych żon mógłbym zrobić wernisaż. Ale znaleźć sobie żonę, to trzeba się najpierw umyć, ogolić, posprzątać. Do sprzątania najałem z ogłoszenia. Przyszła jakaś taka mizerota. Piersi miała, że gdybyś się nie domyślił, tobyś się i nie dopatrzył. Nos wystający, oczy wpadłe. I w ogóle za dużo w niej kości było, za mało ciała. Ale kiedyś tak patrzę, jak w zakasanej prawie do majtek spódnicy klęczy i zbiera ścierą brudną wodę z podłogi, i wyżyma do miednicy, a przy tym aż się skręca cała. Bose stopy z haluksami, szerokie. Włosy tylko gęste, długie, czarne, co chwila odrzuca je za siebie, bo spadają jej na twarz. I nagle gdy tak raz odrzuciła, widzę, krople potu jak perły na jej czole. Bezwiednie, niemal w odruchu rozstawiłem sztalugi, założyłem blejtram i zacząłem ją malować. Chyba coś ją tknęło, bo nie mogła przecież widzieć, co maluję, oczy miała wbite w podłogę. Poderwała głowę znad miednicy, a w tych oczach przerażenie.

– Nie trzeba. Nie wartam. Najmie sobie inną. Mnie najął do sprzątania.

– Ścieraj, ścieraj – powiedziałem.

Rzuciła ścierę w miednicę, zerwała się z klęczek, opuściła spódnicę i rozbeczała się.

– Czemu beczysz?

– Nie będę mu sprzątała.

– Zapłacę ci dodatkowo.

– Nie chcę jego pieniędzy.

– To przynajmniej dokończ tę podłogę.

– Dokończę, ale więcej nie przyjdę.

– Boli cię, że cię maluję?

– Nie boli.

– To o co chodzi?

– Co on wie, co boli.

Powiem ci, że gdy patrzyłem na nią, na klęczkach, przykuloną, jak tą ścierą zgarnia brudną wodę z podłogi, trze ryżową szczotką, bo podłoga brudem zarośnięta, i nie samymi rękami, oburącz, ale i plecami, i tymi klęczącymi kolanami, stopami, karkiem, głową, a może i myślami, zmienił mi się jej obraz. Było coś tak dotkliwego w niej, że mnie omal rozczuliła. Oto kropla świata, pomyślałem, a zmywa mi podłogę. Chciałem jej dać dwa razy tyle za to mycie. Nie przyjęła.

– Tyle, cośmy się ugodzili i ujmie, co nie sprzątam dalej. Za samą podłogę.

Wyjąłem zwitek banknotów z portfela i próbowałem jej włożyć za stanik, trzepnęła mnie w rękę.

– Weźmie łapę.

Byłem pewny, że już więcej nie przyjdzie, jak zapowiedziała. Ale nie szukałem innej. Podłoga zarosła znów brudem, aż się do podeszew kleiła. Bałagan, nie dałbyś wiary, ciągle mi się coś gdzieś zapodziewało, szukałem, robiąc jeszcze większy bałagan, nie mogłem znaleźć. Ale już się myłem, goliłem i malowałem od rana do nocy. Wyskakiwałem jedynie, aby coś kupić do jedzenia albo zjeść coś ciepłego w barze mlecznym w sąsiedniej kamienicy, blisko. Namalowałem kilkanaście obrazów, cały cykl, i zatytułowałem *Sprzątaczka*. Wystawiłem i wyobraź sobie, tylko ten pierwszy, który ją tak zabolał, udało mi się uratować od sprzedania. Poszły za sumy, żeby ci oko zbielało. A przedtem mało co udało mi się kiedykolwiek sprzedać i za psie pieniądze. A recenzje, mój drogi, szkoda że choć kilku nie przywiozłem. Gdybym wiedział, że spotkamy się. Jeden tylko cep napisał, że tytuł niedobry, bo co to za tytuł *Sprzątaczka*? On nie widzi na nich sprzątaczki, tylko formę. Ale ja widziałem, cepie. Sprzątała u mnie. Bym po pysku takiego wystrzelał, że to tytuł dla gawiedzi. Dla niego mogłaby być to i księżniczka, nie ma znaczenia. Temat

jest tylko pretekstem. Chyba że sobie zakpiłem. Ale z kogo?
Nie maluję, żeby kpić. Wkładam serce, duszę, to musiałbym
z siebie kpić, ty taki, owaki. I wyobraź sobie, któregoś dnia
ktoś dzwoni do drzwi. Otwieram, a to ona.

– Przyszłam zobaczyć, jak ma teraz sprzątane. – Weszła,
rozejrzała się i zgrozą zabrzmiało w jej głosie: – Matko Święta,
jakiż tu brud. To tak mu sprząta? I skąd ją wziął? A podłoga,
Matko Święta. – Pochyliła się, pociągnęła ręką po podłodze. –
I ryżową szczotką tego nie zbierze. Farb nachlapał. Pójdzie
i kupi rozpuszczalnika ze cztery butelki. I w takim brudzie
żył? Nie najął sobie?

– Czekał na nią – powiedziałem.

Nic nie odpowiedziała. Wciąż rozglądała się tu, tam, jakby
bała się spojrzeć mi w oczy.

– Będzie przychodzić?

Nie odpowiedziała.

– Może siądzie sobie?

– Nie przyszłam na siedzenie – odburknęła.

– Może zrobić herbaty?

– Piłam z rana.

Prześlizgiwała się wzrokiem po obrazach, i tych, co na
ścianach wisiały, i tych, co stały oparte o komodę, krzesełka
i gdziekolwiek dało się oprzeć.

– A gdzie ma tamten? – nagle mnie zaskoczyła, a dostrze-
gając moje zaskoczenie, dodała: – No, ten, co więcej nie chciałam mu sprzątać.

Pierwszą moją myślą było, żeby powiedzieć, sprzedałem.

– Nie sprzedał, wiem.

Wyciągnąłem go spośród innych obrazów, które stały oparte jeden na drugim, postawiłem na sztalugach. Stanęła przed nim.

– Nie przyszłabym, gdyby sprzedał.

Stała i stała przed tym obrazem. Miała ładną granatową spódnicę, kwiecistą bluzkę, na szyi korale, w uszach klipsy, wargi pomalowane na czerwono, paznokcie na czerwono, a na nogach pantofle na wysokim obcasie. Powiem ci, zastanawiałem się, czy to ona, ta sama, bo nawet piersi miała sporo większe, najwyraźniej odznaczały się pod bluzką. Tylko jak ona tak ubrana, wymalowana chce sprzątać, skoro wysyła mnie po rozpuszczalnik? Nie zauważyłem, że miała z sobą reklamówkę, i to porządnie wypchaną. A nie zauważyłem, bo gdy weszła, zostawiła ją przy drzwiach, do tego wciąż na nią patrzyłem, odkąd weszła.

– To pójdę się przebrać – powiedziała. I biorąc tę reklamówkę, poszła do łazienki, mnie rzucając na odchodne: – A on pójdzie po ten rozpuszczalnik. Nie będę tej podłogi drapać pazurami. I aceton niech mi kupi do paznokci, odliczy sobie.

Coś władczego było w jej głosie. Gdy mi przedtem sprzątała, głos jej był jakiś uległy, zawstydzony. Może się na lepsze zmieniło jej życie, pomyślałem. Chociaż nic nie wiedziałem o jej życiu. Czy jest panną, mężatką, rozwódką, wdową. Ile lat ma, gdzie mieszka, czy ma jakąś rodzinę. Ze wsi jest czy z miasta. Kto ojciec, matka, czy żyją. Czy skończyła jakąś szkołę. Nic. Sprzątaczka, to wszystko. Przychodzi, sprząta, płacę. O nic ją nigdy nie pytałem.

Gdy wróciłem ze sklepu, już klęczała jak dawniej nad miednicą, spódnica zakasana, stopy bose, włosy co rusz zarzuca na plecy, krople potu na czole.

– Najpierw musi się zebrać ten pierwszy brud – przywitała mnie, nie odchylając nawet głowy w moją stronę. – Potem dopiero rozpuszczalnikiem. Postawi tam. A aceton mi kupił?

– Kupiłem.

– Ilem mu winna?

– Nic.

– Jak nic? – obruszyła się.

– W prezencie.

– Nie chcę od niego prezentu. – Zmyła już chyba więcej niż połowę podłogi i wyżymając ścierę do miednicy, powiedziała: – Tam już zmyte, może stanąć i malować. Nie pogryziemy się.

Powiem ci, zatkało mnie. Posłusznie wyciągnąłem sztalugi, założyłem blejtram i zupełnie bezmyślnie zacząłem malować te jej ręce z czerwonymi paznokciami, jak wyżymają ścierę z brudną wodą do miednicy. Mam do dzisiaj ten obraz, jej klęcząca postać ledwie jest zamarkowana, że nawet byś się nie domyślił, że to jakaś postać klęczy, a nad nią jakby spływały z nieba anioły. Nie wiem, czy go kiedyś nie przemaluję, bo może lepsze byłoby, jak z tą miednicą, wyżymając tę ścierę, z tymi czerwonymi paznokciami, wstępuje do nieba.

– Skończyłam – powiedziała. – Teraz musi przeschnąć.

– Siądzie sobie – powiedziałem. – O, tu. Panna jest czy mężatka? – spytałem.

– A na co mu to wiedzieć?

– Nie chce, to niech nie mówi – wycofałem się.

– Czemu nie. Miałam męża, ale zapił się na śmierć.

– A dzieci ma?

– Z pijakiem dzieci? Żeby potem nieszczęśliwe były. Czyta, to wie, jakie się z pijaków rodzą.

– A chciałaby być moją żoną?

– Czemu nie, mogę być.

Nie zdążył mi opowiedzieć, co dalej, bo właśnie wrócił z toalety generał pszczelarz, oznajmiając niemal z triumfem:

– No, to jestem. – Jakby oznajmił: *Veni, vidi, vici.*

Na co artysta malarz:

– O, zatańczyłeś się widać, bo dawno już skończyli to twoje *Jalousie.*

– Kolejka była.

– W kolejce też można jakąś spotkać – zachichotał artysta malarz.

– Osobne są dla pań, osobne dla panów.

– Trzeba było stanąć w tej dla pań.

Na co generał pszczelarz odciął mu się:

– Ty, jaki ty jesteś malarz, bo nie czytałem nigdy o tobie?

I tamten się wściekł.

– Bo co ty czytasz?! Swoje pszczoły tylko czytasz i wydaje ci się, że wszystko wiesz. A gówno wiesz. Chuj żeś, nie generał. Przyjedź, zobaczysz! Choć nie, wycofuję zaproszenie. Wypędzę jak psa, gdybyś przyjechał. – Zerwał się od stolika, aż zachwiało nim, że mało nie upadł. I krokiem kołyszącym, posuwistym podszedł do któregoś ze stolików w głębi sali i poprosił jakąś niemłodą już damę do tańca, mimo że nie było to tango, tylko jakiś wręcz szalony kawałek.

– To co się z nią stało? – spytał mnie generał pszczelarz.

– Z kim?

– No, z tą Żydówką.

Nie prostowałem już, że nie była Żydówką. Zastanawiałem się, co mu odpowiedzieć. Na szczęście uratowała mnie od odpowiedzi owa niemłoda już dama, przyprowadzając pod rękę ledwo trzymającego się na nogach artystę malarza. Sadzając go na krześle, bo sam by pewnie nie trafił, nie kryła oburzenia:

– Proponować mnie, co mam już wnuki, żebym mu nago pozowała, bezczelność!

Gdyby nie to zdarzenie, też bym mu pewnie nie odpowiedział, co się z nią stało. Sam sobie zadawałem nieraz to pytanie i nie znajdowałem odpowiedzi, pogrążając się jedynie w udręce. Nachodziły mnie najprzeróżniejsze wyobrażenia, że jej martwe ciało wisi na kolczastym ogrodzeniu getta, gdy była prawie już po drugiej stronie. Albo że jedzie w bydlęcym wagonie i przez zakratowane kolczastym drutem okienko patrzy na świat, jak umyka z jej życia. A przywiera tak mocno twarzą do okienka, jakby chciała ten świat zatrzymać w oczach, aż spod tych kolców wypływają strużki krwi, które gdzieś tam spadają na podłogę w wagonie.

Nieraz pod wpływem tych wyobrażeń wsiadałem w samochód, a z biegiem lat w autobus czy pociąg, i jechałem odwiedzić tę dawną dziką, zieloną dolinę, w daremnej nadziei, że ją spotkam, ale przynajmniej łagodziło to moje wyobrażenia, co się z nią mogło stać. Jakkolwiek miało to i ten skutek, że przypominało mi, ile jeszcze lat życia mam przed sobą, licząc według przepowiedni Cyganki.

Wracałem do hotelu ulicą przez dawne getto, na której w jednej z pozostałych ruder mieszkaliśmy razem przez rok na stancji, o czym wspominaliśmy aż do znudzenia w czasie dzisiejszej uroczystości. Toteż pełny czułem się tych wspomnień i zastanawiałem się, ile było w nich prawdy. Teraz stał tu niewielki parterowy budynek z pokaźnym szyldem nad drzwiami „Zakład fotograficzny". Miałem najpierw zamiar wrócić przez rynek, lecz zatopiony w myślach, mógłbym powiedzieć, bezwiednie skręciłem w tę ulicę. Byłem trochę podpity, mimo że nie piłem każdej kolejki i raczej upijałem po trochu, w przeciwieństwie do artysty malarza, który raz po raz nalewał, a wypijał do dna. Poza tym przez rynek mógłbym jeszcze kogoś spotkać, kto nastręczyłby się z pomocą, widząc mój chwiejny krok i laskę w ręku. I rynek był rozświetlony, a w takiej jaskrawości prawdopodobnie jeszcze niepewniej bym szedł. Tu natomiast nieliczne blade lampy jak gdyby nieledwie poświatą rozjaśniały kręgi wokół siebie, a odległości między sobą pozostawiając rozrzedzonym co nieco ciemnościom. No i tutaj żywej duszy o tej porze nie mogłem się spodziewać. Cisza zalegała tak dojmująca, że przysiągłbym, słychać było, jak domy stoją, bo przecież nie stoją bezgłośnie. W pewnej chwili lęk mnie zdjął, obejrzałem się raz i drugi, czy ktoś za mną nie idzie. Usłyszałem jedynie pogłos własnych kroków. Po raz pierwszy czegoś takiego doświadczyłem, że oto własne kroki budzą lęk.

Znów powróciłem myślami do dzisiejszego wieczoru. Ogarnęły mnie wątpliwości, czy oni to byli ci sami, z którymi przed wielu laty mieszkałem gdzieś tutaj na stancji, skoro i tego budynku już nie ma. I w ogóle czy człowiek jest w stanie zachować jedność z sobą aż do starości? Nie do uwierzenia wydają się wspomnienia na starość, zwłaszcza z dzieciństwa, młodości, jakkolwiek sam nie jestem wolny od takich wspomnień, w które nie wiem dlaczego, wierzę. Co się kryje za tym, że jesteśmy tak nierozerwalnie przywiązani do czegoś, co nie wiadomo, czy było, lub czego nam życie poskąpiło, a z czego, mimo to, stworzyliśmy odniesienie do naszej tęsknoty. Do czego w takim razie tęsknimy? Całe to spotkanie z nimi na tej uroczystości, łącznie z muzyką, tańcami, z radością, która promieniowała z ludzkich twarzy bez względu na wiek, ba, kipiała, w miarę jak się sala rozgrzewała, było dla mnie czymś nad wyraz smutnym.

Być może, pod wpływem tych wspomnień, których zwłaszcza oni mi nie skąpili, naszły mnie wątpliwości, czy rzeczywiście zaprosiłem ją kiedyś do cyrku. Gdy dostawałem od rodziców raz na miesiąc drobną sumę na własne wydatki, zapraszałem ją do kina czy na jakieś występy. Przyjeżdżały od czasu do czasu różne zespoły z piosenkami, przedstawieniami teatralnymi. Cyrk był zawsze wydarzeniem w mieście. Żeby jej zaimponować, kupiłem miejsca w loży, wydając na bilety wszystko, co miałem. Siedzieliśmy tuż przy arenie. Ubrany na czarno konferansjer, we fraku, smukły, wysoki, o orlim nosie, włosy krucze, przygładzone brylantyną, na wstępie do dalszych pokazów zabawiał widownię odgadywaniem kart. Dał nam talię i kazał sobie wybrać jakąś kartę. I ona wybrała króla pik. Wziął tego króla z jej rąk i przechodząc wokół areny, podsuwał go wszystkim pod oczy, aby nikt nie miał wątpliwości, że to król pik. Potem tego króla wsunął w talię, talię potasował i oddał do jej rąk, aby nią rzuciła w niego. Rzuciła. A on z tych kart w locie rozproszonych niczym snop gwiazd wyłapał króla pik.

– Król pik, proszę państwa! – obwieścił z triumfem zdumionej jak i my widowni. Ta nagrodziła go rzęsistymi brawami.

– To te śliczne rączki go wybrały – powiedział i podszedł do nas, ją całując w rękę, za co otrzymał znów brawa. – Proszę wziąć na pamiątkę tę kartę. Czy to ten młodzieniec jest pani królem pik? – I otrzymał jeszcze mocniejsze brawa.

Gdy po nim na arenie zjawił się klaun, wyszedłem na dwór, licząc, że może i on wyszedł. Obszedłem namiot dookoła, lecz nie spotkałem go. Miałem już wracać, gdy nagle zobaczyłem żarzący się papieros w ciemności niedaleko. Palił i patrzył w rozgwieżdżone niebo. Podszedłem. Zaciągał się raz za razem, a papieros za każdym razem rozświetlał jego twarz.

– Przepraszam pana, czy mógłbym o coś zapytać?

– Słucham.

– Jak pan to robi, że z całej talii wyłapuje pan tę jedną wybraną kartę?

– Cóż, są różne sfery rzeczywistości. Większość ludzi żyje w tej najniższej, trywialnej. Musiałbym wiedzieć, w jakiej pan. – Wyciągnął papierosy i zapalił następnego. – Przepraszam, nie poczęstowałem pana. Zapali pan?

– Nie, dziękuję.

– Ma pan śliczną dziewczynę. Ale pan nie jest królem pik.

Spierali się ze mną o ten cyrk, gdy spytałem ich, czy pamiętają, że kiedyś cyrk przyjechał. Jaki cyrk? Jaki cyrk? Byli w cyrkach, ale to już na studiach.

– No, cyrk.

– A konie były, a lwy były, a choćby niedźwiedź był? Toś ty prawdziwego cyrku nie widział.

Pożałowałem, że przyszedłem na ten wieczorny bal. Na zaproszeniach widniało, a wieczorem bal, przygrywać będzie taka a taka orkiestra, saksofon, gitara basowa, gitara klasyczna, klarnet, perkusja. Wystarczyłoby, żebym poszedł na część oficjalną, która odbywała się do południa, chociaż i na niej nie dotrwałem do końca. Jak każda tego rodzaju uroczystość była nudna, żeby nie powiedzieć, nie do zniesienia. Składała się z powitań, przemówień różnych władz, odczytywania telegramów od jeszcze wyższych władz. A po władzach od absolwentów, którzy z takich lub innych względów nie mogli przyjechać, lecz sercem, pamięcią byli z obecnymi. Nawet jakiś medal wręczono szkole za te czterysta lat. Pomyślałem, że gdyby tak człowiekowi przyszło żyć czterysta lat, czy zniósłby swoje życie? Wątpię. Ale może za tę cenę poznałby lepiej świat? Tym bardziej wątpię.

Potem ogłoszono przerwę na kawę, a po przerwie zapowiedziano część artystyczną. Chór szkolny miał odśpiewać jakieś pieśni z tych czterystu lat, jakie minęły od założenia szkoły do dziś. Po czym szkolna orkiestra kameralna miała odegrać fragmenty czterech utworów, z każdego wieku jeden. Aha, cała ta dopołudniowa część miała być zwieńczona punktem, który został przeniesiony na sam koniec, ponieważ jakiś najważniejszy dygnitarz nie zdążył jeszcze dojechać, a to on miał wręczać państwowe odznaczenia absolwentom, którzy zrobili jakieś kariery. Podobno też byłem wśród nich, ale postanowiłem nie czekać i wyszedłem, korzystając z przerwy na kawę. Na ten bal wieczorem zdecydowałem się jednak pójść. Być może zachęciła mnie jakaś tląca się we mnie nadzieja, z której nie zdawałem sobie sprawy.

Wracałem zmęczony, niemal obolały od tych krzyków, gwaru, pisków, wrzaskliwej muzyki w równym stopniu co od wspomnień moich byłych kolegów ze wspólnej stancji, którzy wręcz mnie okładali tymi wspomnieniami przez cały wieczór. W programie zostało jeszcze losowanie na królową i króla balu, więc chciałem już wyjść, lecz zatrzymali mnie.

W takim tłumie i spośród tylu roczników, między którymi rozpiętość wynosiła kilkadziesiąt lat, trudno byłoby wybierać przez głosowanie. Postanowiono więc losować. Dwie ładne dziewczyny z najmłodszych roczników obchodziły salę z tacami pełnymi obwijanych cukierków, jedna rozdawała je kobietom, druga mężczyznom. Która z kobiet natrafiła w zawiniętym cukierku na niebieski koralik, zostawała królową balu, a który z mężczyzn na czerwony, królem. Szelest rozwijanych cukierków i towarzyszące temu podniecenie wypełniło bez reszty salę. Rozwinąłem swój i aż serce mi stanęło. Przy cukierku był niewielki czerwony koralik.

Na szczęście rozwinąłem ostrożnie, tak że tamci, rozwijając w napięciu swoje cukierki, nie zauważyli. Artysta malarz ze złością rzucił:

– Nie mam.

Generał pszczelarz raczej obojętnie:

– I ja nie mam. A ty? Pokaż.

Pokazałem mu pusty papierek, ponieważ udało mi się cukierka wraz z koralikiem zgarnąć wargami, zanim oni rozwinęli swoje cukierki. Cukierek na szczęście był mięciutki, tak że go rozgniotłem językiem i połknąłem razem z koralikiem. Ucieszyło ich to nawet, że i ja nie mam.

– Widać koralik nie był taki głupi, żeby któregoś z nas wybrać – powiedział generał pszczelarz.

– Co koralik! Co koralik! – oburzył się artysta malarz. – Ty myślisz, że to było uczciwe losowanie? Znalazł ten, którego już przedtem wybrali.

Królowa była młoda, ładna, zerwała się uszczęśliwiona od stolika, rozległy się brawa, a ona, rozglądając się po sali, zaczęła wołać:

– A gdzie jest król?! Gdzie mój król?! Królu, pokaż się!

Zrobiło się zamieszanie, zaczęli się zrywać i od innych stolików, niektórzy już krążyli po sali.

– Szukamy króla! Zginął król! Hej, królu, kto ty jesteś?! Niech każdy sprawdzi przy swoim stoliku! Królu! Królowa czeka na ciebie!

– Napijmy się – powiedział artysta malarz. – Jakiegoś gamonia widocznie wybrali. Musiał zjeść cukierka, a koralika nie zauważył.

– Ano, bywa, że ktoś jest łasy na słodycze – dorzucił generał pszczelarz.

Byłem już niedaleko hotelu. Nagle w półmroku zalegającym ulicę zobaczyłem jakby koniec kolumny, która poganiana pejczami, oddalała się ode mnie w szumie stóp, przekleństw. Na jej końcu, w odległości kilkunastu kroków, biegła ona, daremnie próbując dogonić kolumnę. Chwiała się na kostropatym bruku, ciągnąc za rękę dużo młodszą od niej dziewczynkę. Na ile mogłem, przyspieszyłem kroku, lecz nim doszedłem do hotelu, zniknęły mi w ciemnościach.

Spis treści

KSIĄŻKI WIESŁAWA MYŚLIWSKIEGO
W ZNAKU

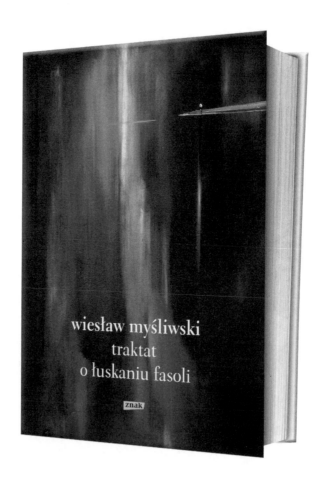

wiesław myśliwski
traktat
o łuskaniu fasoli

znak

wiesław myśliwski
widnokrąg

między przeszłością a wiecznością

wiesław myśliwski
kamień
na kamieniu

znak proza

wiesław myśliwski
pałac

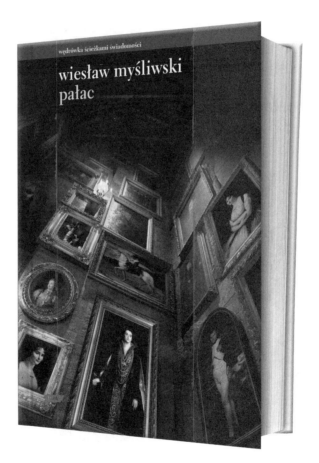

w poszukiwaniu swojego przeznaczenia

wiesław myśliwski
nagi sad